599

Juliette se remarie...
ou presque

Sylvie Medvedowsky

Juliette se remarie...
ou presque

ÉDITIONS FRANCE LOISIRS

Édition du Club France Loisirs,
avec l'autorisation des Éditions Plon.

Éditions France Loisirs,
123, boulevard de Grenelle, Paris
www.franceloisirs.com

© Plon, 2005.
ISBN 2-7441-8683-X

À Paul B.,
mon ami américain...

1

STUPEUR ET BOBUN À VOLONTÉ

Combien de temps déjà ? Quatre ans ? Non, deux. Non trois. Incroyable. Trois ans déjà que ce psychodrame légal dont l'objectif commun est de détruire ce qu'on a adoré a eu lieu. J'y crois pas. Trois ans que je suis divorcée !

Et je ne suis pas la seule. Le cycle mariage-démariage/divorce-remariage est devenu un sport national. La justice s'en est mêlée et nous offre maintenant le divorce à la carte ou avec des menus en kit rapides : à l'amiable avec avocat partagé, sans faute mais pour rupture de la vie commune, avec arrêt de toute consommation du devoir conjugal, par acceptation du principe de la rupture du mariage, pour altération définitive du lien conjugal – la nouveauté ! –, et j'en passe. C'est comme on veut quand on veut. Tout est possible de nos jours !

Trois ans ça se fête, non ? Et si on créait une rubrique spéciale « anniversaire de divorce » dans le carnet du *Monde* ? Genre « Il y a trois ans, trop tôt, Juliette Beaumont et Paul Tcherkodriou divorçaient ». Pas mal !

— Maman, regarde ! Putain !

— Hum ?

Absorbée par ce souvenir qui me semble si lointain mais qui ne l'est pas tant que cela, je mis du temps à réagir.

— Maman, regarde, j'te dis, reprirent les deux amours en chœur.

— Oui !

— C'est Mamie, là, dans la voiture chelou, la Smart verte à pois violets. Elle est stylée sa bagnole. T'as vu ?

— Oui, j'ai vu.

Elle a même failli m'encastrer. La voiture de défoncée avec une conductrice effectivement proche de l'âge de ma mère au volant. La voiture qui vient de me faire une queue de poisson juste devant chez Tao où on va manger le bobun hebdomadaire du mercredi midi. Je ne pouvais pas la louper la « bagnole » en question. Nous sommes mercredi 12 h 30 à dix mètres de notre thaï préféré. Avec le rush du boulot – pour moi – et les contrôles de fin d'année scolaire – pour les enfants –, ça fait un mois qu'on n'est pas venus y déjeuner en famille après l'école. Enfin le lycée et le collège – Élise a près de seize ans et Arthur bientôt treize – seconde et cinquième. Deux ados en pleine adolescence. Le bonheur !

Sur la Smart en folie, lookée et maintenant garée, on peut lire :

« Marre des bouchons ? Prenez le métro ».

La chauffarde, qui maintenant descend de voiture, se précipite au milieu de la rue lunettes en vrac sur le front et traverse sous mon nez, sans me voir... c'est bien... ma mère !

— J't'avais dit, Maman, que c'était Mamie. Elle va chez Tao aussi. C'est normal qu'elle soit là ou c'est une surprise que tu nous fais ? fanfaronna Arthur, vautré à l'arrière de la Cooper.

— Elle a changé de caisse, comme nous, mais elle a carrément pris le modèle en dessous. Et elle se la pète notre Mamie avec sa Smart. Trop bien. Viens vite Arthur, on va la voir, ajouta Élise sortant comme une furie en claquant la portière, manquant de couper la jambe gauche de son frère, qui maintenant nous dépasse toutes les deux et a du mal à caser ses grands abatis.

Ma mère en Smart ?

Ma mère en tongs, oui !

Et, elle a pas la tong zen, Mamie.

Quand je pense qu'elle m'a obligée à porter des chemisiers à col Claudine rose pâle pendant toute mon enfance et que maintenant, à son âge, elle joue les jeunes filles débridées en ville !

À l'intérieur du restaurant, installée, la Mamie se tient comme chez elle. À peine entrée, elle a pris la meilleure place, là, au milieu. C'est quoi ce nouveau genre qu'elle se donne ?

— Mes chéris, je suis si heureuse. Je vous attendais. Hein ? Je sais que souvent, le mercredi, vous déjeunez ici. Vous avez bien raison. C'est le meilleur thaï de tout Paris. Pas donné, mais excellent. Et vite servi. Tout le monde vient régulièrement. Et du beau

11

monde... Quelle surprise, hein Juliette, t'es contente de me voir à l'improviste ?

Contente ? Non. Ce n'est pas le mot qui convient. Je pensais être tranquille avec les deux que je dompte en milieu de semaine à coup de bobun. Là, c'est raté. Bon d'accord, ma mère, depuis la fin de mon divorce, mes quarante ans fêtés et passés, a compris qu'il ne fallait plus trop me soûler avec ses histoires de rangement, ni tenter d'organiser ma vie, ni vouloir me remarier avec le premier venu. La honte qu'elle m'avait faite, un jour en pleine attente du jugement de divorce, alors que l'avocat, bonne pâte, m'avait appelée à la maison pour me remonter le moral, et elle, ma mère qui était venue déranger chez moi, qui hurlait dans le téléphone : « C'est ton amant, ton nouvel amant ? Tu vas te remarier ma fille ? » Cette obsession du remariage... Je lui avais conseillé de s'appliquer à elle-même ses propres désirs ! Tu parles, ça ne l'intéresse pas. « Je n'ai plus l'âge. » En attendant, elle vivait par procuration, et c'est moi qui devais animer.

Depuis, elle a compris. Elle s'occupe d'elle. Elle voyage. En groupe. Elle s'est fait tous les continents en deux ans. Et maintenant, elle recommence dans l'autre sens. Elle va souvent en Asie. Elle passe sa vie là-bas. En Thaïlande exactement, ça lui plaît. Surtout la cuisine thaïe. Elle prend même des cours d'initiation à la cuisine locale, là-bas sur place. Avec une certaine Madame Pip ! Elle adore.

Mais là, apparemment, elle est rentrée. Elle est à Paris. Et juste à l'endroit où l'on compte prendre notre repas tranquillement tous les trois !

Déjà, j'étais énervée. C'est vrai, depuis que je travaille dans le privé, c'est moins facile de traverser tout Paris pour déjeuner avec les enfants. Faut trouver le temps. Je le trouve, bien qu'on soit en plein pilote. Grâce à Alain, le père de l'ex-meilleur copain d'Arthur de l'École bretonne, j'ai trouvé un job à la télé. À la nouvelle chaîne du câble qui se lance, « Femmes 7 », ça s'appelle. Alain est le patron, on dit directeur général, et moi, je suis n° 2 : responsable des programmes, des productions et de l'antenne, on dit ! Je suis spécialement chargée de lancer l'émission phare de la rentrée, présentée par le nouveau petit chouchou du PAF qui monte : l'animateur-producteur Alban.

Je démarre. Alors, pas question de se la couler douce comme à « l'abri de jardin ». Ça, c'était mon ancien boulot dans l'Administration, au Mobilier national. J'étais inspectrice des joyaux de la République que l'on prête aux locataires des ministères, de Matignon et de l'Élysée. Un sacré boulot pour surveiller tout ça ! Là où je suis, on n'est pas à l'abri du tout : mon contrat est signé pour une saison – six mois, et pas un de plus pour faire mes preuves, sinon je dégage ! –, et question rythme de travail c'est carrément « côté cour ».

Même pendant l'été, à la télé, on bosse. On prépare la grille de rentrée. Et mon émission, enfin celle que je prépare avec Alban, c'est du jamais vu. Ça s'appelle « Crazy Blondasse ». L'idée vient de moi. Le concept aussi. J'en suis fière, et du titre encore plus ! Pour l'instant le tout est sous embargo. Pas question que la

13

concurrence nous la pique notre émission qui va faire exploser l'audimat... On révélera tout ça au dernier moment, fin août, lors de la conférence de presse de rentrée.

Alors, tomber sur ma mère chez Tao juste aujourd'hui, c'était pas exactement mon rêve.

Et là encore, je vivais (sans le savoir) dans le zen. Parce que avec ce qu'elle nous a annoncé au cours du déjeuner... ! Elle a commencé juste après la commande. Nous, on n'a même plus besoin de regarder la carte. On prend tous les trois chaque fois strictement la même chose : un énorme bobun (plat unique à base de nouilles, salade, carottes râpées, bœuf effilé et coriandre). Ça va vite et « c'est trop bon », comme disent les enfants. Notre invitée surprise a enchaîné, sur le ton « Regardez ce que le Père Noël a apporté à Mamie ». Nous sommes fin juin, Maman. Justement. La to-ta-le, elle nous a assené. J'y vais d'un coup sans respirer, et ça donne : ma mère (soixante-trois balais pétants) s'est remariée après mûre réflexion, dans son pays favori, à vingt kilomètres de Bangkok, dans le petit village de la Pagode au bouddha d'argent, avec un Thaïlandais de dix ans son cadet, M. Farajang. *Yes* !

Ses petits-enfants et moi en étions à peine à piquer nos baguettes dans le bobun grande taille. Je me suis littéralement étranglée. Faut le faire avec un plat de nouilles trempées dans de la soupe...

Ma propre mère s'est remariée sans en parler à personne, surtout pas à celle qui n'est rien que sa fille, à dix-sept heures d'avion de Paris, avec un autochtone

14

au fin fond de l'Asie ? Exotique mais hallucinant. Qui c'est qui lui a mis cela dans la tête ? Pas moi tout de même. D'accord je lui ai demandé à maintes reprises de me lâcher, de vivre sa vie et de se trouver un mari, elle, si elle en avait envie, à l'autre bout du monde si possible... Je ne peux pas imaginer qu'elle m'ait prise au sérieux... qu'elle l'ait fait pour de vrai et sans nous ! Un mariage clandestin, en catimini ? C'est une première dans la famille !

Ah, les voyages pour retraités, ensemble, ça leur fait du bien, ils ont de la compagnie, ils voient du pays et ils consomment. Bravo ! Merci la filière pour les plus de soixante ans. Ça fonctionne.

Et pour nous faire participer à « la sacrée surprise hein ! », Mamie, elle nous a sorti les photos – qu'elle ne quitte plus – de son mariage avec son quasi-junior. Elle nous fait le remake de *Harold et Maude*, multi-culturisé et en *live*, ma mère !

Je ne savais plus si je devais faire semblant de m'intéresser ou me sauver au fin fond de ma chaîne. Mais devant les enfants, je me devais d'être ravie. Alors, successivement, sur les images (impossibles à oublier), j'ai vu ma propre mère, assise par terre au milieu de plusieurs centaines de gens, vêtus de saris ou de boubous, je ne sais pas comment on dit loca-lement, tous plus affairés les uns que les autres autour d'immenses plats colorés, manger avec ses doigts. J'ai vu ma mère boire de l'alcool de riz à 45° au goulot. J'ai vu ma mère, la même, entourée de bougies allumées, assise sur un pouf de là-bas, vêtue de couronnes de fleurs, de décorations pas possibles, de parures de folie, se faire nouer des cordons de coton par chaque invité autour du poignet (il y en avait trois cents d'invités, imaginez le bras en question !). J'ai vu tout ça...

« Là-bas, c'est cool, l'âge n'a pas d'importance, commentait-elle, en connaisseuse, devant Élise et Arthur, babas d'admiration, tout le monde a le même âge. C'est l'âme qui compte. L'âme... »

Partie, ma mère ?! Elle nous fait « Katmandou » version 2010's !

« Ce fut un mariage traditionnel », elle était fière de renchérir. « Là-bas, tout tourne autour de la nourriture et la fête dure trois jours et trois nuits. Les invités mangent et boivent jusqu'à ce qu'ils n'en puissent plus. Et ça, c'est le prieur. C'est le chef du village : c'est lui qui nous a mariés. Regardez, Arthur et Élise, c'était magique. » C'est sûr, rien à voir avec nos mariages de chez nous.

J'étais abasourdie. J'avais l'appétit coupé. Face aux enfants exaltés je devais donner le change. Je n'arrivais plus à penser. Juste à réaliser que, même thaïlandaise par alliance, ma mère est toujours aussi soûlante. Impossible de la faire taire. J'avoue, malgré tout, que pour une fois elle a quelque chose à raconter ! Je ne voulais pas faire la mauvaise fille, la jalouse, mais c'était plus fort que moi.

J'ai laissé la moitié du plat. Élise et Arthur, eux, étaient passionnés. Il y avait des photos partout sur les tables alentour. « Mamie chérie, nous on ira là-bas. Tu nous emmèneras, et on recommencera tout ! Trop bien ! On ratera même l'école pour faire la fête ! »

16

Assaillie de questions par ses petits-enfants, elle répondait, encore et encore...

À la question : « Tu vas aussi te marier à Paris, dis Mamie ? », j'ai décroché. Je ne voulais pas entendre les réponses. C'était au-dessus de mes forces.

On a vite commandé la suite. Et je me disais méchamment : « À part remariée, elle fait quoi, maintenant, "Gloria", dans la vie » ?

Au dessert, j'avais pris un « chè » suong sa – j'adore – (crème de lait de coco, pâte de soja et gelée d'herbe, dessert froid, ça me rappelle l'Indonésie), elle m'a littéralement scotchée. Gloria. Euh, ma mère (tiens ça lui va bien ce p'tit nom-là. Je vais l'appeler comme ça maintenant que tout lui réussit !). Non seulement elle s'est remariée en Thaïlande, mais en plus les nouveaux mariés ont investi : là, j'l'ai pas cru. Ils ont racheté le restaurant. Oui, Tao ! Notre endroit préféré à nous, le bloc d'amour, moi, Arthur et Élise, ou Élise, Arthur et moi, comme on veut. Notre Tao a donc été racheté par ma propre mère sans nous en souffler un seul mot. C'est ça la famille ? Voilà où ça mène l'art culinaire thaï ?

Moi, j'ai encaissé, c'est tout. J'ai eu beau me bourrer de gingembre confit avec mon café, ça ne passait pas. Les deux autres hurlaient dans le restaurant : « C'est d'la balle. » Élise : « Trop stylé ! Ça me fait plaise. » Arthur : « Mamie, Mamie. » Le tout dans une orgie de sorbets et glaces aux doux noms de Tim (cœur), Naï (innocence), Gay (passion), May (rêverie) et Khan (force). Parce qu'en plus de s'être mise mis au thaï, Gloria, elle le parle !

Trop contents, mes deux ados. Un resto avec la cuisine qu'ils adorent, tout près du lycée, pas cher, gratuit même maintenant car il appartient à leur Mamie – subitement devenue leur Mamie chérie – ça m'a achevée. C'est pour cela que tout à l'heure elle faisait l'article et s'installait au milieu comme si elle était chez elle. Elle est vraiment chez elle !

Let's work. Allez, Juliette, va bosser, ça te reposera, va !

Eh bien là, je vous laisse tous les trois, euh tous les quatre, M. Farajang, avec votre femme, mon (ex ?) mère et mes deux encore actuels enfants, n'est-ce pas ? Et bonne fin de repas. C'est combien. Madame, euh Maman ? Rien ? Offert par la maison. Merveilleux. J'y vais, j'y vais, ne vous dérangez pas pour moi... il n'est que 14 h 25. Je serai de retour à « Femmes 7 » pour le visionnage du pilote avant 15 heures. C'est Alban et sa bande qui vont être contents !

Merci, merci. Pour tout !

Sur le chemin du retour, le long de la Seine, j'ai d'abord failli me payer un piéton (ouf, rien de grave). Ensuite, j'ai vraiment embouti un scooter : le pare-chocs tout neuf en plastic cassé (ça ne tient pas ces trucs-là). Cent euros à l'amiable. Merci. Et c'est tout pour ce déjeuner le plus harassant depuis... les tentatives de conciliation avant mon divorce ! Oui, car j'écoutais mes messages en route sans mes oreillettes – encore empruntées et à traîner dans une des poches d'Arthur ou d'un de ses potes –, la tête envahie de pensées thaïes, j'ai pas fait attention à la circulation.

Je m'en tire bien. Aucun flic ne s'en est mêlé, donc pas de points de permis en moins, tout va bien.

Je n'en revenais pas de cette histoire de remariage de dingue. Et je me disais que c'est pas à moi que ça arriverait un truc pareil !

Chloé m'a téléphoné juste quand je descendais dans le parking de « Femmes 7 ». Elle a le chic pour m'appeler au mauvais moment, ma copine pendue au téléphone.

« Ça va ? » On peut le dire comme cela. « Oui, ça va. » À peine le temps de répondre : elle revenait du laboratoire, des analyses, des prises de sang et tout et elle a réservé la clinique, la crèche et la nounou. Ça y est, cette fois, elle y croit. Elle va être enceinte pour de bon. Elle pense même que c'est de son mari. Mais elle n'en a pas l'air très sûre comme ça à première vue au téléphone. Peu importe d'ailleurs, l'objectif cette fois étant d'avoir un enfant. Car, après nous avoir bassinés pendant des années, je dis bien des années, notamment celle de mon divorce, avec son futur mariage où elle a changé dix fois de victime, m'avoir traînée dans tous les salons du mariage de toutes les saisons, sans compter ses périodes de cure d'hostilité où il fallait tout jeter, elle a fini par le trouver, le mari. On l'a vu pratiquement qu'une fois. Le jour de « The » cérémonie. Le mariage le plus préparé de Paris. Un cauchemar, je préfère ne pas m'en souvenir, ni les invités, ni personne d'ailleurs, elle y compris. Il s'appelle Jean. Jean Flam. Le père de son futur enfant. C'était il y a six mois. Depuis, passé à la trappe l'oiseau rare. On n'a plus entendu parler que du futur bébé. Ça y est. Nous y sommes. Chloé est enceinte. La première échographie vient de le confirmer : le sperme de M. Flam est entré en masse dans l'ovule de Mme Flam. Et ça va donner quoi, docteur ? Moi, je le sais : des petites flammes ! Mais d'ici là, on va s'en farcir de la layette, des magazines et des conseils sur les bébés. J'ose pas imaginer.

J'ai pris l'ascenseur. On a été coupées. Elle a rappelé et j'ai fini par lui dire que je pouvais plus lui parler à cause du boulot. Elle a un peu fait la tête. Au bureau, le futur animateur vedette de la chaîne, Alban, enfermé dans le studio avec son équipe et sa directrice de production, une certaine Vanessa, qui a oublié d'être pédante, était d'une humeur de chien. Malgré l'insonorisation high-tech, on entendait des hurlements.

Vanessa est sortie me dire qu'ils avaient quarante-cinq minutes maximum de retard. J'ai répondu sèchement que c'était trois quarts d'heure de trop. Et j'ai fait la fille débordée en refermant la porte. Et une fois seule, j'ai commencé à boire. Trois litres par jour, j'en bois. C'est bon pour la santé... le thé vert. C'est ma nouvelle folie. Je veux tout au thé vert : les éclairs au café au thé vert, le savon qui peel au thé vert, la mousse de bain parfumée, le gel douche rafraîchissant... Même un mec au thé vert, je crois que je craquerais. Juste pour l'été !

D'ailleurs question mec, en ce moment, c'est calme plat. Faut que ça cesse. Et pourquoi, moi, Juliette, digne fille de « Gloria », je n'épouserais pas cette fois un homme jeune, riche et étranger... qui m'offrirait La Tour d'argent, comme restaurant ! Je ferais rentière.

J'arrêterais de travailler. Je ne serais plus obligée de supporter tous ces hommes au boulot, qui se la pètent. Dans le public, c'est règlements de comptes et intrigues dans tous les coins. Dans le privé, surtout dans l'audiovisuel, ils n'en peuvent plus d'être là. C'est tout aussi fatigant. Exemple : j'attends depuis une heure que les zozos de la production extérieure à la chaîne soient prêts. Faudra pas que cela se renouvelle trop souvent.

— Oui, entrez. Ouf !

— ...

— C'est pour quoi ?

Une espèce de Brad Pitt ambulant, très baraqué, est entré dans mon bureau avec une sorte de chaise à l'envers, très encombrante. Il l'a installée devant la fenêtre et m'a dit de me placer. « Offert par la chaîne, pour chaque responsable, vingt minutes de massage – chaque semaine – à base de points... thaïs » !

— À cause du stress, Madame, vous verrez, c'est in-dis-pensable, il a ajouté de sa voix plutôt efféminée.

C'est vrai que le stress, ici, ça y va. Et le mauvais stress, ça me fait grossir, et en trois mois j'ai bien pris quatre kilos... Pas top !

Et les tablettes de chocolat de rajouter pour me détendre :

— Penchez-vous en avant, relâchez-vous, laissez-vous aller. Un peu de musique douce et... inspirez, soufflez. Vous voyez... avec un peu d'imagination, on s'y croirait là-bas. Vous connaissez la Thaïlande, non ? Moi, dès que j'ai du temps libre, j'y file. Inspirez... soufflez... Respirez... Zen, soyez zen !

2

FEMME DE PERSONNE

Ça recommence, quasiment tous les dimanches soir c'est pareil. J'ai le blues !

Toute la semaine, je bosse comme une dingue et j'accumule un stock de stress dément. Maîtriser Alban, gérer les enfants, penser à ma mère et son nouveau mari, mettre sur pied l'organisation des vacances. Et surtout découvrir cet univers de la télé, c'est instructif, mais épuisant, même dans une petite chaîne. Ça s'arrête jamais ! Et pas le moindre petit amant à se mettre sous la dent. Même pas en rêve !

Je tiens sur les nerfs, et dès que je décompresse une petite journée, je flippe grave ! Et comme je gonfle à vue d'œil, je flippe encore ! Chloé, qui prévoit tout à l'avance, donc qui en est déjà à son après-grossesse, m'a conseillé un acupuncteur miracle, basé dans le 8e arrondissement. On reconnaît facilement sa rue car il y a une ribambelle de voitures garées en double file et ça défile devant son cabinet, paraît-il ! Sans rien faire du tout, on perd pile deux kilos par semaine, uniquement grâce à ses minuscules aiguilles qu'il vous plante partout dans le corps, tous les jours, cinq minutes seulement par jour, mais toujours à la même heure (c'est un peu contraignant mais bon). Et hop. On retrouve sa taille de jeune fille, comme pendant un divorce, quoi ! C'est cher par contre, mais c'est ça ou un voyage au soleil que je n'ai pas le temps de m'offrir. Alors, autant maigrir, non ?

Après je pourrai me remettre à faire les séduisantes...

Quand ? Le samedi, détente ? Faut pas croire ! En bobo consommatrice aguerrie, je pense avec ma carte bleue et je pratique l'ego-shopping. Tiens, rien qu'hier : j'ai enfin récupéré – après trois mois d'attente et une commande spéciale dans un magasin unique, le tout pour une somme astronomique –, mon cabas illustré de la photo d'Élise et Arthur, surfant ensemble au ski l'hiver dernier. « Be a bag ». C'est l'idée. En ce moment, j'ai plutôt l'impression de vivre carrément « in the bag ». Pas la tête dans le sac mais presque. Je devrais me la mettre dedans d'ailleurs ! Genre autruche. Ça m'aiderait peut-être à y voir plus clair...

Malgré tout ces euros dépensés, si j'ai le sac qu'il faut avoir pour l'été, j'ai quand même le blues. Et Chloé qui m'assène pour me rassurer : « Tant que t'as envie du contraire de ce que tu as, Juliette, c'est que tu es en vie. » Ça me mine, oui !

Ma vie, c'est quoi ? Elle a un sens ?

Je passe sur ma jeunesse, des flirts, des amoureux, des hommes, des déceptions, des satisfactions, du banal, quoi.

Mon premier mariage, raté. Avec Paul, ça a été une tentative. Un brouillon. Une tranche de vie à oublier. Dans le divorce, on se rend compte que ce premier mariage n'a pas été à la hauteur du rêve : épouser quelqu'un pour ce qu'il deviendra. Quinze ans de vie commune et deux enfants plus tard, il ne reste plus qu'un fantôme. On s'est tout simplement trompés. La deuxième fois, il paraît qu'on épouse (enfin on essaie d'épouser) la réalité ! On sait ce qu'on ne veut plus, ce qu'on attend du couple et comment le faire. C'est ce qu'on dit. Encore faut-il le rencontrer le deuxième mari potentiel. Or, en ce moment, c'est plutôt parking-maison-parkingboulot, ascenseurmaison-ascenseur-boulot. Les coups de foudre dans l'ascenseur, ça arrive. Surtout dans les films, non ? Faudrait que je me remette aux mecs ! Mais les dîners où on se baisouille sur la bouche à la fin (même si ça n'engage à rien), les cocktails-télé (plus hypocrites tu meurs), ça me fatigue. Je préfère m'affaler direct devant... la télé ou un bon DVD.

Mon premier divorce, une réussite ! Tu parles : huit ans de réflexion, dix-huit mois de procédure, une nuit de discussion, une heure d'audience de conciliation et cent quatre-vingts jours de bagarre pour récupérer le premier petit chèque de pension ! Comme on a la procédure qui vous bouffe un bon mi-temps, on n'a pas la tête à ça, les hommes. Non. Et six mois après, ça va mieux. Pour moi, il y a eu Marco. Ah, Marco ! Amoureux, séducteur, séduisant, charmant, attentif, présent, plutôt bon amant, mais capricieux ! Marco et sa Porsche (et ses Porsche pour être plus juste, car en trois ans il a bien changé trois fois !) La dernière, la nouvelle, je la préfère à la précédente. « La Pors-chette », je l'appelais celle d'avant. Même pas capable de grimper une côte enneigée avec ses quatre roues motrices dotées de pneus neige ! Out, les trois cent vingt chevaux ! La nouvelle, c'est pas pareil, y a du répondant sous le capot. Mais bon, je ne monte plus dedans, sauf parfois, juste comme ça en amie. Alors !

Le parfait Marco, qu'Élise et Arthur aimaient beaucoup après lui avoir fait passer les pires épreuves. Ils commençaient à s'habituer à vivre avec lui week-end après week-end. Tout se passait pour le mieux. Moi-même, je me disais que, oui, j'avais de la chance après tout de l'avoir rencontré. Marco Francisi. Eh bien, oui et non. C'était trop beau. Élisabeth, avec son flair incroyable, elle, ne l'aimait pas beaucoup Marco. Elle lui trouvait un je-ne-sais-quoi « qui ne collait pas ». Sans vraiment pouvoir le définir. Elle avait raison. Ce n'est pas l'une de mes meilleures amies pour rien, plus de vingt-cinq ans de pratique !

Un jour par hasard, peu après mes quarante ans, j'étais au volant de ma voiture de mes quarante ans justement – la Cooper S de mes rêves, gris métallisé, toit noir, d'occasion, quasi neuve, une affaire et une vraie histoire : tous mes amis, y compris mon avocat, mes anciens amants, mes prétendants – et, tenez-vous bien, même Paul, l'ex-mari, ont participé à l'achat du cadeau – sous l'impulsion et l'organisation de Marco, tous me l'ont offerte avec un petit complément de ma part de mille euros. Donc, un jour, j'allais au marché, c'était un jeudi matin, vers 11 h 30, je travaillais encore à l'abri de jardin (l'administration où je sévissais du temps de l'ex-vie), et à toute heure je pouvais être... à l'extérieur de mon bureau, en inspection ! C'est comme ça au Mobilier national. On inspecte. Et au passage, on peut faire un arrêt en route, au marché par exemple. Ce jour-là l'objectif c'était achat de légumes frais pour les enfants, Élise ne jure que par ça. Et là, qu'est-ce que j'aperçois, devant l'école maternelle juste à côté de mon lieu d'inspection ? Mon Marco, accroupi devant une petite fille d'environ trois ans. Son sosie, en fille et en miniature. Il l'embrassait, la faisait sauter dans ses bras et elle criait : « Papa, Papa, Papa, plus haut » !

Dans ma tête, ça a fait tout un truc, comme un film qui se rembobine en accéléré et se redéroule à toute allure dans l'autre sens. J'ai vu Marco passer en une demi-seconde du stade d'ex-bite sympa juste après mon divorce, à celui d'actuel compagnon de week-end à force de preuves et de confiance, à celui de traître qu'il venait instantanément d'acquérir à l'insu de son plein gré. Et ce définitivement.

Je ne savais plus où j'en étais. Pendant trois jours et trois nuits, ça a été le brouillard complet. Puis je me suis reprise. J'ai encaissé et digéré l'événement : une fille cachée ! Marco, amoureux de moi que je croyais, mon mec, mon compagnon de week-end et de vacances réunies, le pote de mes enfants ! Cette petite fille qu'il a eue avec la mère environ un an avant de me connaître, il ne m'en avait ja-mais parlé. Pas un mot, pas un lapsus, pas l'ombre d'un doute. Insoupçonnable. D'accord son histoire avec la mère était déjà finie avant même la naissance. Mais tout de même.

Ça a été un choc. Violent. Une trahison poussée. Je n'ai plus voulu le voir pendant plusieurs mois. Puis j'ai réfléchi. Au fond, on était bien ensemble pour le plaisir, mais sans engagement profond. Je n'ai jamais vraiment été amoureuse transie de lui. Alors ? Autant bien prendre les choses. Marco, lui n'a pas lâché l'affaire. Il continuait à me solliciter régulièrement pour un vernissage par-ci, une avant-première par-là. Nous nous sommes revus pour boire un verre, puis dîner avec des amis communs... et nous avons fait la paix. Deux ans de complicité, deux ans de présence. Surtout pendant la guérilla avec Paul, où il était là Marco, le traître. Je ne l'ai pas oublié.

Finalement, et pour les enfants aussi qui l'aimaient bien, j'ai opté pour la solution copains, Marco et moi. Je sais que, pour le fun, les fêtes, les week-ends en bande, il existe, je peux l'appeler, mais pour le reste, il n'est pas fiable. Il a beau tout faire pour me prouver que, à part Margot (sa fille qui vient d'avoir cinq ans), il ne m'a jamais menti, je ne peux pas. Je ne peux plus.

Maintenant que j'ai passé quarante ans, c'est simple, je ne veux plus me gâcher la vie avec des histoires qui ne tiennent pas la route. Fini les amours non partagées : genre tomber amoureuse d'un homme marié, rester avec un menteur, manipulateur, calcu-lateur... Faut dire que les années qui viennent de s'écouler n'ont pas été des plus reposantes. Et ça m'a endurcie.

Quarante ans, pour moi c'était le rêve. Je me disais : « C'est le plus bel âge pour une femme, vivement mes quarante ans ! » Être libre. Équilibrée. Mère. Seule. Tranquillité et légèreté ! Des amants, en veux-tu, en voilà ! Trois pour le prix d'un ! Voilà comment

27

j'ai décidé de vivre après tout ça. C'est vrai quoi : un homme complet, ça n'ex-is-te pas. Alors ? Pour en avoir un bien comme il faut, il en faut au moins deux, voir trois ! Indispensable : un, la sécurité, la protection ; deux, les sorties, la vie culturelle, la conversation, les salons de thé ; et trois, l'épanouissement sexuel et affectif. Si on peut combiner deux qualités pour un seul homme, deux hommes suffisent. Plus les extras, ça fait trois quand même ! Trois tiers. Bien sûr 3/3 n'ont jamais fait 1. Mais 1 + 1 ça fait quelquefois plus que 2. Et puis, en garder comme friandise pour les jours où, c'est une idée pas forcément idiote. Dans la vie, il faut s'or-ga-ni-ser.

Et l'amour dans tout ça ? Je m'interroge...

Depuis mon divorce, il s'en est pourtant passé des choses, côté hommes. Mais côté cœur ?

Paul, après tous ses ennuis, s'est calmé. Il lui a bien fallu redresser la barre professionnelle, déjà. Parce que sa nouvelle femme Poustiface (c'est comme ça qu'on l'appelle toujours et encore...), elle ne l'entendait pas de cette oreille. Elle veut bien être « Mme Tcherko-driou », mais pas à n'importe quel prix. Les cadeaux et les honneurs d'abord, les sentiments ensuite. Du coup avec moi, il a fait la trêve. Il ne pouvait pas batailler sur tous les fronts. Alors, il a choisi la big tentative de retour. Un jour, peut-être au moment de mes quarante ans (donc des siens aussi !), il y a plus d'un an, il m'a proposé qu'on se voie régulièrement pour parler des enfants. Un dîner par semaine ! J'ai tout de suite trouvé que ça faisait beaucoup. Passer des contacts par avocats et juges interposés, et autres

lettres recommandées avec A.R., à un dîner hebdomadaire, c'était un peu brutal ! J'ai proposé un petit
déjeuner deux fois par mois. Pour voir. Après si tout
se passait bien on pourrait passer à un déjeuner de
temps à autre... Pas d'ambiguïté. Il paraît que pour les
hommes, même encore aujourd'hui, accepter un dîner
de la part d'une femme c'est un engagement. Oui. Ou
plutôt une promesse. Alors, à Paul aussi, j'ai appliqué
ce grand classique, modèle de l'évolution des relations
hommes-femmes. D'ailleurs, ça m'arrangeait bien.

Et alors Merlin, comme on l'appelait Élisabeth,
Chloé et moi, juste au moment du divorce, et surtout
quand il a décidé de ne plus payer la pension pendant
six mois pour constituer son trousseau avec la Nadine,
en prévision de leur mariage, Merlin le désenchanteur
a donc essayé de m'enchanter. Même au petit déjeuner
il me donnait rendez-vous dans des endroits de plus
en plus cosy, retirés, à l'abri des regards. Maintenant
qu'il était marié, il pouvait se payer une maîtresse.
Et il y croyait ! Moi, son ex-femme. C'était facile. Il
connaissait le mode d'emploi. Pas de surprise. Pas
d'embrouille. La routine, tout de suite. Et pas grand-
chose de plus à débourser, il payait déjà sa condam-
nation mensuelle !

J'ai entrevu le cauchemar.

Je me débarrasse de lui comme mari, et après
m'avoir flouée et rendu la vie si difficile, il se présente
comme amant ! Un culot ! Je l'ai joué très smart :
« Moi, mon cher Paul, ce que je cherche, c'est des
mecs qui baisent. Qui me baisent, et bien. C'est tout.
Or de ce côté-là tu ne m'as pas laissé de souvenirs...

29

Inutile donc d'envisager de concourir. » Il a failli avaler ses lunettes !

Après, ça a dégénéré à nouveau. En plus, vu sa discrétion, la Nadine s'est doutée de nos rendez-vous. Elle lui a fait des scènes. Tout ça pour rien !

On s'est balancé de plus belle les phrases habituelles, lui qu'il avait « le droit de refaire sa vie ». Mais fais, mon coco. Une fois, deux fois, trois fois. Ta vie. Fais, défais et refais. Mais, surtout, tu me fous la paix, et tes petites maîtresses, tu les prends à droite, à gauche, et au centre. Comme tu le sens. En plus, avec tes nouveaux atouts. Ah, oui, j'oubliais, parce que depuis deux ans, Monsieur s'est lancé en politique. Dans sa région : à Grasse. Il veut être élu. Bon vent. Qu'il s'installe là-bas avec sa nouvelle famille.

Pour mettre fin à toute discussion et couper court à toute ambiguïté, j'ai fini par lui hurler à la figure : « Et moi, j'ai le droit de ne pas refaire ma vie, OK, alors tu me lâches. » Je ne l'ai plus revu depuis.

Me rappeler tout ça m'a déprimée et achevé de me gâcher la fin de la soirée.

Et si je faisais comme ma mère ? Après tout. Moi aussi je dois bien être capable de me trouver un nouveau mari libre, jeune, riche, et vivant à l'étranger, euh étranger ! Et qui me choisira pour ce que je suis.

J'ai passé d'un coup, en revue, dans ma tête la liste des derniers prétendants en stock, à éventuellement envisager de se mettre sous la dent :

— César, disponible, pas jeune, français et riche, mais qui veut faire pauvre. Passe sa vie au Ritz ou au

Meurice, paye pour savourer ma compagnie ponctuellement. Mais sans plus. Préfère garder le reste (temps, argent, etc.) tout pour lui tout seul. Trop perso. Célibataire dans l'âme. Qu'il le reste !

— François, jeune, français, joue les libres mais pas disponible. Trop occupé à travailler. Marié avec son boulot. Dur pour lui de trouver un créneau de deux heures même pour faire l'amour une fois par semaine. Pas le temps, non plus, de dépenser sa cagnotte. Et continue de vivre avec son ex-femme !

— Jean-Sé, mon âge, français, riche et marié, très marié, trop marié. Et ses 5 gosses. Pouah ! Toujours un qui ne va pas. Rappelé en urgence pour faire face avec Madame, il est capable de me laisser en plan et de filer sur-le-champ la queue entre les jambes !

Non, aucun ne me convient. Prétendants ils sont, prétendants ils resteront, « qu'ils prétendent, qu'ils prétendent... » soupira-t-elle ! Faut peut-être que je modifie mes critères de choix ? J'ai pas encore trouvé les bons.

J'en veux un pour moi toute seule ! Ça doit bien exister non ? Jeune, pas jeune, riche, pas trop pauvre, français ou étranger, avec ou sans restaurant, je le veux pour moi toute seule, et qu'il s'occupe de moi. Point !

Mais, oui, tiens, avant la fin de l'été, pour savoir « quels seront mes amours de l'été prochain », faut que j'aille voir ma voyante. J'ai changé d'ailleurs. Avant, au moment du divorce, c'était Patricia. Depuis, j'ai rencontré plus forte. Elle s'appelle Doudou. Et elle m'aide. Ça me fait office de psy, en quelque sorte ! Elle doit pouvoir me trouver les amants de l'été.

J'improvise plus maintenant. Je fais des plans. Et justement, Doudou, elle a l'œil pour me faire ma présélection.

— Juliette, je vous vois avec un homme cet été, un étranger rencontré en vacances. Il est libre, divorcé. Il a beaucoup d'argent. Son prénom commence par un B. C'est encore un peu flou, mais c'est pour bientôt. Je vous vois au bord de l'eau. J'm'appelle plus Doudou, si ça ne se passe pas comme ça. Vous verrez, vous me téléphonerez pour me le dire...

— C'est sûr, si ça arrive je vous appelle illico ! Et je le connais déjà ?

— Non, c'est une nouveauté. Il arrive, il est en route là à l'heure où l'on parle. Vous le rencontrez en dehors d'un cadre professionnel, elle a vraiment insisté ma Doudou. Si ça marche, je sens qu'elle et moi on va super s'entendre et qu'on va devenir très très copines !

Ça fait du bien les voyantes, surtout pour l'ego. Plus on y croit, mieux c'est. Après, j'ai plus à me casser la tête : je me vois à la plage ou au bord de la piscine. Vous c'est comment ? Dominique, ah, non, ça ne va pas coller. Le prénom de mon prochain amoureux commence par un B ! Désolée. Et vous ? Maurizio ? Non, ça va pas le faire non plus. La tête des mecs ! Carrément le shopping ! Léonidas. Ah, ah. Je vous trouve pas mal, mon p'tit, mais non, ça n'est pas possible ! Vous avez un deuxième prénom ? Ah, vous êtes français ? Merci. Inutile d'insister...

Je divague. De toute façon, cet été j'ai Alban et le boulot, alors !

Pour me décontracter et m'endormir en rêvant un

peu, j'avais allumé la bougie au thé vert qu'Élise venait de m'offrir. Ça sentait trop bon. Mais le thé vert, même en bougie, ça énerve ! J'ai repensé aussi à la question d'Arthur quand je suis allée lui dire bonne nuit (il y a quatre heures !) :

— Maman, l'amour c'est un baiser qui dure toujours ?

— Pourquoi, mon chéri, tu dis ça ? j'ai questionné en mère mi-flattée, mi-inquiète.

— Parce que je crois que je suis amoureux.

Amoureux, mon fils à douze ans et demi ?

Polie et curieuse, j'ai pas pu m'empêcher d'ajouter mine de rien :

— Et elle s'appelle comment ton amoureuse ?

— Tara. Et maintenant je m'endors en pensant à elle. Bonne nuit !

Il a de la chance, Arthur ! Même lui il n'est pas seul, en pensées.

Moi c'est plutôt taratata ! Et jusqu'à deux heures du matin, je me suis fait un film sur mon deuxième mariage. Là, je vais accomplir un chef-d'œuvre.

Mon remariage, il sera sensuel, aventurier, amusant et sexe. Ou il ne sera pas.

3

SOUVENIRS, SOUVENIRS

J'ai pas été sympa. Pas bien du tout, même. Avec ma mère, l'autre jour. Plus de quinze jours que je suis au courant des grandes nouvelles, et je ne l'ai pas rappelée...

Cette avalanche d'annonces sidérantes : un, je me suis remariée avec un Thaïlandais de dix ans de moins que moi, toute seule là-bas dans son pays, sans prévenir personne ici. Y compris ma famille. Deux, je deviens avec mon nouveau mari propriétaire du restaurant préféré de mes petits-enfants, à deux pas de leur lycée, et ce dans le plus grand secret ! Faut le faire.

Pour moi, c'est dur à avaler. J'essaie de ne pas y penser le jour, mais la nuit, ça resurgit. Je me réveille d'un coup, en nage, et je suis en Thaïlande. Direct. Alors je me lève et je vide le frigo. Tout y passe. J'ai encore pris deux kilos. Et c'est pas le moment, l'été arrive, pas de mec en vue, malgré ce que m'a dit Doudou...

Les enfants, eux, tout leur paraît naturel. « Ben oui, m'a dit Élise, c'est sa vie à Mamie. Elle a raison et nous on s'en tape ! » Ça m'a fait réfléchir. C'est vrai, elle n'a pas tort ma fille. Ma mère, c'est une femme après tout. Elle a le droit de refaire, plutôt de continuer, sa vie. Sans me consulter, sans me prévenir et sans m'inviter aux cérémonies. C'est ainsi que vont les générations maintenant : les grands-mères et les petites-filles, même combat ! Ça s'appelle l'« autonomie », et ça s'apprend à tout âge. N'empêche ça m'a fait un choc. Et moi, Juliette, je ne m'en tape pas !

Recasée et heureuse ma mère. « Tant mieux, m'a dit Élisabeth, maintenant elle te laissera tranquille avec ses envies récurrentes de ranger de fond en comble ton appartement. Tu t'en plaignais. Elle a de quoi s'occuper ailleurs, son nouveau resto, son nouveau mari, elle va être débordée et ça ne change pas grand-chose à ta vie. »

Elle a raison Élisabeth, l'un des piliers du trio (Élisabeth, Chloé et moi), voire du quatuor – au début on était quatre, on était avec Hélène aussi, puis, Hélène s'est mariée avec Henri, puis il n'y a plus eu Hélène, puis il y a re-eu Hélène avec Henri, et à nouveau plus d'Hélène. Toujours positive, Élisabeth, après m'avoir calmée au téléphone, m'a suggéré un petit tour à la FNAC pour voir les nouveautés, les romans de l'été, ou une séance chez le coiffeur ou un petit coup de shopping. Elle sait que cela apaise. Le tout en attendant le dîner de ce soir avec Henri, le futur ex-mari d'Hélène... Ils divorcent depuis deux ans !

J'ai écouté Élisabeth. J'ai fait les trois ! Le tout mais dans le désordre !

Le coiffeur, je n'en avais pas tellement besoin, mais j'y suis allée quand même. Et les coiffeurs, ils aiment s'éclater sur nos têtes. Ça les amuse. Alors pourquoi ne pas faire d'une pierre deux coups : plaisir à Élisabeth et à mon coiffeur ! Assise au milieu du salon, je ne savais vraiment pas ce que je voulais. J'avais pas envie de me couper les cheveux. Mais plutôt de me les rallonger. Or, en dehors des poupées Barbie, je ne connais pas de possibilités réelles dans la vraie vie. Plutôt, je ne connaissais pas. Parce que ça existe : ça s'appelle les extensions. Oui, ça vient des États-Unis, de LA. Là-bas, toutes les stars s'en font faire : d'où, un jour court, un jour long. Et on renouvelle à chaque cocktail. Sans compter les changements de couleur. C'est pour cela qu'on ne les reconnaît pas toujours les actrices dans les magazines people. Même Julia Roberts, elle le fait, alors ?

Ça me tentait. Je ne suis pas une star, mais c'était possible quand même de me le faire faire. Cassiano, mon coupeur brésilien préféré, était contre. Moi je pensais que ça me rajeunirait, me changerait un peu, car finalement on est toujours coiffée pareil. On a toujours à deux centimètres près la même coupe, donc la même tête. Quitte à changer autant que cela se voie, non ? Il a tout fait pour me décourager : c'est cher, très cher, et long, très long à faire, impossible à défaire sans massacrer les cheveux, ça demande un entretien dingue – surtout si on n'a pas son coiffeur à domicile. Ce qui est mon cas, mais j'aurais pu m'arranger avec la chaîne, à « Femmes 7 », il y a des coiffeurs pour les émissions ! – et en plus, c'est moche. « Et ça vous vieillirait », insistait le sculpteur de cheveux. Je ferais l'âge de ma mère et je me trouverais un mec de dix ans de moins, dites ? Super !

Ça, j'ai pas osé lui dire ! Donc, je suis repartie juste brushée. La même quoi, cinquante euros en moins, et coiffée plus flou. C'était beau. Mais personne ne l'a remarqué...

Côté shopping, j'ai craqué pour des bougies parfumées au thé vert, ma nouvelle addiction. Passé la quarantaine, ça se multiplie, les folies momentanées. C'est normal. J'en ai pris que dix. Deux par pièce pour l'appartement ! Rien d'autre. Raisonnable aujourd'hui. J'en suis pas revenue. Au fond, j'avais pas envie non plus de dépenser pour dépenser. Et je déteste les soldes. On se laisse tenter et on n'achète que des trucs qu'on ne met pas, parce qu'on n'en a pas rêvé !

Dommage pour une fois que j'avais du temps, pas enfermée dans la chaîne en plein jour. Avant, il y a encore deux ans, je me serais précipitée dans un maximum de boutiques de lingerie ! J'étais strings-addict ! J'en ai une collection de folie ! Et même pas le temps ni l'envie de les sortir tous à tour de rôle... Faut être stimulée pour cela !

Or côté sexe, l'abstinence totale me guette.

À la FNAC, ratée la balade : il y a des trucs pour l'été, plein les rayons. Pire qu'un magasin de primeurs ! Que des livres sur la principale activité des Français les week-ends de beau temps, pire qu'à la Saint-Valentin avec les amoureux : le mariage. Oui. Des piles de *Réussir son mariage s'apprend*, de *Le cyberprincecharmant*, de *Éloge du mariage, de l'engagement et autres folies*. Et dès qu'on tourne la tête,

c'est *Comment les aider à faire leur crise d'adoles-cence* ? ou autre *Tout ne se joue pas à l'adolescence* !
Vaste sujet qui, en fin d'année scolaire, nous sort par tous les pores de la peau. J'ai failli appeler Élisabeth pour lui demander si elle trouvait ça drôle, me gâcher un après-midi entier de cette manière.

Ça m'a soûlée. Surtout que, ce soir, j'ai intérêt à être en forme. C'est moi qui coache Henri pour son audience de conciliation.

Henri et Hélène, couple classique depuis nos quinze ans, trois enfants, dont une fille. Fleur, de vingt-deux ans, et des jumeaux de seize ans, Adrien et Octave. Socialement enviés et bien installés. Très installés. Limite corrects avec la femme divorcée que j'étais. Devenue dangereuse pour leur couple à eux et pour leurs couples d'invités ! Briseuse potentielle de mariage en pleine forme, Juliette !

Donc exit des dîners d'Hélène le samedi soir. Je faisais tache, seule, ça je m'en souviens. Tandis que Paul, l'ex-mari, tout aussi divorcé que moi, et Nadine, sa future deuxième épouse, étaient tellement bien reçus. Enfin, tout cela, c'est du passé. Maintenant, c'est à son tour, Hélène, de divorcer. Ça va bientôt être elle, la pestiférée des dîners en ville. Henri et elle, c'est officiellement fini depuis près de trois ans. Deux ans et demi exactement : le prédivorce le plus long que j'aie jamais connu. Et ça castagne. Tout est bon. Tergiversations, chantage aux enfants, menaces, accu-mulations de témoignages contre Henri, témoignages en sa faveur à elle, Sainte-Nickel, l'irréprochable. Elle a tout imaginé et tout fait.

Ils sont séparés sur le papier, mais en réalité, ils vivent toujours sous le même toit. C'est mieux. Pour les enfants. C'est bien connu. Huit cents jours de disputes des plus mesquines aux plus futiles à leur actif, ça équilibre les adolescents et les jeunes. Même grands. Ça les aide à se construire et à croire en l'avenir du couple !

N'empêche, ils divorcent. Et son conseil extrajuridique à lui : c'est moi ! Depuis ma grande expérience du divorce à l'amiable, de l'après-divorce musclé, je suis très demandée. Oui, oui... !

« Juliette B. conseil, ante-ex-post-matrimonial », je devrais mettre sur une plaque en bas de chez moi. Après je ferai peut-être « coach de vie », mais pour l'instant, ma spécialité c'est le « *love coaching* ». Ça n'arrête pas. En trois ans, autour de moi, il y en a eu des histoires. J'ai personnellement traité deux cas difficiles : Élisabeth et Henri. La première plus facile à traiter que le second. Et avec un meilleur résultat !

Élisabeth, la quarantaine passée, s'est posé de sévères questions. Philippe, son mari depuis dix-sept ans, était-il le bon ? Continuer avec lui ou pas ? Leur couple a vacillé bien bien, durant plus de six mois.

Elle a pris un amant – je n'y étais pas pour rien ! – quelque temps. Elle a redoublé d'interrogations. Philippe ou l'autre. Philippe et l'autre. L'autre tout seul. D'ailleurs il s'appelait aussi Philippe, l'amant d'Élisabeth. Ça simplifiait sa vie à elle. Mais pour le coach que j'étais et pour les conseils, c'était pas simple. On disait Philippe, lequel ? Philippe tout court (son mari) bien sûr. Non plutôt, Philippe *bis* (son amant) ou Philippe n° 1 et Philippe n° 2 ! Ça mettait du piment. Toutes ces embrouilles pour finalement s'apercevoir que Philippe Ier, son mari de toujours, les enfants, la famille quoi, la sienne, c'était ça qu'elle aimait, voulait, désirait et chérissait, mon Élisabeth. Donc Philippe II, l'amant du moment, a disparu. Et Philippe tout seul est resté ! Retour à la case home, *sweet home*, ragaillardie et plus femme au foyer que jamais !

Henri, c'est plus compliqué que ça. Tiens, l'heure du dîner approche. On a rendez-vous directement au restaurant, à 20 heures, pas trop tard car je bosse demain matin, dimanche. Grâce à... Alban, ce cher Alban. Il aime les tensions. Il vit de ça. Depuis deux mois que je le fréquente à la chaîne, que je travaille avec lui de la conception de l'émission à sa réalisation pour l'aider à respecter la ligne éditoriale que je lui ai fixée, ce mec stresse. Jeune, tout fou, vedette et exigeant. Pour ne pas dire capricieux l'animateur ! Tout le monde autour de lui est sur les dents. Sa directrice de production s'arrache les cheveux et vit sur les nerfs. Donc pas franchement aimable. Même avec le staff de la chaîne. Nos relations à Alban et moi ne risquent pas de dépasser le stade professionno-professionnel. De plus, pas question de mélanger le boulot et le reste. Surtout dans ce milieu-là ! Même si, du côté amant, c'est pas tout à fait ça en ce moment. En plus, il faut que je maigrisse, d'abord.

C'est bien parti vu que ce soir, à 20 heures pétantes, j'ai rendez-vous au Caffè Armani, boulevard Saint-Germain. Trop bon, suffisamment bruyant pour pas qu'on entende les conversations des voisins, mais pas trop pour qu'on s'entende parler. Et pas de musique de fond, spécial CD à vendre, dernier DJ au top à écouler. Parfait car Henri et moi avons un dîner de mise en ordre de bataille, ante-audience de conciliation.

Souvenirs, souvenirs... Vite évacués. Mais ça remue toujours un peu, même si on se sent tellement libres après... le divorce. Ça me rappelle le bon temps où les trois du trio on se donnait rendez-vous dans des salons de thé en fin d'après-midi pour élaborer des plans de bataille contre Paul, qui refusait malgré les décisions de la justice française, de payer la pension : attaque professionnelle, personnelle, financière. Il a bien fallu finir par taper là où ça faisait mal. Tout y est passé. On l'a mis à genoux avec Machiavel, Sun Tsé et la pyramide de Maslow. On lui a fait rendre grâce. Et il a fini par la payer la pension qu'il s'était divinement octroyé le droit de ne pas me régler. À sa convenance. Il se croyait au-dessus des lois. Tout en haut. Là-haut. Eh bien, à nous trois, les filles, on l'a fait redescendre. Sur terre. Touché mais pas coulé. On lui a laissé son job de justesse : pour qu'il lui reste de quoi s'acquitter de la pension. J'en ai besoin pour élever les deux enfants que nous avons eus ensemble, mes bébés, euh mes affreux, Élise et Arthur.

Tiens, d'ailleurs, celui-là, va falloir que je mette la main dessus. Il est de plus en plus difficile à joindre sur son portable. Enfin, surtout pour moi. Car, miracle, ses copains et copines, eux, y arrivent, à l'entendre tchatcher dans sa chambre tous les soirs. C'est le seul moment où il daigne lever le nez – et les fesses – de l'ordinateur. Mais pour sa mère, un jour la batterie est trop faible, la boîte vocale n'est pas branchée, c'est saturé, ça craint, y'a des cailleras dans le coin... Il arrive, exceptionnellement, que l'appareil fonctionne. Dans ce cas, les textos, moins chers, tu comprends, je comprends, me sont réservés. Et comme je ne suis pas totalement bilingue français-français SMS, je ne sais pas ce que fait Arthur, ni où il est.

Quand on parle du loup ! La stridente mélodie à laquelle j'ai droit sur mon téléphone cette semaine se manifeste après le vibreur qui fait entendre son bruit de vache qui meugle. On reconstruit la campagne à Paris intra muros comme on peut ! Merci Arthur.

Donc, rappel à l'ordre du portable : petite enveloppe. Message écrit : « JTO6né. J'ARIV. JT'M. Arthur. »

Voilà qui est rassurant. J'enfourne une pizza pour lui et ses potes (minimum 3), je les attends pour une petite bise et je file. Pendant ce temps-là, bain voluptueux au thé vert ! Tout en m'y plongeant, je me demande ce que je vais bien pouvoir lui conseiller cette fois à Henri. La prochaine conciliation approche (trois ou quatre, un record. Leur juge doit les adorer... ou alors c'est eux qui ne peuvent plus s'en passer de leur juge !). Pour Hélène et lui, leur distanciation a commencé à se voir à la fin de mon divorce à moi : je me souviens de la fête que j'avais donnée à la maison, où il y avait tout le monde. Après la procédure, après le divorce, après la guerre-post-divorce et... juste avant l'appel ! Ça méritait bien une fiesta, non ! Tout le monde y était. Même mon avocat, même la juge, et on s'était jeté des strings à la figure ! Non, non, n'allez pas croire, les enfants s'amusaient tellement. On avait bien ri : on avait gagné. Paul avait payé tous ses arriérés de pension en une seule fois ! Alors on a fait la teuf avec !

Tout le monde était là... sauf Hélène. Alors, j'avais vite compris à la tête d'Henri que ça allait mal, très mal. Depuis, ça n'a fait qu'empirer. La raison officielle de leur divorce, c'est : « Henri et moi, c'est une histoire finie. » Mais la vraie raison, ce n'est pas ça. Je l'ai découverte au fil du temps en aidant Henri à préparer ses arguments, à les mettre en ordre. Top secret. Cette fois, le plan d'Henri doit être béton. La dernière bataille à remporter avant la fin. Non pas de la guérilla, qui, elle, se poursuivra pendant de longues années, pôvres tous ! La juge ne doit pas lui accorder moins que la garde partagée. Mais l'audience définitive de jugement, qui a été reportée de mois en mois, est prévue pour dans deux jours. Aujourd'hui encore, ils se bagarraient sur les motifs juridiques.

Hélène aime les choses qui durent.

Henri, lui, bien que ce soit plus clair dans sa tête et dans sa vie, craint. Il est inquiet pour ses enfants. Le regard de sa fille sur lui. Et des jumeaux sur leur père. Oui, Henri a changé. Et personne d'autre que moi ne le sait pour l'instant.

Je lui dis souvent que les enfants se font à tout si les parents ont un brin d'intelligence. Je n'ose pas lui dire « regarde Paul et moi ! », cependant, accord tacite entre nous, on n'a jamais pris les enfants comme moyen de pression, ni comme otage. Tout sauf Élise et Arthur. Je le rassure, Henri, en lui racontant que, pas plus tard que la semaine dernière, au cours d'un dîner où on était tous les trois, Élise, Arthur et moi – ça devient rare, car avec les activités des uns et des autres, on ne fait plus que se croiser dans l'appartement – j'ai interrogé les fameux « zenfants du divorce » trois ans après. Les miens. « Mes chéris, vous vous souvenez quand j'ai dû vous annoncer que votre père et moi nous nous séparions ? » J'avais ruminé la tirade, choisi le lieu, le moment et l'heure pendant quinze jours et seize nuits avant de plonger. J'en étais malade de chez malade. « Euh, non. J'étais trop petit. Rien, j'ai aucun souvenir. J'ai vu à la télé qu'avant six ans, on se souvient de rien », m'a répondu Arthur.

J'ai cru qu'il se moquait. Il avait neuf ans. Mais il était sincère. Rien, il ne se souvenait pas de ce moment particulièrement pénible où j'ai cru mettre fin à leur enfance. « Et toi, Élise ? » (elle avait douze ans). « Moi, j'ai pleuré. J'étais triste de l'absence de papa. S'il avait habité juste à côté, pas de problème. Mais surtout, je me suis dit, merde, on n'ira plus au tennis, ni à la piscine du tennis, ni au jacuzzi, ni dormir au château du tennis ! »

Devant ma mine déconfite, ils ont entonné en chœur : « Et aussi, on s'est dit un truc, maman, un truc bien : maintenant, on n'a plus qu'un parent sur le dos, au lieu de deux ! Et ça, c'est un sacré avantage ! »

4

LA TÉLÉ, QUEL BOULOT !

Les « ex » sont à la mode.

« Ah, mon ex est formidable. » On n'entend plus que ça. Partout. Au restaurant au déjeuner, dans les dîners, lors des massages entre copines et surtout, à la chaîne. Dans les couloirs de « Femmes 7 », ça bruit d'histoires d'ex. Du coup, ça m'a donné une idée, vu mon côté tête chercheuz et détecteuz de tendances. Je viens de proposer à Alban et à Vanessa, sa directrice de production (qu'est-ce qu'elle m'agace elle alors !), une première série d'interviews pour « Crazy Blondasse », notre émission phare. Ma suggestion du jour : « Mes ex formidables, épouvantables ou lamentables ? », ça pourrait constituer le thème de notre première, non ? Va falloir trouver des témoins et des témoines pour témoigner ! Et là j'en ai à leur proposer, même si de par mes fonctions – patronne des programmes –, je ne suis pas censée m'occuper de détails. C'est le rôle de Vanessa de concocter les reportages et de constituer le plateau..., bref de fabriquer l'émission.

N'empêche, pour le côté féminin, j'aurais Chloé à proposer. Un exemple !

Tous les deux mois, quoi qu'il arrive, elle fait un

dîner d'ex-s au pluriel ! Il n'y a qu'elle, ma rousse et pétillante copine, capable de tenir le rythme. D'accord, elle est mariée – depuis peu et pour ?! – et enceinte – de son mari, normalement ! –, mais elle continue à revoir, recevoir et chouchouter ses ex. C'est tout un art. D'abord, le stock d'ex doit être considérable. C'est son cas : elle en a bien trois mille ! Non j'exagère, je suis mauvaise langue. Ensuite, il faut déployer un savoir-faire spécial pour les garder comme amis, pour continuer sans haine et même avec un profond plaisir de la fréquenter, elle. Enfin, il faut avoir le sens de la diplomatie et du protocole pour dresser des plans de table équilibrés et les réunir tous sans que les assiettes ou les vannes ne volent.

Ses ex l'adorent et elle les adore. Aussi simple que ça. Il arrive juste quelquefois que tel ex n'aime pas la nouvelle compagne de tel autre ex. Donc ils demandent gentiment à Chloé, qui comprend bien sûr, d'espacer les rencontres et de ne plus trop les mettre côte à côte à table, car la dame en question les soûle ! Et, autre conséquence collatérale de ces désagréments causés par les nouvelles copines des ex de Chloé : ils se voient moins entre eux, en dehors de « ses » dîners ! Le bonheur des familles recomposées. Dans la famille de l'ex 32 *bis*, je voudrais l'ancienne et non l'actuelle compagne !

Avant son mariage et son futur bébé, il arrivait même à Chloé de partir en vacances avec les couples reconstitués de ses ex ! Mais jamais plus de quatre jours tout de même ! C'est pourquoi elle est un modèle du genre : je compte bien la faire inviter dans l'émission car, malgré tout ce qu'on nous raconte, la bonne entente avec autant d'ex est ra-ri-ssime.

Ce qui est plus normal, c'est la décomposition des relations avec les ex ! Moi, par exemple, je suis l'anti-Chloé ! Les dîners avec l'ex-mari, Paul, sa nouvelle femme Nadine, Marco mon ex-ami juste après Paul, sa petite copine du moment et d'autres encore, chez moi, je ne sais pas, mais ça ne serait pas supercool. J'en suis même très sûre ! Je ne pourrais pas m'écrier : « Ah, au fond, l'amour entre nous n'est pas mort. Il n'est pas question de rupture, de retrouvailles passionnées. On a juste une forme d'amour (de haine, oui) qui se poursuit. C'est tout. Et ça dure depuis trois ans. » Par contre, je pourrais me pavaner en précisant : « Tout le monde voudrait nous voir fâchés. C'est le cas. Et grave. Moi, tout ce que je vois, c'est que Paul, comme mari, c'était pas pour la vie. Mais comme ex, malheureusement, c'est pour toujours. Il fait un ex atroce. » Pas de scène avec un ex ? Mais si, mais si, plein. L'i-dé-al, euh, l'ho-r-reur !

De toute façon, c'est pas moi qui fabrique l'émission, je ne peux m'imposer pour apporter mon témoignage. Je ne peux pas être partout, ça fera des jaloux ! Et des jalouz !

Pour les témoins, côté masculin, je pourrais incognito faire inviter Paul sur le plateau, il nous présenterait par exemple ses *Mémoires d'ex*. Il serait tellement flatté qu'il ne dirait que du bien. Et pour son image de futur homme public local, faut pas se louper ! Merveilleux ex-mari, bon père, génial nouveau mari... tout le monde en cœur sur la photo de campagne. Un comble ! Non, je ne lui offrirai pas ce plaisir.

Là, Juliette, tu t'égares.

— D'accord. Justement, j'étais dessus et j'ai plein d'idées. Tu es dans le studio ? J'arrive.

Appel de la vedette. Il veut me voir pour parler... de nos ex ?!

Cet Alban, il est sympa, pro, beau mec, les dents qui rayent la moquette et, à mon avis, bisexuel. À la télé, c'est courant. Quand je suis passée du public, je veux dire de l'administration, inspectrice au Mobilier national, au privé, nº 2 d'une chaîne du câble, ça en a épaté plus d'un. Ils se sont demandé comment et avec qui j'avais bien pu avoir une telle réorientation de carrière. Une belle promotion. Eh oui, Alain, le directeur général, que je connaissais à peine, m'a fait confiance. Un pari pour lui, un défi pour moi. Il suffit de rencontrer la bonne personne au bon moment, qui cherche justement un œil neuf pour une chaîne qui démarre. Et ensuite de faire ses preuves. Rapidement. Pour ça, avec de l'audace, des idées, des copains et copines avec des vies bien remplies, des enfants très vivants, des divorces autour de soi, des rencontres à la pelle, des mariages en perspective, des naissances à venir. Et tous les ingrédients sont là. Le talent consiste à magnifiquement les agréger... et le tour est joué. Après, le plus dur, c'est de durer. C'est d'ailleurs ce que dit et répète Michel Drucker. Il sait de quoi il parle, Michel...

Sauf qu'aujourd'hui avec Alban, je sais pas si mon idée de réunir rien que des ex lui a plu. Peut-être qu'il n'est pas comme Chloé, lui. Mais comme moi. D'autant plus que quand on est bisexuel ça doit être encore plus difficile à gérer ces trucs-là, non ?

Je vais bien voir. Mais le ton de sa voix au téléphone n'annonce rien de cool. Je sais être convaincante quand il le faut : un, le sujet que je propose et la manière de le traiter sont les meilleurs, la concurrence n'y pensera pas. Et, deux, pour les interventions d'ex-bi, pas de problème, j'ai les réponses. Au cas où, inno-cemment, on aborderait la question !

Bien vu Juliette !

À peine entrée dans le studio trois tirades au ton limite poli ont fusé. Il nous fait quoi là l'animateur ? Il se prend pour le boss ou quoi ? Je l'ai sèchement recadré sous le nez de Vanessa estomaquée.

Ça promet pour cet été. Non seulement il va falloir survivre à la canicule désormais annoncée, comme chaque année, ce qui ne va pas arranger l'humeur de l'équipe d'Alban – peut-être qu'avec un arrosage au goutte-à-goutte ! –, mais en plus bosser à fond, peut-être pour faire, défaire et faire refaire selon des critères encore flous...

J'ai intérêt à être sur mes gardes et disponible. Heureusement dans quinze jours, dès leur retour du séjour ritualisé chez leurs grands-parents, les enfants partent chacun de son côté. Séjour linguistique obliga-toire : direction l'Angleterre, pour Arthur, c'est pas trop loin car il est encore jeune. Et découverte de la côte Est des États-Unis, pour Élise, en famille le soir et en *summer camp* à faire du sport toute la journée. Ouf ! Ça va sacrement alléger mon emploi du temps.

Je pourrai être à la chaîne vingt-quatre heures sur vingt-quatre et entièrement me consacrer à « Crazy Blondasse » !

Qu'est-ce qu'il a encore à hurler l'animateur ? Ça chauffe pour la directrice de production. Tant mieux, c'est à elle de se conformer à la fois aux exigences de la chaîne (moi, Juliette) et à celles de sa vedette (lui, Alban). Chaud ! Mais arriviste comme elle est, je sais qu'elle va se débrouiller. « Séduire ou choquer, voilà le seul choix des chaînes aujourd'hui. » C'est sa phrase. « Et nous, à "Femmes 7", on va séduire en choquant. » C'est ce que je lui ai répondu.

Et mets-toi ça dans la tête, ma p'tite !

Il parle mal Alban. À tout le monde. Avec moi, il se contient. Pour l'instant il n'ose pas encore mais je sais qu'un jour ça lui échappera. Il est habitué à ce qu'on lui obéisse au doigt et à l'œil. Café, double, café encore et simple et triple. Il en boit dix mille par jour. Pas étonnant qu'il soit énervé, stressé et speed. Une pile. Et qu'il crie tout le temps.

Je comprends mieux pourquoi il a du mal à se situer dans sa vie personnelle ! S'il se comporte comme cela avec les filles, tout ne doit pas bien se passer. C'est peut-être à ce moment-là qu'il change de genre : alors il essaie les mecs. Ça n'est pas dit que ça marche mieux : alors retour à la case féminine, mais bof. Le masculin c'est pas mal non plus... Y a de quoi ne plus savoir qui on est.

À mon avis, c'est son cas. Et il hurle de plus belle. Pour compenser. Je ne vais pas le laisser faire. Même si en ce moment, mine de rien, j'apprends. Et d'ailleurs, pour aller plus vite, oui j'avoue, j'ai écouté aux portes : des propos d'Alban j'ai retenu que la véritable attente des spectatrices (et du spectateur) de « Femmes 7 », chaîne mini-généraliste, c'est la télé-intimité avec des émissions témoignages : de l'émotion et des réponses.

C'est ça qu'ils veulent. Et là, selon lui, il n'y a pas.

Mais ils vont l'avoir, à la sauce Juliette, foi de Beaumont ! Fais-moi confiance, Alban.

Il m'a pourtant semblé que c'était exactement ce qu'on proposait, Vanessa et moi, pour l'émission avec un plateau équilibré composé d'ex formidables, d'ex lamentables et d'ex épouvantables. Sans parti pris. Mais ça ne colle pas. Pourquoi ?

Va savoir. Il m'a l'air lunatique l'Alban. J'ai donc demandé à Vanessa de revoir la composition du plateau pour demain matin à 9 heures ! Autant dire l'aube. Tant pis si Monsieur n'arrive pas avant le milieu de matinée. C'est comme ça dans l'audiovisuel, midi c'est comme 9 heures dans l'Administration. Avant, quand j'arrivais à 9 h 30 au bureau, toutes mes collègues, les jalouses comme je les appelais, me le faisaient remarquer. Ici, c'est le résultat qui compte. Pas les heures passées assises au bureau devant l'ordinateur – ou au téléphone – en train de regarder l'horloge qui tourne.

20 heures déjà ! J'annule ma séance de yoga bikram prévue dans une demi-heure. Pas le temps. Pourtant, j'en aurais bien besoin. « Ça te ferait du bien, ça te permettrait de réduire ton stress professionnel et tes

tensions familiales, ma belle. Et ça t'apporterait un bien-être physique et mental incroyable », m'a dit Élisabeth qui s'y livre trois fois par semaine. Elle peut se le permettre, elle, elle bosse pas !

Je l'ai accompagnée une fois il y a trois semaines. J'ai cru mourir. Enfermée pendant une heure dans une salle surchauffée à 40 °C. Insupportable. À pratiquer une série de douze mille poses plus dynamiques les unes que les autres ! J'ai dû quitter la salle avant la fin, exténuée ! C'est pas comme cela que je vais progresser. Sans parler des courbatures le lendemain. Oui, j'ai ressenti tous mes muscles. En théorie, j'aurais dû revenir le jour suivant, mais en pratique je n'y suis pas retournée. Zappé le yoga bikram !

Faut que je rentre à la maison. J'y vais à reculons.

Je reporte le moment où. Déjà que suis épuisée. Et ce soir, j'ai plusieurs affaires en suspens à traiter avec les enfants, impossible à régler du bureau.

Quoi déjà ?

Arthur et son pote préféré, Nicolas, ont gentiment fait prospérer depuis trois semaines – ils avaient plus grand-chose à faire en classe le dernier mois de la cinquième : y a pas d'examen – un élevage de souris blanches sous le bureau d'Arthur dans sa chambre même. Le tout grâce à un investissement partagé : cage, achat des parents mâle et femelle, nourriture, litière, mais pas la roue qui tourne et fait du bruit dans la cage, pour ne pas attirer mon attention. Comme c'est mignon !

Je suis effectivement sensible au bruit.

Merci, mon chéri. J'avais bien senti une odeur inhabituelle dans sa chambre, mais c'était les corn-flakes, paraît-il. Il laissait toujours un ou deux paquets soigneusement conservés à moitié pourris sur le bureau, pour couvrir l'odeur des souris. Et ça a marché. Moi, sa mère, j'ai rien détecté. Mais Seymour, l'homme de ménage ? Lui aussi, il va falloir que je l'appelle pour « recadrer » son travail. Ou alors il est complice. C'est possible : un peu de nature pour les enfants dans ce monde de brutes... c'est très philippin ça comme approche.

Donc, en rentrant, je dois appeler les parents de Nicolas pour décider ensemble du sort des petits (six seulement) avant les vacances. Vont être contents les parents. Qui va les trucider les bébés souris ? Pas moi, donc ce sera vous, les autres parents. Vous êtes deux, en plus.

Élise, je n'arrive plus à suivre. Elle sort sans arrêt. Et avec des jeunes gens différents chaque jour : j'arrive même pas à retenir leurs prénoms. Même topo : en seconde, faut en profiter car on n'a pas d'examen, et l'année prochaine en première, on peut plus rigoler avec le bac français. Alors aujourd'hui, on se déchaîne.

J'espère juste que ce ne sont que des potes, voire des amis, mais pas trop d'« amoureux » dans le lot. Allez savoir... !

Je ne peux plus compter sur Arthur pour cafter. Il est dans une période d'idylle avec sa sœur donc tintin pour les infos. J'ai le choix, soit ils sont comme chien et chat et se bagarrent toute la journée, et là je suis la plus informée des mères ; soit ils sont complices-collés – motus et bouches cousues –, et moi je n'existe plus. Il va bien falloir que je la localise Élise. Sa batterie de portable étant en permanence à plat, je n'ai plus qu'à habilement appeler deux ou trois de ses amies du moment les plus proches, et faire la mère affolée pour les amener à me dévoiler où elle se trouve, ma fille. Et exiger qu'elle rentre à la maison. Hurlements en perspective.

Après le volet ados, celui adultes. Y a-t-il vraiment une différence ?

Un petit coup de fil à Henri pour vérifier qu'après l'audience qui s'est bien passée pour lui il a pas eu à supporter trop de mesures de rétorsion de la part d'Hélène. Enfin, il va pouvoir divorcer et voir réguliè-rement ses jumeaux dans de bonnes conditions. Refaire sa vie ? Ça, j'le sens pas pour tout de suite.

Est-ce que je suis sûre de vouloir rentrer à la maison ? Au fond ? J'préférerais pas bosser encore un peu ? Tiens, un mail. J'le consulte juste avant de partir. *Addict* !

J'ai bien fait : je dois une réponse à Marco qui me rappelle à l'ordre pour la troisième fois, au sujet du week-end du 14 Juillet. Est-ce que je viens ou non avec lui en randonnée en Suisse ? Il a tout organisé. Sa bande sera là, il y aura plein de mecs, y compris au moins un Italien – il connaît mon faible pour eux !

Au passage, il me traite de nonne lubrique et m'envoie un truc en pièce jointe, strictement réservé aux adultes : « Calculez votre QX » ? C'est quoi ça ?

Du Marco, mais plus précisément ? « Testez-vous/ Séduction/ Calcul du QX/ Répondez de manière intuitive : toutes les questions sont un QCM (choix multiple). Choisissez la proposition qui se rapproche le plus de votre comportement habituel dans la vie courante. Je suis une femme, ça m'intéresse. Je suis un homme, ça m'intéresse. »

C'est quoi ce binz ?!!

Juliette, t'es quoi ? Homme ou femme ? Je sais plus ! Lesbienne, gay, bi et trans, LGBT comme on dit ? Il me prépare l'un des prochains sujets pour « Crazy Blondasse » ou quoi, Marco ? Collaborateur off de « Femmes 7 » ?

Il a raison Marco, je vais le calculer mon Quotient Sexuel (QX) ! Comme ça, je saurai si je fais l'amour comme les autres couples, aussi souvent et avec autant de variétés.

C'est sûr ! Je n'ai pas besoin de l'ouvrir sa pièce jointe. Je l'ai la réponse : zéro fois ce mois-ci, et donc la variété, on oublie ! Et d'ailleurs elle arrive quand, « la nouveauté » de Doudou ? Elle tarde un peu, non ? Elle se fait attendre, oui !

Juliette, reprends-toi. Un petit début de reprise de vie sexuelle me ferait effectivement du bien. Je suis sur la bonne voie d'ailleurs, j'ai pris rendez-vous avec le super acupuncteur qui fait maigrir en un rien de temps. Je serai donc prête pour mes minables huit jours de vacances en Italie mi-août. Le rendez-vous pour resculpter mon corps est pris : le lendemain du 14 Juillet !

Alors j'ai répondu au mail de mon ex-amant :

« OK, Marco, pour le W-E de rando en Suisse. C'est bien connu, c'est là-bas qu'on les trouve les bombes sexuelles ! En tous k, va, on peut explorer. La spécialité, là-bas, c'est plutôt les mecs... riches, non ? Et trouver, une riche bombe sexuelle, sait-on jamais... Bizzzzzzzzzzz.

« Juliette B. »

5

AUTOUR DU FUTUR BERCEAU

Midi. Bonne nouvelle : Alban est content, Vanessa aussi, la chaîne, également, l'émission est au point. Vive « Crazy Blondasse ». Merci Juliette. Belle réussite, le pilote a plu au directeur général, Alain, et les thèmes proposés pour les premières semaines aussi. Reste à produire les six premiers numéros au cours de l'été pour les avoir en boîte à la rentrée. Pire qu'un sitcom. Il leur faut du stock pour les émissions de flux ! C'est pas particulier au câble, paraît-il, c'est comme cela, la télé.

La mélodieuse sonnerie de la ménagerie de mon portable laissé dans mon bureau pendant la réunion me rappelle à l'ordre toutes les trente secondes. C'est la petite enveloppe rose à droite qui clignote et se signale de cette manière entêtante : nouveau message, message texte, boîte de réception. Veuillez patienter le 30/06/05. 11 h 31 :

« Sui ô bor du divorce. É le bb ? Help. Kloé. »

Pas prévue cette missive électronique. Certainement un petit coup de blues de la future maman. Mieux vaut lui parler en direct à Chloé car déjà en temps normal, elle est susceptible. Alors là, attention.

— Allô, Chloé, c'est Juliette..., j'ai commencé à dire, prudente.

Et là, larmes. Elle n'arrivait pas à articuler une seule parole. Je lui ai fait répéter trois fois avant de comprendre que le motif du drame était : « Mon mari et le père de mon enfant (la même personne donc) refusent de m'accompagner au salon du bébé cet après-midi. »

— Ah, j'ai dit, pas très étonnée car lui non plus n'a pas l'air d'être la préoccupation majeure de ma copine.

Cette fois c'est moi qui me suis trouvée à court de mots. Quand on connaît bien Chloé, on sait qu'effectivement c'est impardonnable de la priver d'un tel plaisir. D'autant plus que maintenant elle est quasi plus active. Elle a laissé tombé son salon d'esthéticienne depuis qu'elle est mariée. Elle n'a plus besoin de cela pour vivre. Avant elle exerçait plutôt pour s'occuper, l'essentiel de ses revenus passait dans son activité principale : chercher un mari ! Depuis qu'elle l'a, je crois qu'elle a juste gardé quelques fidèles clients, voire quelques clientes pour... le plaisir.

L'heure est grave et le sujet à prendre au sérieux.

Ne pas accepter d'accompagner Chloé sur le lieu de sa nouvelle obsession, c'est sûr, ça mérite le divorce pour faute aggravée ! J'ai préféré ne pas trop palabrer au téléphone, mais être force de proposition. Et ça a donné (comme si je n'avais que cela à faire) que j'ai gagné une visite au « Carrousel du Bébé ». Là tout de suite ! Elle a immédiatement retrouvé le sourire la future maman. Moi, bonne poire, je vais l'amener, ma

Chloé, enceinte de peu (elle ne veut pas savoir exactement), à son truc de spécialiste de bébés.

Le rendez-vous avec Chloé est fixé à 13 heures à l'entrée du salon, portables allumés. Avant, faut que je me réveille. Les espressos ne font plus effet. Seuls, les X.cite (*icemints sugar free chewing-gum*) en grande quantité me maintiennent en état d'éveil, tellement ça pique. J'en mâche toute la journée : huit à la fois. Ça me revigore. La dose normale c'est deux et déjà les gens sautent au plafond !

Passer l'après-midi à arpenter le « Carrousel du Bébé », ça m'épuise d'avance. Pour mettre une heure butoir aux folies de Chloé, j'ai proposé à Élisabeth de nous rejoindre, chez les Russes (une de nos adresses de resto préférées) pour qu'on se retrouve toutes les trois. C'est rare qu'on en ait l'occasion. Elle a sauté de joie, Élisabeth. Je lui fais la totale, là, à Chloé. Elle devrait être repartie, Élisabeth, jusqu'à... l'accouchement. Rêve pas Juliette !

Et puis y a pas que les berceaux dans la vie, il y a les mecs aussi. Ça va me redonner un petit coup de fouet, car la seule célibataire disponible des trois, c'est moi, Juliette. Chloé, mariée, enceinte, prise très prise. Élisabeth, mariée et mariée reconfirmée avec le même, mère de deux enfants qui s'élèvent en grande partie seuls maintenant et beaucoup avec leur père. Sa seule ambition est de se laisser vivre. Elle est dans le lâcher-prise. Elle ne se sent pas obligée d'assurer un rôle de leader et de dominante pour s'épanouir. Après son petit écart, genre « j'ai pris un amant pour redonner du peps à ma vie de femme mariée », son couple est rajeuni. Ça a marché, et mes conseils ont permis d'éviter un naufrage conjugal de plus.

J'allais quitter le bureau en catastrophe quand Élise m'a appelée. Ce qui est rare. Soit c'est grave et urgentissime, soit elle a un besoin pressant d'argent ou d'une autorisation express. En l'occurrence, là, c'est les deux : de la maille (nous on dit euros), et ce soir, elle squatte chez une copine. Elle ne repasse pas à la maison. Normalement, en semaine, la règle c'est : on ne découche pas. Quel que soit le prétexte. Mais là, c'est bientôt les vacances... Je vais finir par souhaiter la prochaine rentrée scolaire pour avoir la paix, à force ! J'ai aussi vérifié au passage qu'Arthur, qui commençait tard ce matin et se prétendait malade de s'être gavé de bonbons hier soir, est bien parti au collège.

12 h 45 ! Faut que je file. Heureusement qu'avec mon petit bolide je me faufile partout. Même dans les couloirs de bus.

13 heures pétantes. Chloé est déjà sur place et m'attend. Moi, je cherche à me garer, car le salon du bébé, comme le salon du mariage, se tient au Carrousel du Louvre. Pas l'endroit le plus facile à atteindre en voiture !

Une fois la voiture posée, à pied, on ne peut pas se tromper. Partout en grand, des panneaux « Tout l'univers du bébé ». Eh oui, ça existe, et moi, alors que je ne peux plus voir un jeune enfant à dix mètres à la ronde, j'y fonce, pour le bien-être de mon amie et de son entourage, dont je fais partie !

Rien que de voir la foule des gros ventres en avant se précipiter vers l'endroit, ça m'a donné la nausée. Ce qui n'avait pas l'air d'être le cas de ma copine. Ah ! la future mère de quarante ans pour la première fois...

Chloé, maîtresse ès organisations, avait fait la liste des points clés incontournables. Je résume : on ne peut pas manquer l'espace « choix du prénom » (cinq stands) ; le coin « prévoir les premiers achats » dont la poussette (une par mois si on veut, enfin si on en a les moyens) ; la queue pour les faire-part : deux heures d'attente. Mais Chloé, elle va aller vite car comme elle a imaginé l'annonce de sa grossesse avant même de tomber enceinte, pour la célébration de la naissance, elle est prête. Elle sait parfaitement ce qu'elle veut. À la limite elle pourrait le fabriquer elle-même, le faire-part. Du côté des « services pratiques », cadeaux et listes de naissance, hygiène et préparation à l'accouchement – utile pour la vraie naissance, cette fois : la sophrologie existe toujours. C'était le truc à la mode de mon temps. Ça ne marche pas mais je ne veux pas la décourager, ma copine. Aujourd'hui par contre on a des sages-femmes hommes ! Bravo ! Ça, il n'y en avait pas il y a quinze ans. On n'avait pas le choix. Une sage-femme femme ou rien. Voilà un progrès dans la parité, femme-homme, que j'ignorais !

Au rayon mode et beauté, Chloé a constitué sa garde-robe de grossesse, notamment à base de soutiens-gorge spéciaux (toujours aussi sexy !), et je lui ai conseillé de faire attention à la prise de poids. Moi, je mangeais des pommes vertes, des granny, toute la journée, pour éviter de devenir un bibendum pendant la grossesse et de rester obèse après. La station crèmes « pour ou contre les vergetures » ne nous a pas été épargnée. L'esthéticienne future maman connaît tout cela, mais sait-on jamais, une nouvelle molécule qui aurait inventé la crème miracle depuis huit jours. Non. Rien.

Pour la décoration de la chambre de bébé et l'éveil du petit monstre, j'ai obtenu de Chloé que ce dialogue avec les professionnels soit reporté... à plus tard. Il va bien y avoir un autre salon d'ici trois mois, alors pourquoi se précipiter ?

Par contre, je n'ai pas pu échapper à la littérature sur l'événement. Je crois que c'est le plus grand stand du salon. Une table de cinquante mètres de long et dix de large. Nous avons acheté la trente-deux millième édition réactualisée du « Laurence Pernoud », histoire de ne pas nous charger.

Merci Chloé.

C'est dur dur d'être un bébé au XXIe siècle !

En plus, qu'est-ce que je fous là, moi, célibataire, en manque d'homme, à arpenter un salon où il n'y a que des femmes ventrues accompagnées d'hommes béats d'admiration devant leur future progéniture ? C'est pas ici que je devrais être mais au salon des célibataires ! En plus je ne risque pas de la croiser « la nouveauté » qui commence par un B., bien que je sois dans un contexte non professionnel... Je ne suis pas une voleuse de papas en herbe, moi !

Nous avons passé plus de trois heures enfermées là-dedans. J'étais morte. Et elle, en pleine forme. Même pas mal aux pieds, ni au ventre : son œuf de treize semaines un quart ne pèse pas encore !

J'avais donné rendez-vous à Élisabeth aux alentours de 17 heures. On était dans les temps. Cependant elle commençait à s'impatienter chez les Russes et elle avait déjà entrepris de tester les vodkas en tout genre. Mais pour la cerise, la vodka-cerise, celle du trio des grandes occasions, elle nous attend !

Toutes les trois réunies, on a enfin parlé d'autre chose que de grossesse et de gosse. Exit le salon du bébé, on n'en parle plus.

— On parle de quoi alors ? ont-elles fait semblant de découvrir.

— Des mecs ! j'ai dit, vous savez bien que les copines entre elles ne parlent que de ça.

Et là, j'ai appris à ma grande stupéfaction qu'elles s'étaient vues en duo la semaine dernière pour réfléchir à mon cas personnel. Oui, selon elles, je ne peux pas rester comme cela. C'est quoi : « Cela » ? Sans homme fixe à la maison, présent à mes côtés, j'en ai besoin.

Elles veulent me remarier. Ça leur reprend.

— Moi, les filles, vous le savez, je vis l'expérience du non-mariage en ce moment. Et ça me plaît. Vous voulez vraiment que je recommence ?

Je leur ai alors re-raconté la succession de demandes en mariage que j'avais eues depuis trois ans et la liste des pires anecdotes qui vont avec. Elles adorent. On pourrait se la repasser en boucle, l'histoire des candidats au mariage, qui n'est pas exactement la même que celle des prétendants de Juliette...

— Raconte encore. Vodka, s'il vous plaît ! C'est parti !

D'abord le classique vieux sage, marié depuis cent ans, bourré de tunes qui a besoin d'un p'tit coup de jeune par maîtresse interposée. C'était pas exactement une demande en mariage, car un homme de cet âge-là ne divorce pas mais tout comme : Monsieur voulait m'acheter et m'installer dans un appartement avec mes deux enfants, m'habiller à sa guise (genre poupée Barbie), venir quand il voulait entre sa chasse et sa pêche, et me « structurer ». Il passait à table à heure fixe : midi et 19 heures... pas une minute de plus ! Ah ça vous fait rire mes deux copines de m'imaginer, moi la nomade, dans une prison dorée. J'ai poliment décliné cette offre alléchante.

Plus bourgeois, le rentier célibataire-divorcé de quarante ans, avec son château en Sologne et ses quinze labradors de toutes les couleurs qui dormaient avec lui dans son lit ? Moi, Juliette, planteuse d'asperges jusqu'à la fin de ma vie ? Vous l'avez senti ça, vous, les copines ? Non. J'ai pas poursuivi.

Banal mais ça a fait partie des propositions : le directeur-adjoint du grand patron, collègue de bureau, amoureux transi depuis toujours, qui proposait de plaquer sa femme, enceinte du quatrième, comme ça pour m'épouser ! Il avait juste oublié de me demander mon avis... Non, je ne suis pas une briseuse de foyer, moi, mesdames. Et élever les quatre mômes d'un autre en plus des deux miens, non merci, machinou. Redescends sur terre ça te fera du bien !

Plus original... quoique ! Le médiatique P-DG des médias divorcé-libre qui m'a fait la cour pendant six mois au Bristol, enfin au bar du Bristol à l'heure du thé, qui me faisait livrer chez moi des tonnes de fleurs, des mouchoirs brodés à mes initiales J.B., de la verroterie et j'en passe. Et qui, enfin – j'en pouvais plus – s'est décidé à passer trois étages au-dessus, dans une suite avec un lit à baldaquin, et là... rien. Débandade complète. Est-ce que je suis faite pour le *platonic-love*, moi ? Non, je veux du sexe, du sexe et tout le reste aussi !

Comme je mimais les situations avec d'amples gestes, Élisabeth rayonnait et Chloé avait mal au ventre de rire. J'ai continué, bien remontée par la vodka :

Incontournable, mes demoiselles : l'homme politique, dont je tairai le nom. Dragueur impénitent, qui saute sur tout ce qui bouge, qui m'a invitée à dîner un soir au Normandy à Deauville. Manque de bol, il avait déjà fait le coup à une de mes connaissances ! Même lieu, même resto, même proposition, mêmes répliques ? Le copié-collé, très peu pour moi.

Sans intérêt, mais qui se reproduit plus qu'on ne le pense, le célibataire dans l'âme qui veut se payer une famille en kit, bourré de fric mais perso, avec demande en mariage mais sans vie commune (chacun son appart dans le même quartier c'est plus pratique !), tout pour lui, qui se défile trois jours avant la Saint-Valentin, pour ne pas avoir à sortir son pognon pour le cadeau d'usage. Il a fini par bouffer son cadeau tout seul, il voulait toujours être dans le cadeau. Surtout il pensait que c'était lui le cadeau ! Tu parles et moi, je ne supporte pas les pingres, vous le savez bien.

Original, l'adepte du « pas de pénétration avant le mariage » ? Oui, ne ricanez pas, ça existe encore de nos jours, les filles. Quatre mois d'approches, beau mec, marrant, pas de tare apparente mais tout ce temps et cette énergie déployée pour finir à poil sur un canapé, se caresser partout, s'embrasser « sans la langue », et qui, au moment crucial, s'endort instantanément en se déplaçant légèrement sur le côté, lâchant un inaudible : « Faire ça, c'est réservé aux gens mariés ». Mais, tu vas faire fuir toutes les nanas, mon grand, ça ne risque pas de t'arriver, le mariage, à toi. Il m'avait rappelée six mois plus tard après avoir fait un stage « Mieux se comprendre pour arriver au mariage », il voulait m'inviter à une dînette chez lui. Devant mon silence, étranglée de perplexité que j'étais, il avait réitéré en m'envoyant un mail osé : « En mettant mon pull ce matin, j'ai ressenti ton parfum. » Six mois après ! À pleurer. Moi, Juliette B., je veux pas de romantique !

Je veux un mec, un vrai. Normal. Un homme quoi. Ras le bol des mecs qui pensent trop et ne s'engagent pas et bandent mou !

C'était affligeant, mais je m'étais fait un devoir d'examiner toutes les demandes en mariage !

Et non, finalement rien d'acceptable.

— « Où sont les hommes ? » avons-nous entonné en chœur toutes les trois.

Il n'y avait pas qu'Élisabeth et Chloé qui riaient. L'équipe du restaurant aussi. Ça y est allé la vodka !

Avant de nous séparer et que chacune rentre chez soi, j'ai conclu, en regardant le futur ventre de Chloé :

« Et en plus si je les avais écoutés si j'avais succombé à toutes leurs propositions, toutes leurs projections, illusions et fantasmes réunis, je serais milliardaire ! Milliardaire en enfants, oui ! »

6

VIVE LES SÉJOURS LINGUISTIQUES

— Maman, est-ce que tu peux me prêter ton « string-touffe » pour ce soir ? Juste pour ma soirée. J'te le rends demain matin. Je ne pars pas en voyage avec, promis. Ça va beaucoup plaire à Charles.

Une grande poétesse, ma fille. C'est ainsi qu'elle appelle l'un de mes strings avec quelques volants noirs devant. Faut dire que... c'est pas mal trouvé !

M'emprunter mes fringues, « légèrement » baggy en ce moment pour elle, mais bon, c'est l'une de ses grandes passions. Spécialement ma lingerie. Identification à la mère rivale... lutte contre le modèle qu'on ne pense qu'à imiter. Un classique des relations mère-fille de ce début de siècle où « le surtout pas de conflit » prime.

Mais qui est ce Charles ? J'ai bien entendu, non ? Elle a dit « Charles » et elle a l'intention de lui montrer mon... euh, le string qu'elle porte ce soir ? Ça veut dire quoi ?

Arthur, le grand confident de Mlle Tcherkodriou, sera peut-être au courant. Mais il dort encore, il n'est que 10 heures. Exceptionnellement, Pimprenelle est levée : c'est le choix de sa tenue de soirée qui la motive.

Demain, c'est vacances, ils partent, l'un et l'autre. J'ai privilégié dans le choix de leurs voyages « la pratique de la langue et la conversation en famille ». Il n'y a que comme cela que les enfants progressent. Surtout Arthur, comme c'est son premier séjour seul, en famille, je suis sûre que là il sera tenu et obligé de s'exprimer en anglais.

Ça coûte cher, les séjours à l'étranger. Mais c'est tellement efficace. Il n'y a que cela de vrai. J'espère que les deux vont rentrer bilingues après trois semaines d'immersion totale.

Ils ont de la chance, Élise et Arthur, d'enchaîner les vacances comme cela. Ils viennent de passer quelques jours à Grasse au soleil, chez leurs grands-parents paternels. C'était l'anniversaire des soixante-quinze ans de mariage (ou quelque chose dans le genre) de mes ex-beaux-parents. Un record ! Ils n'ont toujours pas compris que Paul, leur fils, ait divorcé. C'est de ma faute, bien sûr, moi j'ai préféré les paillettes parisiennes et mon boulot à leur fils. Ou plutôt à suivre leur fils dans sa carrière régionale. « Une femme suit son mari. » Telle était la devise de l'ex-belle-mère, approuvée par l'ex-beau-père : courageux, mais pas trop, malgré ses tentatives de jouer les casques bleus, « l'ONU », comme je l'avais surnommé, n'a jamais voulu s'attirer les foudres de la Kommandantur. Pas de faille dans la pensée familiale. L'ex-belle-mère a toujours raison et mène tout son monde à la baguette. La pièce rapportée rebelle – Juliette Beaumont – s'est éjectée d'elle-même. Mais ça lui coûte cher à son Paul chéri.

Ce qu'un fils élevé par une telle mère peut faire à son tour, une fois marié ? Reproduire le même schéma. Fils de béni-oui-oui, toutou à Poustiface. À son tour, il a trouvé une femme qui, pour le coup, ressemble à sa mère. Il est pieds et poings liés avec le modèle cloné médium âge et il n'a pas coupé le cordon avec le modèle senior. Avec les deux à ses basques, ça va l'aider à faire de la politique ! Madame mère va organiser pour son fiston des thés dansants à la maison, cinq euros par personne (rien ne se perd chez les Tcherkodriou de Grasse), et Madame femme va participer à des lotos en gériatrie pour son mari, qui se la joue. Avec ça, il est sûr d'être élu : ce sont les vieux qui votent en majorité dans cette région !

Moi, je ne veux pas que les enfants participent à ces mascarades. Heureusement, depuis qu'ils sont ados, ils ne vont plus souvent là-bas sauf pour la piscine en été. Et en grandissant, ils voient de moins en moins leur père. Dommage, mais ça c'est la rançon de ce qu'il a semé. Trop occupé à élever sa fille de substitution, Jennifer, l'ado de sa nouvelle femme, qui a quasiment le même âge qu'Élise.

Élise et Arthur, je ne sais pas pourquoi, détestent la nouvelle femme de leur père tout comme sa fille Jennifer qui prend toute la place. Eux n'ont même pas de chambre à eux, chez leur père nouvelle mouture. Investissement minimum de la part du géniteur.

Mais ils sont rentrés du Sud au dernier moment (c'est normal, dans l'ex-belle famille on me les rend in extremis, avec le linge sale, et si possible malades et pas soignés, surtout quand ils ont de la fièvre) mes bébés, du coup, aujourd'hui, on a tous les trois une journée de folie : il ne faut rien oublier pour leur départ. Quelques démarches et achats de dernière minute. Au passage, je me suis fait un petit plaisir : je me suis offert un nouveau parfum. Ça sent bon le sucre. C'est américain : il s'appelle « Loukoum ». *Sweet*, non ? Mais je n'ai pas traîné, car j'avais promis à Élise, et c'est devenu urgent, de lui ouvrir un compte bancaire à l'approche de ses seize ans. Tous ses copains en ont un. Elle est la seule à mendier chaque jour vingt euros par-ci, dix euros par-là. Elle préférerait avoir deux cents euros d'un coup mensuellement. Brimée, ma fille ! Je lui ai expliqué que ce serait à elle d'apprendre à gérer et de ne pas faire n'importe quoi, car, étant mineure, la responsable légale, c'est moi.

Ah ! que j'ai aimé quand le banquier, tout gentiment, lui a expliqué la notion de découvert et le principe des agios ! Elle faisait des yeux tout ronds qui tournaient comme des billes. « Mais c'est trop cher. 17 % de mon argent ? »

Eh oui, Élise, ma chérie, tu comprends mieux maintenant pourquoi chaque mois je peste contre ton père qui se fait une petite trésorerie sur mon dos et ne me verse le chèque de pension que le 25 du mois suivant au lieu du 1er du mois en cours. Quand pour gagner encore quinze jours de plus, il oublie de signer le chèque, et pour être sûr qu'il n'arrive pas du tout, il se trompe d'adresse ! Il n'est pas au courant, le pôvre.

C'est vrai, quoi, il n'a pas lu le jugement de divorce depuis plus de trois ans ! Chaque mois, c'est une découverte pour lui : oh, une pension à payer ? Mais pourquoi donc ? Ah oui, dans une vie autrefois, j'ai eu deux enfants avec une autre femme... Ça lui sort de la tête douze fois par an. Et quand je réclame, j'ai le droit à : « Je paierai quand je paierai et tu la recevras, quand tu la recevras. » Avec ça, me voilà rassurée !

C'est ça, nos futurs hommes politiques ? On est bien parti alors ! Parce que, depuis qu'il s'est piqué de se présenter aux élections municipales, Paul, il oublie encore plus.

De retour à la maison, Arthur levé, chacun s'est recentré sur ce qu'il avait à faire sans échappatoire possible. Le départ c'est demain. Et on a tout sous la main maintenant.

Élise improvise sa valise. Elle la fait seule et au dernier moment. Une fois la pharmacie dévalisée – pire que si elle partait dans le désert avec une trousse de survie –, avec la machine à laver qui tourne non-stop depuis trois jours, rien que pour elle et le sèche-linge exsangue après douze lessives d'affilée, elle a de quoi bourrer son chariot à roulettes deux fois gros comme elle.

Et les cadeaux, ma chérie, tout ce que tu vas rapporter de New York, pour la famille, tu vas les mettre où ?

Élise n'écoute pas, Élise n'entend pas. À cause du fer à repasser qui embue toute la maison. Car elle peste contre l'homme de ménage qui n'est même pas foutu d'être là, la veille de son départ en vacances, pour l'aider à préparer ses affaires. Alors, à quoi il sert Seymour ?

Arthur, lui, rangeur, est à l'heure. Il a déjà tout préparé il y a deux jours, avec le Philippin en question. Il l'a chouchouté. Malin, il sait y faire mon fils.

Pendant que je supervisais la finalisation des bagages en allant et venant dans l'appartement, en ouvrant la porte de la cuisine, je me suis trouvée face à... Manquait plus que ça ! La veille d'un grand départ. C'est sur ma pomme... que ça tombe. Un nuage de mousse, comme si on avait déversé un baril de lessive dans une fontaine en pleine ébullition directement dans ma cuisine. J'ai poussé un cri et Élise est arrivée.

— Tes lessives ?

— Non, j'ai fini à midi.

— Alors ? Une blague d'Arthur ?

Il y en avait partout, ça débordait du lave-vaisselle... Qui tournait ? Au sol, la mousse se transformait en eau. Une inondation en plus ? Je pataugeais les pieds dans l'eau tiède et le haut du corps dans la mousse vaporeuse.

S'il y a une chose qui me rend dingue, surtout quand je suis stressée avec tous ces bagages à faire, passeports à préparer, ces billets d'avion à ne pas oublier, c'est bien ça : les problèmes matériels.

Les enfants, eux, ça ne les démonte pas une seconde. Ils préfèrent me traiter de « maniaque ». Pas loupé.

— Mais, Maman, c'est pas grave. T'es en panique là. C'est que de la mousse. Ça va partir tout seul. Va te reposer, allonge-toi sur le canapé, ça te calmera, m'a dit Élise.

— C'est sûr.

Au bruit de mes lamentations, Arthur est sorti de sa tanière, hagard, abruti de jeux sur l'ordinateur mais plein de bonnes intentions. Il m'a tout de suite proposé de l'aide :

— Y a qu'à appeler le dépanneur.

— C'est une solution. Mais là, tu vois... d'ici son arrivée (genre dans trois jours), faut trouver autre chose sinon on va être vite dépassés.

Devant le spectacle – il faut le dire, extraordinaire – de cette mousse dans laquelle j'essayais de me mouvoir, pieds nus dans l'eau, trois serpillières à la main, avec un air de plus en plus désespéré, au bord des larmes, il s'est mis à pouffer et Élise l'a rejoint à l'entrée de la cuisine. Ils étaient pliés en deux de rire.

Alors, j'ai hurlé dans leur direction, excédée :

— Je vaincrai cette mousse, et toute seule.

Et j'ai claqué la porte.

— Merci, les enfants. Cassez-vous. C'est ce que vous avez de mieux à faire.

Ils ont obéi et n'ont plus moufté. Une demi-heure plus tard, je suis ressortie de cet enfer, exténuée, mais fière.

— Venez voir mes chéris au lieu de ricaner.

Ils ont rappliqué sans se faire prier. J'avais vaincu la mousse. Et le lave-vaisselle était à nouveau en état de marche. Elle est pas belle la vie ? Et votre mère, elle n'est pas la plus forte ?

— Maman, faut que j'te dise, a enchaîné Arthur tout gêné, penaud même.

— Quoi encore ? Tout va bien maintenant. Je n'ai même pas besoin du dépanneur, alors ?

Non, c'était pas ça. C'était autre chose. Une autre mini-catastrophe domestique : Arthur a sorti de sa poche un amas de verres et de monture entremêlés. La loi des séries. Nicolas, son meilleur pote, s'est assis hier soir sur ses lunettes neuves d'un jour. Ses premières lunettes et qu'il n'a pas, bien sûr, l'habitude de ranger. Donc, pour jouer, il les a posées sur une chaise, normal. Donc, Nicolas s'est assis dessus, rien d'anormal, c'est bien sur une chaise qu'on s'assoit. Et sans regarder avant si, par hasard il n'y aurait pas une paire de lunettes dessus. Parfaitement logique. Or les lunettes ont été écrabouillées. Arthur a fait une colère monstre chez et devant les parents de Nicolas, qui ont essayé de le rassurer mais en vain. Il avait peur – à juste titre – de ma réaction. Il en a chialé toute la nuit en cachette dans son lit, s'est fâché avec Nicolas juste avant de partir en vacances. C'est malin, son seul vrai pote. Et il ne savait pas comment me le dire. Eh bien voilà, c'est dit, Arthur. Après l'attaque de la mousse, les lunettes à la casse.

— Tu te débrouilles, soit avec les parents de Nicolas, puisqu'ils t'ont si gentiment proposé de le faire, soit avec l'opticien. C'est juste à deux pas de la maison. Moi je ne veux pas en entendre parler de cette affaire. Merci. A +, comme vous dites.

Il a enfilé ses Converse et a filé sans broncher en bas chez l'opticien. Les assurances faut bien que ça serve de temps à autre. Et comme cela il va découvrir les joies de la paperasserie, mon fils !

Élise a raison : je vais effectivement aller m'allonger sur mon lit et me reposer. Une petite sieste me fera le plus grand bien. Il est 18 heures, pas de problème. Je m'endors déjà !

— Eh, Maman, m'ont dit les deux monstres en chœur, on a oublié de te dire quelque chose...

J'ai sursauté :

— Quoi en-co-re ?

— Ce midi on a déjeuné en cachette chez Mamie, euh, chez Tao avec Mamie. Elle nous a invités, et elle et son mari nous ont donné cent euros chacun pour nos vacances.

Tiens elle s'améliore la mariée, elle fait nounou maintenant ?

Pas facile de faire le vide dans sa tête après une journée pareille, une semaine pareille, un mois pareil. Je passe mon temps à m'occuper des autres : et Henri qui divorce depuis trois ans, et Chloé qui choisit sa layette onze mois à l'avance, et Élise qui exige ci, et Arthur qui casse ça, et Alban qui... Y a que ma créature, « Crazy Blondasse » qui me laisse un peu tranquille. Non, je ne pense pas à Alban, ni au boulot. Là j'arrête. Ça sera pour après-demain ! « Tu es formidable, toi, tu es à l'écoute des autres, comme on dit. » Mais je me sens envahie, par les autres. Demain soir, après les départs échelonnés des enfants – Roissy à midi et gare du Nord à 14 h 06, merci Air France, merci la SNCF – je vais pouvoir respirer. Et vivre librement !

76

Pas dix minutes que je somnolais, quand le fixe a sonné.

Chloé ! Ah ! Qu'est-ce qu'elle a trouvé pour moi ? Devant mon refus de la semaine dernière de les écouter, elle et Élisabeth, pour ma recherche de deuxième mari, ont pensé à une chose : les petites annonces. Alors, elles en ont rédigé une. Elle voudrait me la lire avant de l'envoyer au magazine spécialisé.

Ça donne :

« Belle f. blanche. 41 a, 1,62 m, tendre, cultivée, humour, shte partager émotions sensuelles et esthétiques avec h. 45-50, libre, cad.dir/prof.lib, "France d'en haut", ouvert d'esprit, allure, en vue de remariage. »

Moi j'aurais préféré une annonce plus directe, sans mentir sur mon âge, genre :

« Juliette, divorcée, 2 ados, 42 ans bientôt, cherche homme tout juste la cinquantaine, riche, libre, vivant à l'étranger (donc pas trop là !) en vue de... j'sais pas quoi ! »

Mais Chloé m'a dit que cela ne se faisait pas. Il faut mettre les formes si on veut que cela marche. Elle s'est renseignée, je n'ai rien à craindre, côté réputation toutes les annonces sont codées. Leur durée de vie c'est un mois. Après c'est plus frais. Juste le bon timing. C'est évident : passer une annonce la veille du

14 Juillet et le prince charmant est là le 15 août. C'est pas Noël, mais presque. Suffit d'y croire !

Bien sûr, je suis d'accord sur l'idée, la formulation et surtout pour jouer le jeu, au fur et à mesure que les réponses arriveront. Et me voilà en train de promettre à ces deux démones d'aller à toutes les rencontres. Promis, je n'ai que ça à faire. Elles ont pensé à tout, mes copines !

Chloé est une adepte et une habituée. Faut dire qu'avant d'avoir trouvé le mari, elle a pratiqué la recherche de l'âme sœur sur Internet, multiplié les séances de *speed-dating*, et maintenant elle prône le retour aux méthodes classiques : les PA.

Et pourquoi pas ?

7

CHOCOLAT SUISSE

À l'aller, ça s'est bien passé.

Dans l'avion qui nous emmenait à Genève pour le fameux pont du 14 Juillet, Marco et moi avons eu une conversation incroyable, que nous n'aurions jamais eue du temps de notre période en commun. On a parlé des « accros du boulot » : ceux qui travaillent trop. Il paraît que j'en fais partie maintenant. Marco ne me reconnaît pas. D'après lui, il n'est plus possible de me joindre sur mon portable à toute heure du jour, il n'est plus question de me proposer une balade, il n'est plus envisageable ni d'aller voir une expo en plein après-midi, ni de faire du shopping (je dois en faire des économies, eh non, Marco, c'est pire, car je concentre les achats : la carte bleue sort moins mais quand elle chauffe, c'est de la pyromanie). Quant à improviser la moindre sortie, il en a carrément abandonné l'idée.

Il est donc très fier de m'avoir entraînée dans ce week-end randonnée en Suisse, trois jours d'affilée. Une réussite pour lui !

— Tu bosses trop. Cette fureur de travail, ce temps dont tu te laisses dépouiller, c'est toi, Juliette, toi que tu assassines. Mais vis, vis... Avant, tu étais beaucoup plus marrante, me sermonne Marco.

Et c'est un homme qui me dit ça ? Le monde à l'envers. « Le temps », d'habitude ne compte pas pour eux, ils ne s'en rendent pas compte. Les hommes ont tout le temps devant eux pour prendre ou ne pas prendre une décision. C'est pour cela aussi qu'ils ne s'engagent pas. Le temps joue pour eux et contre nous les femmes. Pour eux, les hommes, le temps est la mesure par laquelle ils évaluent les progrès de leur réussite professionnelle. Pour nous les femmes, l'horloge biologique nous rappelle que notre fonction reproductrice connaît une limite fatale. La pression n'est pas la même et nous oblige à être lucides !

Question travail, Marco, lui, se la joue de plus en plus cool : sa boîte de communication tourne bien et il a une bonne équipe. Monsieur estime qu'il n'a plus grand-chose à se prouver à lui-même. Surtout il a moins besoin de travailler que d'autres : fils de fille de banquier, ça aide ! On peut changer de Porsche tous les ans ! Ce qui est loin d'être mon cas. Heureusement d'ailleurs, où est-ce que je les mettrais, mes ados ? Dans le coffre ? Et de nos jours, c'est risqué de rouler à 300 km/h avec tous ces radars !

N'empêche, ça m'a fait du bien de me retrouver avec lui, mon ex, comme ça en voyage, comme avant, sauf que cette fois on ne part pas tous les deux en amoureux... On rejoint des amis à lui. L'amitié, c'est important, peut-être plus que l'amour. Promis, Marco, pas une seconde je me laisse aller à penser à autre chose qu'à mon bien-être...

Au cours du vol, il m'a récapitulé le programme du week-end : repos, certes, mais marche pour le groupe toute la journée de samedi plus dimanche matin pour les volontaires, et spa pour les autres. D'avance, je suis « les autres ».

On se retrouve tous à La Réserve, l'hôtel super luxe d'un des nouveaux potes de Marco qui nous case discrètement dans une aile sur le côté, histoire qu'on ne nous voie pas trop et surtout qu'on ne nous entende pas. Vu le prix offert, promis, on ne fera pas de bruit, si on veut revenir. C'est bien du Marco ça, une combine pareille. Il n'y a que lui. Le tarif normal, en pleine saison, plein pot, du 400-500 euros la chambre standard.

Très jet-set, Marco, vas-y, joue-là comme Beckham !

Le tout en bordure du lac. À deux pas de l'aéroport, inutile d'entrer dans la ville pour rejoindre le chemin de la montagne. Demain matin, dès 7 heures, en route pour respirer le grand air.

Tout en me racontant ce merveilleux programme concocté par ses soins, Marco, cela ne m'avait pas échappé, se rapprochait petit à petit, passait sa main sur mon bras de manière de plus en plus empressée, commençait à me regarder avec des yeux doux, allant même jusqu'à m'embrasser tendrement dans le cou.

Je m'étais posé la question avant de partir. Après tout ? Et si le temps d'un week-end, juste comme ça, on se faisait du bien Marco et moi ? Comme dit un de mes amis africains : « Quand le bois a brûlé une première fois, il peut brûler à nouveau à tout moment,

81

une seconde fois. » Ce qui ne me semble pas tout à fait invraisemblable...

On verra bien pendant le week-end. Il ne fait que commencer. Je ne veux pas me trouver en porte-à-faux si jamais parmi la bande de randonneurs il y a un Italien ou autre qui me plaît. Pas de plan sur la comète, on se laisse aller, Juliette, cool, t'es cool ! Tu prends la vie comme elle vient... Et je vous confirme, Élisabeth et Chloé, même si vous ne m'entendez pas, que je n'ai pas envie de me caser définitivement avec un mec. Surtout avec un ex.

La tendance lourde, en ce début du XXIᵉ siècle, chez les femmes comme chez les hommes, c'est la polygamie ouverte et/ou la bisexualité. Soit on a plusieurs relations affichées, soit on commence sa vie hétéro et on la finit homo, soit on s'aperçoit en route qu'on est bi, soit on est les trois à la fois ! Genre, « moi je suis 33 % hétéro, 33 % homo, 33 % bi » et les 1 % restants ?

Je n'en suis pas encore tout à fait là, moi, mais l'idée de polygamie ouverte me plaît bien. Il m'arrive parfois de penser, en faisant une relecture de ma vie, que j'ai plutôt raté mon mariage et que j'ai pas franchement réussi mon divorce. Ou l'inverse. C'est pareil. Alors qu'est-ce qui peut bien m'arriver maintenant ? Réussir quelque chose. Mais quoi ? Ma vie de polygame en solo !

Marco avait fini le vol endormi sur mon épaule, confiant dans la perspective de me reconquérir quelques heures. Moi, je pensais à mes enfants, Élise loin là-bas dans son *summer camp* où, grâce aux nouvelles par mail, je sais que « c'est trop de la balle » depuis huit jours, et à Arthur, pas bavard au téléphone, comme dans la vie, mais apparemment pas mécontent dans sa famille à côté de Londres. Dans le Sussex exactement. Qu'est-ce qu'on avait ri quand je lui avais annoncé sa destination anglaise :

— Suce quoi ? il m'avait dit en faisant la grimace.

— Sussex, mon chéri, j'avais répété avec mon meilleur accent tonique.

— Suce-le-sexe ? Ça existe un trou pareil ? avait répondu l'insolent.

— Arthur, j'avais dû me fâcher alors que je m'efforçais à contenir un fou rire.

Au moins, j'ai réussi ça : les vacances à l'étranger de mes deux amours. Je peux souffler un peu. Je sais qu'ils sont en sécurité et qu'ils s'éclatent tout en s'imprégnant de la culture et de la langue anglo-saxonnes.

Je me sentais bien, disponible et prête à découvrir beaucoup de choses. Le week-end le plus *open* depuis longtemps...

Le vol de retour s'est moins bien passé.

Pénible le Genève-Paris. Long, très long ce vol. Et pesant. À cause de Bill, surtout. Mais aussi d'Amélie, ma nouvelle copine. Moi, je dis grâce à Bill et à Amélie. Et Marco, lui, dit « à cause » de cette satanée Américaine qui aurait mieux fait de s'occuper de ses fesses et de rester là-bas dans son pays d'adoption, au lieu de jouer les entremetteuses en Europe !

Pour un week-end de repos, ça a été sportif, actif et chaud !

Dans la bande d'amis finalement il n'y avait que des Français et des Suisses. Pas d'Italien. Marco m'avait raconté n'importe quoi pour m'appâter. L'avantage était linguistique, on n'a pas eu besoin de faire des efforts pour se comprendre. On s'est retrouvés comme prévu à huit : cinq hommes et trois femmes, dont deux couples. Pas très équilibré ! La seule femme libre, c'était moi, bien sûr ! Le vendredi soir comme on était arrivés tard les uns et les autres, on s'est vite couchés après un dîner asiatique léger. Pour nous retrouver le lendemain à 6 h 45 pile dans le hall de l'hôtel, en partance pour une journée entière de marche.

Grimper à 7 h 30 dans un paysage de rêve, de verdure, en pleine nature, dans la montagne, jusqu'à un lac de montagne (la Suisse quoi), ce fut fantastique. Jusqu'au deuxième pique-nique. Après, il fallait encore monter, et là j'en ai eu marre. Naze, épuisée, exténuée. Rejoindre le 4 × 4, retourner à la civilisation, me plonger dans la piscine de l'hôtel, m'allonger au soleil avec un bon bouquin et me faire masser les mollets endurcis, les cuisses douloureuses et tout le reste du corps, c'est devenue une obsession qui ne m'a plus lâchée. Je confirme : je ne suis pas une grande marcheuse !

Donc le week-end fut sportif pour moi jusqu'au samedi 15 heures.

Après, stop. J'ai tout fait pour redescendre au plus vite. Un groupe de marcheurs que nous avons croisé au fin fond du petit lac de derrière redescendait sur

Genève. Je les ai suppliés de m'emmener avec eux, je leur ai dit que je ferais du stop après... Sympas, ils m'ont déposée directement à l'hôtel. C'était leur chemin !

Trop bien l'hôtel : moquette panthère, statues d'éléphant à chaque recoin, lampe perroquet au bar, on se serait cru non pas en Suisse mais en pleine réserve africaine, bien vu le nom !

Actif aussi, le week-end. Seule jusqu'à la fin de l'après-midi, j'ai cru que j'allais pouvoir m'adonner à ce qui me plaît vraiment : bouquiner en maillot même avec mes kilos en trop, mais qui ont déjà disparu dans ma tête, les fesses au soleil à travers mon string, « tes fesses de derrière », m'a dit l'autre jour une petite fille de cinq ans !, sous un parasol après un petit bain dans la piscine à 28 °C pétants. Seule sans parler à personne quelques heures. Portable éteint. Pas de coup de fil de Chloé pour me parler de sa soixante-douzième journée de grossesse, pas de conseils à demander à Élisabeth pour savoir où, quand, comment je peux faire pour tout gérer en même temps. Du farniente, rien que du farniente.

De plus, autour de l'immense bassin, il n'y avait pas un seul Français : seulement des milliardaires arabes, discrets, et des Américains fortunés, moins discrets. Épars, de parasol en parasol, à se gargariser de « *honey* », « *my dear* », « *sweetheart* » à tout bout de champ, tous centrés sur leur unique activité : se regarder le nombril !

J'ai pu observer la faune locale, euh internationale,

à loisir avant de me plonger dans la lecture du nouveau best-seller mondial de l'été, *Mafiachic*.

À côté de moi, un homme d'une cinquantaine d'années, à l'allure d'homme d'affaires américain pur sucre, bronzé, brushing impeccable et œil bleu d'acier, avec certainement un CV étincelant, se tortillait en regardant la couverture de mon livre. Soit il cherchait une inspiration pour sa prochaine nuit blanche, soit il hésitait à entamer une conversation avec sa voisine de transat à la gueule de petite Française toute seule. D'ici à ce que je réponde, mon coco, t'auras un torticolis, riais-je intérieurement !

Pas dix minutes que je savourais avec délice ma tranquillité que mon voisin de transat limite agité s'est redressé comme si de rien n'était et, se penchant délicatement vers moi, d'une voix grave, sûr de lui, dans un anglais américanisé policé et courtois, s'est présenté :

— Hello. Mon nom est Bill. Bill Wood... Désolé de vous déranger, mais... je vous ai vue et je viens de finir le même livre... en anglais alors que vous vous le faites courageusement en français, si je puis me permettre. Ça vous plaît ?

Hum... désolé de me déranger... mais tu me déranges quand même ! Cela dit... bel homme, un look à la Clint Eastwood (décidément ça rime, Eastwood et Wood !), quand Clint était plus jeune, cela va de soi ! La conversation a continué comme ça, sans effort particulier de ma part. Clint, je veux dire Bill... c'est évident, est un riche Américain qui vient régulièrement en Europe, y a fait quelques études du temps de sa jeunesse à Oxford

(*England !*) et à Paris, *of course*, féru de culture euro-péenne, et maintenant fréquente Saint-Moritz l'hiver et séjourne ici, l'été, pour marcher (il adore marcher, lui). Et il aime les Français, ou du moins « la Fran-çaise » ! Mignon l'accent ! J'ai toujours entendu dire que les Américains avaient un faible pour les Fran-çaises. Curieuz comme je suis, posant il y a peu la question à l'un de mes amis d'outre-Atlantique sur cet attrait particulier, je me suis vu répondre texto : « Une Française, c'est comme les voitures de sport rouges, non ? » Romantiques, dit-on, les Américains !

— Je suis avocat au Texas... à Beaumont-Texas.

Là, j'ai sursauté ! Avec son accent bien du Sud, je n'étais pas bien sûr d'avoir entendu mon nom !

Beaumont ? Je lui ai fait répéter trois fois.

— Oui, oui, Beaumont. B.E.A.U.M.O.N.T-Texas, a-t-il épelé.

Après Paris-Texas, je sais maintenant qu'il y a aussi un Beaumont au Texas ! Peut-être des ancêtres à moi là-bas ont-ils fondé cette ville ?

J'ai dû lui expliquer que mon nom c'était Juliette Beaumont. *Incredible, but true* ! Il n'en revenait pas. On a ri. Tout de suite une certaine complicité s'est installée entre nous. Il n'y a que moi à qui un truc pareil peut arriver : en pleine Suisse, tomber sur un Américain – pas mal d'ailleurs au passage ce Bill Bush, euh Wood ! –, avocat de surcroît – ça peut aider en cas de second divorce – originaire d'une ville qui porte mon nom !

— J'aime beaucoup le français aussi mais je ne parle pas bien, s'est-il empressé d'ajouter.

Vingt minutes plus tard, il était presque – j'ai bien dit presque, car ces Américains sont d'une pudeur et d'une réserve ! – assis sur mon transat. Et de me questionner sur tout. Ma vie, mon travail, ce que je faisais ici, avec qui j'étais, si j'avais des enfants, combien de fois j'avais divorcé...

Et lui de me raconter sa vie, celles de ses ex-femmes – deux seulement, waouh –, comme ça, le plus naturellement du monde, comme si on se connaissait depuis... Amusant et charmant !

Un continent chacun, deux mondes différents, pas la même culture, mais... une attirance certaine !

Je n'ai pas eu d'autre choix que de bavarder avec lui. Tant pis pour mon bouquin... Et puis après tout, c'est cela aussi les hasards de la vie qu'il faut savoir saisir. Mais Bill ? Ça commence par un B, non ? Et il n'est pas français ? Qu'est-ce qu'elle a dit Doudou ? *Yes !* C'est la plus forte ma copine voyante ! Et les Bill, de réputation, sont pas mauvais au lit, non ? Avec la pub mondiale qu'il y a eu autour de ce prénom...

Et Mr Wood continuait à me raconter qu'il était venu seul, quelques jours, rejoindre des amis qui vivent aux quatre coins de la Suisse, et se retrouvent mi-juillet chaque année pour une randonnée « historique » (pour un Américain, historik, ça veut dire depuis deux ans, deux années de suite, donc deux fois !). Il attendait une de ses amies (une Française qu'il a connue à Oxford alors qu'ils étaient étudiants tous les deux) pour dîner sur place, Amélie. Maintenant elle était décoratrice d'intérieur à Nashville et très américaine, surtout dans l'éducation de ses enfants. J'en savais presque autant sur son amie que sur lui en quelques minutes !

Elle n'allait pas tarder à arriver. Il a proposé de me la présenter si je voulais, et d'ici là, comme Amélie était souvent en retard, on pouvait boire un verre ensemble, *if I do agree. Yes, I do !*

J'ai accepté. C'était inattendu et drôle, et puis j'envoie bien mes enfants aux États-Unis, pour apprendre à parler anglais, alors moi je peux bien m'offrir un petit cours particulier, aussi, non ?

— Champagne, *please.*

Il a commandé un magnum du meilleur champagne, une autre de ses passions françaises..., m'a-t-il avoué, très fier.

Dix minutes et deux coupes plus tard, j'étais beaucoup plus à l'aise en américain. Quasiment *fluent* ! Ça revient vite, ces choses-là. Même si on pratique peu. Quand on a de bonnes bases...

Le retard d'Amélie se prolongeait et ma bande de marcheurs n'était toujours pas de retour. Alors Bill en a profité pour gentiment m'inviter à dîner avec lui en tête à tête, s'il vous plaît, le lendemain soir, sur place à l'hôtel. Je lui plaisais. Je le faisais rire. J'étais simplement « française ». Et lui ne me déplaisait pas du tout comme futur dîner. Il avait de l'humour, Bill. J'ai fait semblant d'hésiter pour faire plus vrai. Oui, pourquoi pas ? Alors, « OK », j'ai dit !

Quand elle est arrivée exubérante à souhait, dans un nuage de « *hi, hello, so nice* », accumulant toutes ces exaspérantes politesses, cette fameuse Amélie, plus américaine que française effectivement, Bill nous a présentées. Elle m'a tout de suite paru sympathique ; elle est en plein divorce et a deux enfants quasiment du même âge que les miens. Ça rapproche. Je lui ai proposé de lui donner des conseils si elle voulait, ajoutant que j'étais une experte reconnue, en France !

Après avoir bavardé ensemble tous les trois un long moment, elle m'a proposé d'échanger nos adresses mail. Nous allons communiquer et nous revoir, *of course. No problem !*

Je les ai quittés tous les deux leur souhaitant un agréable dîner et j'ai rejoint Marco qui venait de passer un nez limite renfrogné pour me signaler discrètement son retour.

Sportif, actif et chaud, j'ai dit, le week-end !

Trop chaud au goût de Marco. Je lui ai tout raconté à son retour de randonnée – un peu pompette –, y compris l'invitation à dîner. Il m'a fait une scène et la morale. Vis-à-vis de ses amis, déjà qu'il y avait peu de femmes dans le groupe. « Marco, je lui ai dit, cet Américain est drôle, inconnu, riche, m'invite un soir et je ne le reverrai jamais. Ça ne se refuse pas. Alors pas de scène, s'il te plaît. »

Une mini-vengeance, deux ans après notre séparation ? Si tu veux, tu le prends comme ça, ça te regarde. Pour moi, je ne change pas mon plan. Et là, au lieu de perdre mon temps à me disputer avec toi, je file au spa pour me faire toute belle et préparer le terrain pour l'acupuncteur de Mizis Chloé. Très belle, Marco. Et demain, je disparais juste le temps d'un dîner...

Je ne croyais pas si bien dire.

Dîner et... nuit d'enfer dans la chambre de l'Américain. Un vrai Clint Eastwood ! En m'invitant au pied levé, hier après-midi, il ne savait pas exactement ce qu'il cherchait. Moi non plus. Avant le repas, en tous cas, mais plus après...

On a eu, notamment, au cours du dîner deux ou trois quiproquos amusants. Quand je lui ai dit que je le trouvais plutôt « naturel », il a éclaté de rire et, d'un air coquin, m'a expliqué que « au naturel », chez lui, ça voulait dire nu... ! Ça a continué dans la chambre quand il s'est excusé de ne pouvoir me fournir de « *nayglijay* » *for the night* (« négligé », dans son pays, ça veut dire « chemise de nuit froufrouteuse » !). Ça nous a fait rire et a créé une certaine complicité entre nous.

Pas désagréable de passer la nuit comme cela avec un étranger. Qui a dit que seuls les Français étaient... au lit ?

Depuis plus d'un mois, en pleine période d'abstinence, je me faisais du mal en me remémorant régulièrement quelques-unes des trente bonnes raisons de faire l'amour : se remonter le moral, rayonner jusqu'à cent ans, rajeunir de dix ans, renforcer son cœur, brûler des calories, éloigner le spectre du cancer, améliorer sa confiance en soi, voir la vie en rose, apaiser le stress, améliorer son sommeil, équilibrer sa thyroïde, fortifier ses os, soulager les jambes, calmer ses fringales... Et j'en passe.

Tout ça ? Mais surtout, la vraie bonne raison : « À deux, c'est mieux ! »

En me réveillant dans les bras de mon Américain,

aux alentours de 14 heures, je me suis dit : « Enfin, une rencontre, Juliette et avec un vrai riche, comme toutes les femmes en rêvent. Un conte de fées, ça s'appelle. Mais, qu'en faire ? »

Nous avons brunché ensemble au restaurant de l'hôtel, où j'ai pu saluer Marco et sa bande. Je passe sous silence la tête de mon ex qui avait dormi seul, lui. Contrairement au plan initial qu'il avait dû se monter...

Et pour ne pas effrayer Bill, quand on s'est quittés juste après, avant que la quatrième scène de Marco n'éclate, je l'ai embrassé tendrement, j'ai posé mon doigt sur ses lèvres, et avec mon plus bel accent, je lui ai dit dans sa langue : « Ne vous inquiétez pas, je ne veux pas être aimée pour de vrai, OK ! »

Chut... !

8

RÉUNIONS À LA CHAÎNE

« Ah,... ah,... je suis amoureuse de mon dentiste...
ah !... ah ! Heureusement, j'en ai pour six semaines
d'affilée à raison de deux séances hebdomadaires. Un
vrai bonheur... ah ! » C'est ainsi que ma jeune assistante, Gaëlle, parfaitement normale vendredi dernier
avant le long week-end du 14 Juillet, m'a accueillie à
la chaîne ce matin. L'œil chaviré, les cheveux blonds
décolorés en pics, elle avait mal, était à peine audible,
mais soupirait d'aise.

« Ah... ah... ah ! » C'est tout ce que j'ai pu tirer
d'elle entre 9 h 30 et 11 heures. Impossible de lui
parler, de lui demander quoi que ce soit, elle était béate
et se baladait de bureau en bureau la bouche ankylosée
et la tête ailleurs. Carrément sur un petit nuage. Même
si ça retarde la reprise des affaires, c'est touchant une
jeune fille amoureuse : un coup de foudre express chez
son dentiste le matin même !

J'ose pas demander comment ils ont communiqué,
comment, lui, s'est manifesté. À petits coups de jet...
dentaire, peut-être ? Si à son avis c'est réciproque. Si
tel est le cas, elle en a de la chance !

On a toute un dentiste et ça ne nous fait pas cet

effet-là. Au contraire, on flippe chez lui, et lorsqu'on sort en faisant « ah... ah... ah... », c'est de douleur, pas d'amour.

Ça ne m'est jamais arrivé à moi ce truc-là ! J'ai pourtant un dentiste adorable. Je l'aime beaucoup. Il se plie en quatre chaque fois que j'y vais pour ne pas me faire de mal, il me trempe les cotons pour les imbiber d'eau alors qu'ils devraient rester secs car je ne supporte pas le contact de ces machins avec mes dents, il m'explique tout, mot à mot, photos et radios à l'appui, peut-être pour que je ne lui casse pas son accoudoir gauche à force de le serrer trop fort. Et il garde son calme et son humour quand je glisse subrepticement du siège à torture, faisant celle qui s'en va, en pleine opération, comme si de rien n'était ! Bref, il me bichonne...

La dernière fois que je l'ai vu (j'avais pas encore pris tous mes kilos) il m'a même dit : « Au revoir, Lara Croft ! » Alors ?

Mais je ne suis pas amoureuse de lui pour autant. Enfin, je crois. Faudrait que je vérifie... à la rentrée, j'aurai bien un petit détartrage à faire, non ? D'ici là, boulot. J'ai pas beaucoup de temps pour m'occuper de moi, ni même pour penser à..., comment déjà, mais si, Bill Eastwood, l'Américain du week-end suisse, alors mon dentiste, non ! Débordée.

D'autant plus que je dois préparer la dernière grande réunion de l'été avec tout le monde. C'est cet après-midi que ça se joue. Équipes au grand complet. Pas de bras cassé, Gaëlle, s'il te plaît, du côté de

« Femmes 7 », on se ressaisit. On affronte la production extérieure.

Les forces en présence côté chaîne (la fabrication de la grille et le choix des horaires de diffusion) : Alain, le patron ; moi ; nos assistantes respectives dont ma Gaëlle, plus la petite équipe de jeunes à disposition. Du côté de la production extérieure (fabrication de l'émission) : Alban, dans le rôle de la vedette ; Vanessa, dans celui de Miss Cruella en apprentissage, et toutes leurs petites mains, difficiles à identifier car elles changent d'une séance de travail à l'autre, en fonction des rencontres nocturnes de notre animateur. Et pas question cette fois de s'envoyer des textos de folie qui perturbent la réunion : Alban et son dernier petit mignon ont intérêt à bien se tenir. Je ne laisserai pas passer. On me surnomme « la Régente ». J'en suis ravie. Ça me convient parfaitement.

L'objectif du match est de valider le format définitif de l'émission et de définir le contenu des six numéros à suivre. Pas de demi-mesure, faut que « Crazy Blondasse » cartonne dès le début, le 1er septembre, et qu'on ne parle que de « Femmes 7 » dans les magazines. Dès la première diffusion, toutes les Françaises doivent s'identifier à « Crazy Blondasse », se reconnaître en elle, être en manque d'elle et de ses aventures... jusqu'au prochain numéro. Et la concurrence, grandes chaînes en tête, doivent baver d'envie et se mordre les doigts de ne pas avoir eu l'idée avant !

Faut gagner.

Je suis très contente de moi et en forme grâce à ce week-end de repos. Même si ce n'est pas loin de Paris,

Genève, ça dépayse bien. C'est plein de surprises, de nouveautés, d'inattendus, et pas si lent qu'on le prétend le rythme là-bas. Parfois les choses s'accélèrent. Tout ce qu'on dit sur la Suisse... il y en a à prendre et à laisser. Moi, j'ai plutôt le souvenir d'un truc rapide, non ? Pour l'instant je n'ai pas le recul nécessaire, mais ce soir après le débriefing avec la direction générale, je me repasserai le film tranquille pour tenter de comprendre ce qui s'est réellement passé. Car tout cela est un peu flou dans mon esprit... !

Au fait, Doudou ! Faut pas que je l'oublie, ma voyante préférée. Je dois la rassurer ! Un petit appel, comme promis pour lui dire qu'elle avait raison : « la nouveauté » est là et son prénom commence bien par un B ! La suite ? Je ne veux pas savoir. Laissons faire les choses...

Concentrate, Juliette, *concentrate* ! Ici tu es à « Femmes 7 », chaîne de télé, travail, réunion au sommet importante, vitale...

Tout devrait bien se passer : j'ai compris les enjeux, les intérêts croisés, et détecté les failles des uns et des autres. J'ai verrouillé les éventuels débordements de l'extérieur, en me mettant les journalistes de la production dans la poche (ils ont fait exactement ce que je voulais), et j'ai anticipé les trahisons de l'intérieur. Alors ?

J'angoisse quand même !

14 h 30 : j'entre en scène. C'est mon premier test grandeur nature. Je m'impose rapidement à la tête de l'équipe, et surtout j'ai fixé la règle du jeu dès le début : transparence et loyauté. Les deux qualités

nécessaires et suffisantes pour diriger une télé et fabriquer une émission-culte.

18 h 30 : je sors de l'arène, épuisée. Quatre heures pleines. Quatre heures de bagarre acharnée. De langue de bois, de retournements, de coups bas. Tout ce sur quoi on s'était mis d'accord avec Alban, Vanessa et sa troupe a failli voler en éclats. J'ai eu l'impression que toutes les décisions prises au préalable n'avaient jamais existé.

Des girouettes, ces gens de télé. Ces saltimbanques n'ont aucune parole. Et que je te flatte le patron, et que je lui dis oui alors que ça fait trois semaines que je dis le contraire à Juliette, les yeux dans les yeux. Et que je lâche sur le décor, et que je laisse filer la durée des micro-trottoirs, quitte à faire exploser le budget... N'importe quoi. Les rubriques, les sujets, la disposition du plateau, ils voulaient tout changer ceux « de l'extérieur » ! Ils ont fait quoi ce week-end ? Un feu d'artifice ? Ils ont pété les plombs, oui.

Plus d'un mois de travail menacé. Pour eux, il aurait fallu tout recommencer, repenser, retravailler, et revalider. De quoi j'aurais pu avoir l'air devant Alain ? Heureusement qu'il me fait confiance depuis le début et que j'ai son appui. Malgré ce revirement spectaculaire de dernière minute – la télé ? On se croirait au théâtre, oui –, j'ai tenu bon. Et ça, le boss l'a vu. Il sait que je suis tenace et que je tiendrai la ligne éditoriale et les budgets. C'est ma responsabilité. Il a bien dû entendre mon surnom à la chaîne, Alain ? « La Régente » avec un R majuscule. Et les régentes, ça ne s'élimine pas comme ça, mes cocos. Va falloir vous accrocher.

Je suis sortie la tête haute et j'ai fait comme si de rien n'était. Mais une fois dans le bureau, j'ai accusé le coup. Une seule réponse possible aux faux-culs : œil pour œil, dent pour dent... C'est tout réfléchi. Voilà la nouvelle devise que je vais mettre en œuvre à la chaîne. Pour la loyauté et la transparence on verra plus tard. Et pour la sélection des plateaux... on innove. Il y a le *speed-dating* (sept minutes pour draguer, que tout le monde pratique) et le *speed-networking* (sept minutes pour vendre un cadre, lors d'un entretien express rassemblant chasseurs de têtes et chercheurs d'emploi. Tout aussi racoleur mais moins connu, plus intelligent et paraît-il plus efficace). Eh bien moi, Juliette B., je vais inventer le *speed-casting*, pour monter le plus rapidement possible une fabrique à témoins. Je les recevrai de 9 heures à 9 h 07, de 9 h 08 à 9 h 15, et ainsi de suite. Sept minutes pour me convaincre qu'ils sont les meilleurs témoins dont la spectatrice de « Femmes 7 » rêve. Vous allez voir. Ça va marcher à la baguette. Une révolution !

C'est pas cette bande de frimeurs jeunes pousses de futures vedettes potentielles en herbe qui va m'impressionner. Moi qui ai déjà vécu la guerre de tranchées, la guérilla dans la vraie vie, des mois à lutter pour assurer la survie quotidienne du bloc d'amour (moi et mes deux enfants) pendant et après le divorce. Tout ça pour récupérer la pension alimentaire qui nous était due. Je ne manque pas d'entraînement. « Je connais façon », comme on dit en Afrique. Et en plus, j'apprends vite. Mais c'est plus dur que prévu, c'est une rude école le privé.

J'en oublie de consulter mes messages et ça fait un quart d'heure que mon portale réclame : « *aihhhhh, are you zere ?, aihhh, are you zere ?* » c'est la sonnerie de ma mère. Tiens, Gloria se manifeste ? Pour me signaler qu'elle part en Thaïlande pour plusieurs mois, qu'elle ne sait pas exactement pour combien de temps. Avec son jeune mari, elle va rendre visite au reste de la famille à Singapour et à Java. Avec tous ces voyages en perspective, elle est ra-vie. Elle ne nous oublie pas puisqu'elle me rappelle que ce mois-ci le restaurant est fermé mais qu'il rouvre le 1er septembre. Nous sommes les bienvenus même en son absence, elle a donné des consignes pour qu'Élise et Arthur puissent venir déjeuner à volonté. Sympa ! Elle m'embrasse (quand même) et essaiera de me laisser un petit message de temps en temps. Merci Maman. Elle sait profiter de la vie elle, depuis qu'elle vieillit !

Ensuite un message de Bill ! *Yess* ! Un petit coup de fil de l'aéroport, il veut savoir si tout se passe bien, si je suis contente de retrouver la maison, et me confirme qu'il est sur le point de prendre l'avion à Genève pour rentrer *at home*. Ah, il ajoute, qu'il souhaite « une bonne fête à Juliette » en français dans le texte, s'il vous plaît ! Comment il sait ça lui, Bill l'étazunien, que la Sainte-Juliette est en juillet ? Un Américain qui connaît les jours de fête : du jamais vu. Réflexe surprenant, il connaît ses classiques Bill. On voit qu'il

a vécu en France... Mais il est juste un peu en avance !
De quinze jours seulement ! La fameuse capacité
d'« anticipation » américaine ! Y a pas à dire, ce sont
des pros ces Américains !! Pas grave, c'est l'attention
qui compte... ! J'en suis toute remuée. Accro, le
Texan ! Génial. Mollo, Juliette, vas-y mollo : on se
calme et on prend du recul.

En plus, je n'ai personne à qui parler ni des affreux
jojos du boulot, ni de « la nouveauté ». Help ! Mes
deux copines françaises ont pris leurs quartiers d'été.
Chloé est à Ramatuelle, en train de se faire bronzer le
bout du ventre. Plus ou moins avec son Jean de mari
qui fait des allers et retours sur Paris. La pauvre ! Ça
me fait des vacances, d'accord, mais aussi un sacré
vide, car, à force de parler bébé, j'ai l'impression que
c'est moi qui vais bientôt en avoir un ! C'est une grossesse collective, couvée par le trio !

Élisabeth est partie en famille en Autriche, voyage
organisé de longue date par Philippe qui a concocté un
trajet aux petits oignons. Elle en a de la chance !

Et moi pendant ce temps je bosse comme une
dingue, seule à Paris. Tout ça pour voir mon boulot
quasi démoli en quatre heures chrono, et devant
témoins. J'ai le moral, oui, j'ai le moral... Et même
pas d'enfants pour me consoler ou à sermonner pour
faire diversion. Nada ! Tant mieux pour eux, je préfère
qu'ils s'amusent et fassent des progrès en anglais,
surtout Arthur qui en a bien besoin. Je l'ai eu au téléphone tout au début, mais même outre-Manche, il n'est
pas facile à joindre, et de toute manière, il ne m'a pas

dit grand-chose. Égal à lui-même, quoi. Mais il faut qu'il surmonte aussi le classique petit coup de blues du premier jour.

Élise, elle, raconte beaucoup de choses par mail. Elle me fait rire. Elle me fait part de sa stupéfaction de constater que l'Europe et la France sont peu de choses vues de là-bas. Sa famille lui demande si elle va « à Saint-Tropez, la plage de Paris, se baigner tous les jours ! » Même sur la côte Est dans un milieu aisé, leur vision de l'autre côté de l'Atlantique... reste floue, en tout cas du point de vue de la géographie !

En réponse à ma fille pour lui montrer qu'en Europe on rencontre des Américains raffinés et aimant la culture européenne, je lui ai mailé que moi aussi j'avais fait des progrès en anglais ce week-end en Suisse, en bavardant quelques heures avec un Américain des plus charmants, prénommé Bill, et que j'ai bien envie de revoir, s'il venait à faire un saut à Paris, *one day*...

C'est vrai qu'il me trotte dans la tête celui-là.

J'ai des pensées transatlantik ! Une liaison transatlantik ?!

Tiens, je vais mieux. La colère est passée et les tracas du boulot sont déjà derrière moi. Je suis redevenue moi-même : zen et sereine !

Faut que je lui envoie un mail de remerciements tout de suite à Bill. Pour le dîner, pour l'agréable compagnie, pour... que sais-je ? Faut que je me manifeste à mon tour. Ça se fait non ? Avec un Français oui. Et s'il répond, ça embraye. Mais avec un

Américain ? Je le tutoie ou je le vouvoie, Mister Wood ? Traditionnellement les Anglais on les vouvoie, les Américains, plus cool, on les tutoie. *So let's say you* ! tout simplement. Et je termine par un « *Let's stay in touch* » ? « *Best* » ou « *warm* » regards ? Juliette B. from Beaumont-Paris ?

Un truc dans le genre. J'essaie d'être drôle mais je ne sais pas si on a le même type d'humour, *Bill and I* !

Va falloir sérieusement approfondir cette question ! Je vais devoir faire appel à la seule capable, du moins j'espère, de me conseiller sur le sujet : ma copine Amélie ! Oui, elle est biculturisée. Elle doit pouvoir me dire ce qui se fait ou non avec un avocat américain qui vient juste passer quelques jours en Europe, qui a rencontré une petite Française dans « la Réserve » et qui est reparti chez lui, en Zoulouland, *made in America.*

Il a bien dû lui dire pour... le dîner, non ?

C'est vrai, qu'est-ce qui s'est passé là-bas ? Je ne sais pas moi. Un coup de cul ? Non pas le genre. Ni le sien, ni le mien ! Un coup de cœur ? Un coup de foudre ? Il vient de me donner des nouvelles, même pas deux jours après ? Ça veut dire quoi tout ça ?

Seule Amélie a ce pouvoir. Décodeuz de Bill ! Un job, ça ! Je vais lui envoyer un petit mail, pour en savoir un peu plus avant de commettre un impair ou deux ! Un truc du genre, « Amélie, Comment vas-tu ? En pleine déco ? Le divorce avance ? Les enfants ? *Not too busy* ? Maile-moi de tes nouvelles, cela me fera plaisir. Blabli, blabla... À très vite. Juliette. » Et surtout, le PS : « *Need you for special coaching...* »

102

Je suis en train de nouer des relations transatlantiques. C'est nécessaire de nos jours, un rapprochement entre nos deux peuples, non ? Le président de la République, il arrête pas de dire, je le cite : « Un partenariat transatlantique dynamique et équilibré est indispensable pour répondre aux défis qui nous sont communs », et parfois il ajoute même « il faut encore inventer les règles du jeu ». Bill et moi nous y employons... Et si je m'y prends bien, ça pourra faire progresser la géostratégie mondiale, mes bonnes relations avec Bill Wood !

Il a fallut que je sois dérangée par le téléphone dans ma contribution indirecte au réchauffement des relations franco-américaines... !

— Allô, Juliette ?

Encore quelqu'un qui me souhaite ma fête quinze jours à l'avance, j'ai pensé et failli répondre : « Sainte Juliette, bonsoir, c'est moi, et non, ce n'est pas aujourd'hui ! »

— C'est Hélène.

— ... ?

Je n'ai pas reconnu sa voix tout de suite. Une voix de revenante. Ce qu'elle est d'ailleurs. Enfin, dans ma vie en tout cas. Elle était tellement pincée au téléphone, encore plus qu'au naturel (ça l'arrange pas de ne plus organiser de dîners de couples bien-pensants le samedi soir). Elle m'a annoncé deux choses : une bonne et une mauvaise nouvelle. Les deux étant, au fond, mauvaises pour elle. C'est sûr déjà avec son tempérament au bord de la déprime permanente, et en plus, maintenant, avec son divorce ! Surtout que toi, contrairement à Henri, ton futur-ex-époux, tu n'as pas Juliette B. comme conseil.

La bonne-mauvaise nouvelle : Fleur, sa fille – leur fille aînée à Henri et à elle –, qui a tout juste vingt-deux ans, se marie en Dordogne, dans un moulin, fin août. Rien de précipité, rien d'anormal, mais la jeune fille est décidée. Elle a envie. Elle est sûre d'elle. Elle et son fiancé sont faits l'un pour l'autre. C'est ce qu'on dit dans ces circonstances-là !

Je n'ai pu que me réjouir de cette bonne initiative bien réfléchie. C'est pas parce que nous, les quadras, on divorce à la chaîne, que eux, les jeunes, ils ne peuvent pas se marier, hein, Hélène. On est d'accord là-dessus ?

Ah oui, j'oubliais : c'est la mère, en son nom propre, qui m'invite moi, mes enfants et... le compagnon de mon choix. Trop bonne, ta pomme !

Et d'une voix gênée elle m'a parlé du cas « Paul et Poustifesses » : elle est obligée de les inviter aussi et elle espère que je comprendrai.

Je comprends.

Ensuite, la mauvaise-mauvaise nouvelle pour elle, plus drôle, enfin plus amusante, pour moi : Henri a disparu. Depuis la dernière audience de non-conci-liation, elle n'a plus de nouvelles du tout, elle a enquêté, il paraît « qu'il traîne en compagnie sur les plages à Saint-Tropez ». C'est ce qu'on lui a rapporté ! Louche, non ? Tu parles, Hélène, tu ne crois pas si bien dire...

J'ai fait la polie, je l'ai félicitée, remerciée, et lui ai promis de venir avec les enfants, et peut-être... au bras du prince charmant ! Histoire de la narguer un peu. D'ici là le résultat de la petite annonce lancée de concert par mes bonnes copines Élisabeth et Chloé ne devrait pas tarder à arriver, non ?

9

« MY BODY, SR WOMAN, GOD AND I »

« Crazy blondasse » m'obsède. C'est simple. Maintenant et pour... longtemps, je vis avec elle. On ne se quitte plus. Du matin au soir, du soir au matin, à « Femmes 7 ». Et je passe aussi une partie de mes nuits chez moi avec elle. Trop bonne ! Je l'adore, elle m'adore, bref on s'a-dore... en attendant mon futur deuxième mari !

Elle et moi, c'est du solide : Alain me l'a demandé avec insistance et ça tombe bien. J'ai décidé de bien prendre les choses, les choses en général. Depuis la dernière réunion de l'été avant les vacances du boss (c'est-à-dire avant de mettre le turbo à la chaîne pour les autres), j'ai pris acte : l'équipe de production peut faire volte-face, peut se dégonfler et lamentablement s'aplatir devant ce qu'elle croit être la volonté du n° 1, croyant l'amadouer, je poursuis sur la voie tracée sans dévier.

J'ai le soutien renouvelé du patron. Après le show d'Alban, de Vanessa et de leurs girouettes, Alain et moi avons dîné. Debriefing au sommet. Il en est ressorti que, un, je garde toute sa confiance, et que, deux, c'est lui qui décide. Cerise sur le gâteau, il croit en mon concept et en ma manière de le traiter. C'est clair et efficace.

Et moi, j'applique ses décisions à la lettre. Je suis d'autant plus d'accord que c'est moi qui les lui ai mises dans la tête, les idées ! C'est tout l'art du management ça ! Juliette, t'es une artiste ! Je continue, je creuse et j'invente la suite. À moi de la forger ma « Crazy Blondasse ». À moi de dénicher les goûts et les tendances de son époque et au-delà. À moi de la faire accepter et adopter par les autres avec la plus grande diplomatie. Aux autres de s'exécuter, le tout dans la plus grande harmonie.

Pas de problème !

Chaque matin six jours sur sept, redoublant d'énergie, je me rends au « jardin à idées ». C'est comme ça que j'appelle la chaîne maintenant. Ça me motive. Je jardine et je sème. Avant je travaillais à « l'abri de jardin », euh au Mobilier national, sans espoir de récolter quoi que ce soit. Par contre ici, dans le « jardin à idées », j'espère bien récolter et vite. C'est plus dynamique, actif, créatif comme endroit ! Faut que ça donne. Ça phosphore de partout. Y a de l'électricité dans l'air, des éclairs à un mètre, et mes cheveux se dressent sur ma tête dès que je pense ! Attention danger !

Avec un emploi du temps pareil, je n'ai pas une minute à consacrer à mes mails en provenance d'outra-tlantik : Bill doit être en voyage d'affaires, parti défendre une cause à l'autre bout des États-Unis, ou alors il est passé à autre chose... Faut que je voie ça avec ma copine, Amélie, qui doit être plongée dans la décoration d'une villa d'un milliardaire de la *music-industry* à Nashville, elle. Je n'ai pas de nouvelles non plus...

Hier vendredi, j'ai juste eu une demi-heure à midi pour traverser la Seine et aller à mon premier rendez-vous chez l'amaigrisseur miracle. On est fin juillet, j'ai six kilos à perdre, et dans trois semaines départ pour l'Italie, avec les enfants. À moi les petits et les grands... zitaliens. Vont pas me reconnaître : Juliette B., quarante-deux ans, allure : trente ans maximum. Ils vont croire qu'Élise est ma petite sœur et Arthur son cousin ! *Yesss !*

Mais avant de retrouver la ligne, je dois passer par la case régime. Je vais chez M. Ceccaldi – il est corse, l'acupuncteur –, pleine d'enthousiasme, d'autant plus que, selon Chloé, c'est lui qui fait tout, tout, tout. Moi je n'ai rien à faire. Alors perdre six kilos dans ces conditions... le bonheur ! Enfin quelqu'un qui va s'occuper de mon corps !

Tu parles.

Je suis sortie de chez le Corse hallu-ci-née. J'ai changé de planète. Pas compliqué, à partir de tout de suite je ne vais plus vivre de la même manière qu'avant.

Tout est à reprendre depuis le début... de ma vie d'adulte. Ah, bon ?

« L'objectif est de retrouver le poids de vos vingt ans, soit cinquante-deux kilos. Ah, je pesais cinquante-deux kilos à vingt ans, qu'en savez-vous ? Je le sais en vous regardant, Madame. Votre squelette, votre ossature, tout ça. Et là, pour l'instant, c'est pas brillant.

Vous allez retrouver votre poids idéal : cinquante-deux kilos. On y arrivera... je suis là pour ça. Mais je ne veux pas, moi, faire comme si j'avais vingt ans. J'en ai 40 + 2, j'ai eu deux enfants et je tiens à garder des formes. Mes formes. Mes seins et mes fesses. Pas question de supprimer tout ça. Mon ventre, oui, il est de trop, ma mauvaise graisse aussi, mais seins et fesses, je garde. J'en ai be-soin. Comme vous voulez, Madame, comme vous voulez. En attendant, allongez-vous et on va vous déstresser, vous en avez bien be-soin aussi (ça fait toujours plaisir à entendre, merci docteur). Vous êtes à soixante-deux kilos donc dix de trop. Mais si vous voulez n'en perdre que six, on en perdra six. Vous resterez à plus quatre par rapport à votre poids idéal, comme vous le sentez, Madame. Tout cela assené sans ciller, sur un ton désapprobateur, genre maître d'école.

Moi qui croyais me faire bichonner !

M. Ceccaldi ne rigole pas. Limite aimable, peu chaleureux (c'est le moins que l'on puisse dire), auto-ritaire (cela va sans dire !), précis (vaut mieux avec tous ces grammes à calculer chaque jour) et intransi-geant (il a raison). C'est un professionnel : ou je lui fais confiance et je reste et j'applique, ou je ne lui fais pas confiance et la porte est grande ouverte. Le reste, c'est du blabla.

L'expert, après avoir identifié la source de ma prise de poids, le stress, a dans un premier temps bloqué les canaux de ce stress. Ce sera ensuite le tour de ma graisse de réserve. Il m'a expliqué, mot à mot, tout ce qui va se passer à partir de maintenant, jusqu'à ce que j'atteigne les $62 - 6 = 56$ kilos. C'est bien ça. Madame ?

C'est bien ça, MONSIEUR !

Alors c'est simple, je vais venir le voir cinq minutes chaque jour (sauf les samedi et dimanche, il est en week-end), à la même heure. Il va me piquer chaque jour pour bloquer les canaux de la faim, cette fois. Et parallèlement, moi, j'ai juste pas grand-chose à faire : suivre un petit régime qu'il a lui-même concocté. Si je respecte ses quelques consignes de « cure » à la ligne, aucun problème. Je vais perdre dans les deux kilos garantis par semaine. Sinon, eh bien, je vais grossir. Énormément grossir, un peu ou beaucoup, chaque jour ou/et d'un seul coup. Mon corps, grâce à ses aiguilles et leur action, au moindre écart, va surréagir. Et je ne pourrai pas le lui cacher, à lui, M. Ceccaldi, car chaque jour, chez lui, devant lui, il va me peser sur sa balance. Et constater les écarts. Est-il bien clair ?

Il est bien clair !

C'est comme si j'entrais en thérapie. Ça me rappelle mon psy. Après ma séparation d'avec Paul, j'ai vu un psy pendant quelques mois. Ça aide bien au moment du divorce et tout ça. Sauf qu'à la fin, il a fini par tomber amoureux de moi et il mélangeait tout, ce qui est antiprofessionnel, et j'ai dû arrêter. J'espère que ça va pas faire pareil avec l'acupuncteur... A priori, il a pas une tête à ça, et moi non plus j'ai pas la tête à ça !

Toutes les consignes sont IMPÉRATIVES. Donc, pendant la cure, qui devrait, s'il ne s'abuse, durer trois semaines (3 fois moins 2 = 6 kilos), moi, Juliette, je ne change pas de vie mais :

— règle n° 1 : je ne peux plus ni me laver le corps, ni me laver le visage, ni me laver les cheveux, ni me maquiller (sauf avec du blush à l'eau : ça existe ?), ni toucher de corps gras avec les mains nues.

Eh, Ceccaldi, j'fais quoi alors ? Vous vous lavez avec du Lactacyd et, je répète, pas de crème, pas de démaquillant, pas de maquillant. Non, non Madame, les cheveux ne deviennent pas ternes, au contraire, ils redeviennent naturels. Naturels, comme dans la nature ? Non, Madame, vous n'aurez pas mauvaise mine, vos rides ne ressortiront pas, votre peau ne sera pas plus tendue, ni plus plissée que d'habitude. Et vous n'aurez pas l'air plus fatiguée non plus. Tout sera normal. Ce que je vous commande, euh recommande, Madame, est parfaitement sain. Beaucoup plus certainement que ce que vous faites par vous-même sinon vous n'en seriez pas là, n'est-ce-pas ? Il n'a pas tort. C'est vrai quoi, j'suis grosse, faut bien se l'avouer un jour ou l'autre. Juliette, tu es grosse...

— règle n° 2 : je ne dois manger que ce qui est prescrit, sans réduire, ni dépasser les quantités. Vous le lirez là sur la feuille récapitulative de la cure que je vais vous laisser, Madame. Oui, merci, Monsieur.

— ordre n° 3 : je dois boire au moins trois litres d'eau par jour mais surtout pendant les repas. D'accord, d'accord, c'est exactement l'inverse de d'habitude. Parfait. J'vous crois, M'sieur.

— ordre n° 4 : et enfin, je ne peux prendre aucun médicament. Tous sont contre-indiqués. Si j'en prends déjà, j'arrête tout. Donc vous ne tombez pas malade, Madame, sinon vous n'allez pas perdre du poids, mais du temps et de l'argent. Et bien sûr grossir. Pas de souci docteur, professeur, maître. Je ne tomberai pas malade, je ne tomberai pas malade...

Mais tu l'es déjà, Juliette, t'es déjà tombée sur la tête ma pauvre de venir voir un mec comme ça, alors ! Vas-y fonce maintenant que t'y es !

« Et c'est quoi le petit régime d'accompagnement, qui est inscrit et que je vais découvrir sur le "formulaire de cure" ? »

C'est simple, vous le lirez chez vous à tête reposée. Mais sachez que votre régime change en permanence, en fonction de si vous maigrissez bien (au moins 300 grammes/jour) ou mal (+ 600 grammes/jour). Si vous ne perdez pas assez de poids pendant un seul jour, vous avez un correctif à faire. Et le correctif, c'est encore plus simple que le régime : une pomme + un litre d'eau, trois fois de suite, à chaque repas, pendant 24 heures jusqu'à ce que je vous revoie.

Et le couvent, c'est pour quand mon père ?

« Mais, a-t-il précisé, n'allez pas imaginer, Madame, que c'est ça qui vous fait maigrir. Ce n'est pas l'absence totale de nourriture. Du tout. Ce qui vous fait maigrir, c'est ce que je vous fais : le traitement. Les aiguilles que je vous plante dans les bras, le dos et le ventre, vous font perdre du poids. Pas le régime. C'est juste « un accompagnement ».

C'est sûr, M. Ceccaldi, c'est sûr. Vous avez raison, M. Ceccaldi, vous avez raison. Raison... !

Et j'ai continué à faire la fille soumise, la neuneu

qui va bien suivre les consignes impératives de la cure du Monsieur, pour pas qu'il s'énerve.

T'as pas confiance hein ? Alors là t'as tort mon coco, parce que ton truc, là, il va me faire maigrir. Tu ne la crois pas la Juliette, mais quand elle a décidé, elle a décidé ! Et ses six kilos, elle les perdra. Nickel. Mais pas un de plus : – 6 et stop. Basta. Trois semaines et au revoir M. Ceccaldi.

« Alors, Madame, demain 12 heures. C'est soixante euros (elle m'avait bien dit, la Chloé, mille balles du kilo). Merci de préparer le chèque à l'avance, on gagne du temps. Et ne soyez pas en retard, j'ai d'autres patients, les rendez-vous s'enchaînent et je ne veux pas dépasser les horaires. Au revoir. »

Effectivement, quand je suis sortie dans la salle d'attente, bien en rang, dix paires d'yeux m'ont fait face. Tout ça en dix minutes ! À soixante euros les cinq minutes, même avec les horaires scolaires qui sont les siens : 9 heures-12 heures (pas 12 h 05, à midi, je pars)/ 14 h 30-18 heures (après 18 heures, je ne suis plus là). Ça en fait des allers-retours en Corse. Et la villa, et les gardiens et les voisins, et tout le tralala ! Faut c'qui faut ! N'est pas corse qui veut. Et le mariage Chine-Corse, ça coûte un max...

Devant son cabinet, garée en double file, dans ma voiture, j'ai lu les quatre pages précieusement remises. Parce qu'il a beau le dire, Ceccaldi, le lire c'est autre chose. Chaque consigne prise séparément, c'est faisable. On se dit, oui ça je peux le faire : ne pas me laver pendant trois semaines, OK. Et puis je ne suis pas obligée, non plus, de toucher mon corps gras avec les mains nues, euh un corps gras ! Et puis, c'est vrai, manger 100 grammes (pesés avant cuisson) de salade crue sans assaisonnement du tout, rien qu'avec du sel (?), je peux le faire – gloups ! Et puis, cent grammes de protéines pour accompagner la salade verte, aussi, sans ajouter de beurre, ni d'huile. Fastoche. Et puis jamais bœuf + bœuf dans la même journée. Mais qui ferait ça ?

Et puis, et puis, tout à coup, devant l'ensemble des consignes mises bout à bout, on se dit : « T'es où ma pauvre fille ? T'as fait quoi, là, Juliette ? »

Ah Chloé, ma petite Chloé adorée. La vache, oui (ça va bien me prendre un quasi-mi-temps, comme du temps de mon divorce, de redevenir toute mince) !

Mais Arthur sera fier de sa mère toute neuve. Élise sera ravie de pouvoir me piquer les fringues que j'achèterai à sa taille qui sera aussi la mienne et doubler ainsi sa garde-robe. Et les hommes ? Ne préfèrent-ils pas les grosses ? Eh, Juliette, ça tombe bien, t'as pas de mec. Régime sec !

En fait tout ça m'a salement déprimée.

Et aujourd'hui, samedi, même si j'ai potentiellement maigri de 250 grammes, avec l'acupuncteur et sa feuille de cure, ce matin, je bosse et ce soir, c'est sexe en solo !

Alors une idée m'est venue... pour me retaper ! Pendant mon divorce pour me consoler, j'allais acheter des strings avenue Montaigne en sortant de chez l'avocat. Toute une collection, j'ai montée ! Même si avant-hier j'ai appris la mort du string. Grâce à Élisabeth. Elle m'a envoyé une carte postale expressive sur le sujet avec une tombe illustrée ! Foutue ma collec ? Je vais la revendre avant que ça se sache dans les milieux moins bien informés ! Et pas grave je vais passer... au boxer, maintenant ! Et amasser une nouvelle collection ! C'est confortable aussi, le boxer, non, surtout ça ne pardonne pas, ça ne va qu'aux minces !

Mais c'est pas de ça dont j'ai envie. Je vais me faire un petit plaisir perso en individuel puisque je n'ai plus le droit à rien : plus de mousse de bain à la pizza, terminée la crème de douche au thé vert, finis les plaisirs de la table... puisque une salade, ça s'avale en trente secondes chrono !

Me reste une chose, qui ne fait pas grossir, elle. Je vais aller faire un petit tour du côté de Saint-Germain (des Prés), dans ce magasin autrefois de vêtements et depuis peu transformé en sex-shop BCBG, exclusivement dédié aux femmes et au plaisir : la boutique Woman. Quitte à faire tout en solo, autant le faire griffé ! On y vend de la déculpabilisation et ces jouets du plaisir emballés dans du satin... C'est nouveau en France. Alors que ça existe depuis toujours aux États-Unis, surtout : toutes les Américaines pratiquent le self et safe sex, et sont équipées depuis longtemps. *No scruple, just pleasure*. Amélie, une adepte ? Faut que j'demande à Bill !

Quelque quarante minutes plus tard, je pénètre dans la boutique bondée. Fin juillet, les affaires ne faiblissent pas chez les promoteurs de l'individualisme sexuel ! Le rayon spécial interdit aux moins de dix-huit ans est en sous-sol. L'escalier qui y descend est étroit, alors on fait la queue... pour accéder aux objets convoités. Et on n'y va pas seuls, une dame accompagne. Ce qui ne manque pas d'ajouter à l'ambiance feutrée, teintée de lumière tamisée. Des rires mi-trèzintéressés, mi-gênés des couples clients potentiels s'échappent. Les explications de la voix douce et prudente de la dame-vendeuse, euh pardon, conseillère en *sex-toys*, ne doivent pas effaroucher ces dames du 7e arrondissement de Paris. Ni celles qui viennent du 16e, d'ailleurs ! Moi, je me déplace bien du 15e depuis ma nouvelle installation post-divorce. Ainsi va la vie des pionnières audacieuses !

À mon tour : la dame me fait l'article, rien que pour moi. Le couple derrière n'osait pas franchement rester mais voulait profiter des conseils encore une fois.

— Pour les préliminaires, nous avons les dés (*des gros dés en mousse jaune*), disait la voix, on les lance comme ça, on joue avec tranquillement, et on regarde sur quoi ça tombe. Sur love ou sur TV, on a le choix. (*Love en regardant la télé ? Ça peut le faire !!*) Vous avez aussi les « animaux de compagnie », duck, black duck et devil duck (*des canards en plastique de différentes tailles, jaunes ou noirs*) : il flotte (*c'est le même modèle que celui de Margot, la fille de Marco – j'imagine..., faudrait que je lui en parle, histoire de vérifier ! Le même, d'accord mais en dix fois plus cher ?*), et surtout, il vibre (*ahhh, je comprends mieux !*). C'est pour vous détendre dans le bain. C'est très agréable. (*Ouais, limite trop soft non ?*) Et vous avez aussi le petit rouge à lèvres pour les points de shiatsu, (*démonstration vibrante à l'appui*), là sur le

116

visage, et ça marche ailleurs aussi, ajoute la dame au sourire facétieux (*y a même un dessin à l'appui, au cas où !*). À toujours garder sur soi, par exemple dans votre sac à main, on ne sait jamais.

— Et ça c'est quoi ?

J'avais hâte de toucher !

— Des seins. Madame, doucement, c'est fragile. Ces deux boules en plastique rondes servent à jongler, avant ou pendant les préliminaires...

— J'suis pas...

— Ce n'est pas nécessairement pour vous, embraye la professionnelle, vous pouvez avoir un cadeau à faire à quelqu'un ? Un homme, par exemple, a-t-elle ajouté, perfide. (*Moi c'est plutôt les hommes que j'aime, Mademoiselle, alors... À qui je peux offrir ça ? Pas à Arthur, quand même. C'est pourtant lui que ça amuserait le plus !*)

Enfin, un mètre de plus et nous entrons dans le vif du sujet :

— Nous avons l'objet rose bonbon, court, strié, très pratique surtout en voyage, et le même en plus long, plus fin, et blanc (*certes, moins facile à trimbaler dans le sac quotidien !*). Et, surtout, le lapin fluo double usage simultané (*il est moche et tordu votre lapin*). C'est celui qui a le plus de succès (*celui de sex and the city, oui ! Moi, j'tiens pas à rester cloîtrer huit jours chez moi pour goûter ses plaisirs*). D'ailleurs la boutique Woman est en rupture de stock permanente, continuait imperturbable la vendeuse.

— Et celui-là, Mademoiselle ? Je me sentais

obligée de la questionner pour en venir enfin à l'objet de mon désir !

— Ah, on le vend bien aussi, en deuxième position. Plus courbé, plus annelé et quand même deux pics, dont un pour le point G (*à 125 euros pièce, bravo, les Françaises ont les moyens !*). Très, très agréable aussi.

Le ton hypocrito-professionnello-germano-pratin, ne défaille pas. C'est irréprochable. J'ai fait la connaisseuse :

— Pas un peu trop « annelé » ce dernier petit... ?

— Il est plus récent que le lapin. C'est notre dernier modèle donc nous avons moins de recul. Mais il est très plaisant aussi aux dires des clientes.

Elle est bonne la vendeuse. Elle se contente de sourire et garde son sérieux. À aucun moment elle ne se marre. À douze mille explications par jour, le soir, elle fait quoi la dame ?

Décidément, depuis hier, je suis gavée d'explications, alors entre celles de mon acupuncteur corse et celles de la spécialiste en god, attention ! Pas d'erreurs ! J'ai appris aussi que dans les pays nordiques, à la télé, il y a des cours collectifs pour apprendre à se servir d'un godemiché !

Et si je proposais ça à Alban et Vanessa, lundi, pour notre Crazy Blondasse ? Histoire de voir leur tête !

Et si là, tout de suite, je me laissais tenter par l'objet transactionnel griffé Rykiel ? Ça me fera du bien. Ça me détendra. Et comme ça j'aiderai M. Ceccaldi à me faire maigrir, moins deux kilos d'un coup lundi, *oh my god* ! Il n'en reviendra pas. Ça marche tellement bien vos aiguilles, docteur !

Et si je prenais un peu le temps de vivre, ça peut être bon, non ? Je finis par être lasse de mes nuits en diagonale dans mon lit, *queen size*. Il est où et il arrive quand le King ? Et même si une petite récré avec un *sex-toy* siglé ça a ses limites, ça m'évitera la nuit genre somnanbule.com à guetter des mails !

Absorbée dans mes pré-fantasmes, en quittant l'antre magique, je me suis cognée dans un blondinet, limite post-pubère, mignon et souriant. Charmant, même. Apparemment, le jeune homme a les mêmes goûts que moi. Regards complices échangés dans l'étroit escalier en colimaçon. Corps qui se frôlent... Pas mal ce mec. Seul. Il allait chercher quoi ? Des faux seins pour lui ce soir ou un jouet pour sa femme ?

Non, ce genre de cadeau, ça se fait à deux. Quand on est deux...

10

LES BILINGUES SONT DE RETOUR

J'avais tellement hâte qu'ils rentrent mes deux ados ! J'ose plus dire mes bébés. À seize et treize ans, ils n'aiment pas ça : « c'est l'affiche » comme ils disent (*je leur fais honte, quoi !*). Trois semaines d'absence. J'ai beau jouer les fanfaronnes agacées et épuisées de les avoir sur le dos toute l'année scolaire et plus, dès qu'ils partent huit jours ils me manquent.

Même si, ces jours-ci, Crazy Blondasse et ses déclinaisons, relayée par Cruella (Vanessa en personne) et ses embûches, les ont amplement dépassés question surmenage. Le boulot reste le boulot. L'essentiel, surtout en période de vacances, c'est la famille, les enfants.

Maintenant qu'ils vont rentrer quasi bilingues, Élise, Arthur et moi allons pouvoir consacrer un dîner par semaine à la langue de Shakespeare revue *made in US*. De mon temps, c'était le rêve de tous les parents, ça : un repas où l'on parlait anglais. D'un naturel ! : « *Giv mi ze solt, plizz !* », « *And ze pepper, tou ?* » « *Of courseu maï diiiir !* ». La conversation durait trois minutes et le festin dégénérait rapidement en bagarre généralisée. Les parents sévissaient : retour coup-de-pied-au-cul dans la chambre sans manger et extinction obligatoire des feux. Punis à tous les coups. Tu parles d'une méthode pour faire aimer une langue étrangère aux enfants. Elle était pas cool, Gloria, à l'époque ! C'est plus le cas aujourd'hui, elle se permet tout, ma mère : elle ne parle plus que le thaï et invite les enfants à déjeuner dans « son » restaurant avec M. Tao, qui leur offre des billets verts...

Maintenant, mère-grand, les séjours linguistiques avec cours à l'appui, sport à volonté et familles d'accueil triées sur le volet, c'est plus motivant. Et toute l'année, les DVD et films en VO complètent bien la formation. Après leur voyage, Élise ne va plus pouvoir me sortir son habituel : « De toute manière on est nul à l'oral, alors à quoi ça sert de nous faire parler », approuvé d'un hochement de tête de son frère. Ceci étant valable pour l'anglais (leur première langue) et pour l'italien (leur deuxième langue). « La honte » pour une famille qui passe toutes ses vacances d'été en Italie !

J'en étais là de ma réflexion en ce dimanche matin 6 h 30 à Roissy, dans l'attente du vol AF 2021 en provenance de New York/Newark, retardé de quinze minutes. Élise arrive la première. Et Arthur a le bon goût de rentrer de sa banlieue de Londres, le même jour. Son retour Eurostar est prévu gare du Nord à 10 heures. Quel timing !

Ils vont en avoir des choses à me faire partager tous les deux, pendant que les lessives vont tourner. Ça va y aller. Matinée transport, après-midi logistique (mon

121

côté « maniaque » hérité sur le tard de Gloria, ma mère thaïe et « matériel » dixit ma fille. Ça ne la menace pas elle. La transmission de mère en fille s'arrête à moi !) et doublés d'une journée debriefing. J'étais dans ma bulle à les imaginer débordant d'énergie, s'agitant pour me raconter leurs premières impressions, leur découverte du monde. Ah, mes deux amours !

Il y a toujours une foule incroyable à Roissy, quels que soient le terminal ou l'heure, avec toutes ces destinations et provenances. Si bien que je ne l'ai pas vue. Pas vue du tout, ni arriver, ni sortir, ni passer. Je commençais à être légèrement inquiète. Elle est où ma blondinette new-yorkaise aux yeux bleus ?

Quand elle s'est jetée sur moi, je ne l'ai pas reconnue non plus. Sauf qu'elle avait sa voix, la voix d'Élise ! « *Hi, my name is Élise. What about you ?* »

Ma fille ! Brune ? Cheveux coupés, au carré, les yeux verts... elle s'adressait à moi avec une intonation américaine parfaite. Elle était ravie de sa petite mise en scène et que je me sois fait piéger. Elle m'a dit que c'était tendu à la douane en montrant son passeport où elle est blonde avec des cheveux longs, mais non rien (bravo le contrôle aux frontières et les manitous de la sécurité !). Elle mourait de chaud depuis qu'elle s'était enfermée dans les toilettes de l'avion pour mettre sa perruque quelques minutes avant l'atterrissage. Et en sortant, déguisée comme elle était, elle avait eu l'impression que tout le monde la matait, comme si elle était une terroriste !

Élise n'a pas pu résister. Sur le chemin de retour de l'aéroport, elle a craqué ! Je lui ai demandé d'attendre

Arthur pour qu'il profite de son récit, mais non. Elle s'agitait, me mimait ses réactions. Elle était trop drôle.

Elle s'en faisait un rêve de New York. Elle voulait y vivre, s'acheter un loft et ne jurait que par cette ville. Paris à côté... Indigne d'elle et de ses ambitions ! L'urbaine parfaite. Faut dire que, depuis qu'elle est toute petite, et ça ne s'est pas arrangé avec l'âge, elle a toujours un pied dehors, trois copines à la maison et quinze copains en bas de chez nous, qui l'attendent pour aller boire un « café » ! Et où qu'elle aille, elle rencontre toujours quelqu'un qu'elle connaît, ma fille. Elle s'adapte à tout et à tout le monde : tous les milieux, tous les âges, toutes les cultures. Un vrai tourbillon. Alors New York s'impose pour une vie comme ça, Paris, c'est trop « basic » (*on dit plan-plan chez les quadras et plus*).

Elle est revenue plus nuancée, Élise. Je ne dirais pas moins enthousiaste car Manhattan, c'est beau, c'est grand, c'est vaste, c'est sublime mais il y fait très, très chaud, et les gens, les Américains, sont un peu... *stranges*. Genre ? Tout, ils ont peur de tout, ils font des trucs zarbi ! « J'sais pas, tiens par exemple : j'ai crevé de chaud là-bas. J'ai cru que j'allais mourir, Maman. Et le premier jour, quand j'suis montée dans la voiture, j'ai pas compris pourquoi il faisait 95°. J'me disais, c'est marrant. C'est beaucoup, c'est pour ça que j'ai si chaud ? J'ai pensé que l'appareil déconnait. Il est monté jusqu'à 100°. J'me suis plantée car je me suis rappelée les histoires de degrés ! Mais sur le coup, ça fait tout drôle. Et trois jours après j'ai refait le même coup avec une balance ! J'me suis pesée et j'y comprenais rien ! J'ai laissé tomber les poids et les mesures ! »

Et elle a enchaîné toute une série d'anecdotes plus ou moins typiques, d'une ado française qui découvre l'Amérique. Et encore, New York City ! (au fin fond du Texas, je ne sais pas ce que ça donne, même si je suis une adulte... !).

« Figure-toi Maman que là-bas, à la radio, il n'y a pas une seule chanson française, ni italienne... J'sais pas moi, autre chose qu'américaine et que des trucs qu'on ne connaît pas ici en plus. Incroyable. Pendant trois semaines je n'ai pas entendu un seul mot de français. À la télé, c'est pareil ! C'est fermé là-bas, il n'y a rien d'extérieur. Ça m'a manqué quand même... »

Rentrée dans Paris, je l'écoutais, concentrée et tournée vers elle que j'ai failli rater le feu rouge sans m'en rendre compte. J'ai dû piler. Et le Suisse de G'nève de d'vant, a failli s'faire emboutir, lui !

Là, Élise est partie dans un fou rire. Elle ne pouvait plus s'arrêter. Elle en avait les larmes aux yeux.

— Maman, Maman, elle avait peine à articuler, faut que j'te raconte un truc, un jour, trop drôle. Tellement zarbi. Même pour conduire, ils font pas comme nous. Ils sont bizarres, j'te dis. Un soir, à la fin du séjour, lors d'un week-end dans le Connecticut, Kerry, la femme de ma famille, était restée travailler tard dans leur maison de campagne, alors John, son mari (ils n'avaient pas encore d'enfants, c'était un jeune couple, *just married* !), pour me faire plaisir, m'a emmenée dans une... crêperie française. C'est la seule fois où j'ai cru entendre baragouiner en français. En ville, au feu rouge, il flippait et parlait tout seul en s'adressant au conducteur voisin, dès qu'il y avait une voiture sur la voie d'à côté. Il y avait au moins quatre à cinq mètres entre chaque file (rien à voir avec ici, à Paris, où on est vraiment serrés, sans parler de Rome). Devant ma tête surprise, il m'a raconté que c'était à cause de son assurance. Que si un type s'approchait trop de sa caisse, ça risquait de lui coûter très cher, et tout allait augmenter très fort. J'ai rien compris. Mais j'ai dit « *ah, yes, yes* » et fait la fille qui pige vite ; un malade, Maman, j'te jure. Là j'arrivais encore à peu près à garder mon sérieux. Puis, quand on est descendus de voiture, on marchait sur le trottoir, et là, le mec (un mec normal, d'habitude) se baissait chaque fois qu'on passait sous un arbre, comme s'il avait peur des feuilles, comme si chaque feuille était un agresseur ! Terrifiant ! Alors, je me suis mise à rigoler. J'ai pas pu me retenir, j'suis partie dans un fou rire. Je m'étranglais. T'aurais rigolé aussi toi, Maman ? T'aurais pas pu t'en empêcher. Et lui, il ne comprenait pas, il me regardait... Et moi, j'essayais de redevenir sérieuse, mais je commençais à avoir peur, moi aussi. J'me disais : c'est un ouf, il gueule après les bagnoles à côté de lui, il se baisse quand il passe sous un arbre, terrorisé, et plus ça allait, plus j'me disais que j'étais tombée sur un psychomaniaque et que j'allais finir... dans un sac poubelle ! J'te jure, Maman, je m'y voyais. À part ça, c'était un bon dîner. J'étais trop contente de retrouver Kerry à la maison et de ne plus être seule avec lui en bagnole. Ils ont peur de tout là-bas. Même de la nourriture... Trop drôle !

Élise ponctuait toutes ses phrases d'un « *unbelievable* ».

Elle a conclu le récit de son voyage par un cri du cœur : « Tu sais, je préfère Paris à New York, finalement. » Ouf ! je me suis dit, dans mon for intérieur : Mlle Tcherkodriou ne déménage pas cette année pour une installation expresse à New York, contrairement aux plans prévus initialement. J'ai bien fait de l'envoyer là-bas : non seulement elle est rentrée bilingue, ma fille, mais en plus elle reste en France ! Une réussite, ce séjour, et quelle mère intuitive je fais !

Je ne peux pas en dire autant... avec son frère ! Après l'avoir récupéré, la mère intuitive a vite déchanté. Je suis tombée de haut, c'est rien de le dire. Mon Arthur, mon fils.

Ce qu'ils ont fait de lui dans la banlieue de Londres, enfin, dans le Sussex ! J'aurais dû me méfier, moi, sa mère. Sur le papier, tout était parfait : cours d'anglais au collège avec les autres Français du groupe le matin, sport avec le petit correspondant l'après-midi, et dîner et conversation en famille le soir. Bref, le truc classique, quoi, via un organisme recommandé par l'École bretonne. Qui l'eût cru ?

J'aurais dû avoir des doutes dès le premier soir. D'accord, au téléphone, il n'est pas bavard Arthur, c'est un solitaire doublé d'un casanier, mais il a eu une petite réaction de rejet. Dans mon esprit, le coup de blues habituel du début de séjour. J'ai pas compris. J'ai pas su entendre. L'appel d'un fils.

Quelle mère je fais... Je m'en veux.

Il voulait que je vienne le chercher tout de suite, le deuxième soir. Si j'avais su... Je ne l'aurais pas laissé aux mains de ces brigands ! C'est connu pourtant que, quelquefois, les familles à l'étranger font ça pour l'argent. Mais là tout de même ! Des « lascars ». Mon fils a été trois semaines en apprentissage (non pas de langue anglaise) dans une dynastie de voleurs, lui il dit « barons de la drogue », transformé en graine de voyou.

Le récit qu'il nous a fait, à Élise et moi, de son séjour dans sa « famille d'accueil » jamaïcaine, habitant une cité en briques, était a-po-ca-lyptique. Jamais je n'aurais pu imaginer que ça lui arrive à lui, mon bébé. D'accord, dans six mois on en rira, mais sur le coup, ça fait un choc.

Dans la lignée : il y avait le fils de son âge (treize ans), Darel, qui ne lui a jamais adressé la parole. Classique dans les échanges linguistiques. Jusque-là, pas d'affolement. Il y avait la mère. Elle vivait à la colle avec un mec shooté qu'elle entretenait. Arthur a mis quelques jours à comprendre le métier qu'elle exerçait, vu qu'elle ne travaillait que la nuit et dans une tenue, « sapée comme une pute » (*je cite Arthur*). Elle avait beau lui faire croire qu'elle « donnait des cours », en quittant la maison à 23 heures, mon Arthur a vite pigé. Il est « pas un pigeon » mon fils ! Pas de père dans la famille anglaise, mais un grand frère : Tyrone. *The caïd of the family.* Il avait vingt-cinq ans « le daron », grand, fort et bodybuildé. C'est lui qui commandait.

Pendant les repas, il posait son *gun* sur la table et se faisait servir par sa mère entre « deux virées », comme il disait. La nuit, il ne dormait pas (*Arthur non plus d'ailleurs, d'où ces cernes, mère indigne...*), il écoutait du reggae jusqu'à 3 heures du matin et s'enfermait avec une poufiasse « renoi », particulièrement « casse-couilles » (*je passe*). Le tout dans un taudis. Il y avait aussi une pièce interdite dans le fond de la maison, ce qui était bien sûr très attirant. « J'avais pas le droit de l'approcher. Tyrone m'avait mis en garde le premier jour. Mais quand même, ça m'intriguait, tu parles ! Un jour, de retour d'une de ses virées, la porte est restée grande ouverte, et là j'ai vu. Les piles de cartons entreposés les uns sur les autres, super bien rangés. Nickel ! Des magnétoscopes, des lecteurs DVD, des bêtes de télés géantes à écran plasma, des bêtes d'ordinateurs à écrans plats, j'te raconte pas ! Mieux qu'à Carrouf. J'ai tout de suite compris : c'était un trafiquant Tyrone, un vrai (*lueur de fierté et d'enviiiiie dans les yeux de mon fils, merci, la Grande-Bretagne*). C'était ça ses fameuses virées : un trafic de matériel hi-fi, informatique et numérique. Que du matos volé... Trop bien ! » Et d'ajouter, à l'attention de sa sœur : « Tu trouves pas que ça déchire ? »

Il a des talents de comédien, Arthur, et il joue bien. Au début cette ambiance inhabituelle l'a un peu perturbé, puis très vite, il s'y est fait, M. Tcherkodriou Junior. Je dirais même qu'il y a pris un certain plaisir à vivre là-bas... quelques semaines. « J'ai appris plein d'insultes. Incroyable, je ne savais pas qu'il y en avait autant, en anglais ! Élise, j'te les apprendrai toutes si tu veux ! »

Devant mon air abattu et perplexe, il a pris son ton de victime cette fois. « Maman, c'était la misère. En plus y avait rien à dammer. J'ai casqué. Toute ma maille y est passée. Durant la semaine encore, ça allait, y avait les cours de français, mais je devais me lever à 6 h 30, putain, trop relou. Le soir, je jouais au foot dans la cour de la cité avec les cailles et je rentrais à la maison. Mais Darel, Tyrone et leur mère mataient "un film de boules" (*comment il parle mon fils maintenant*) en buvant de la bière. Alors, je préférais aller me coucher (*t'as bien fait mon chéri, t'as bien fait*). »

J'étais effondrée. Moi, je m'attendais, au pire, à la métamorphose du jeune garçon qui profite de son séjour pour déclarer sa flamme en VO, une aubaine pour avoir ses premiers émois sexuels, genre le rabâché « à nous les petites Anglaises ». Mais pas à ça ! J'entendais plus, j'étais dans une espèce de coton ouaté, Élise, elle, avait l'air pa-ss-i-o-nnée !

« Le week-end, c'était pire. Relou parce qu'il n'y avait pas de cours. » Alors Arthur donnait rendez-vous à des potes français à Londres et ils faisaient les magasins. « Un jour, en rentrant chez moi (*ah, chez lui, il a dit, je me pâme !*), il y a eu une grosse tape entre deux gangs et on s'est fait rackette. Là, Tyrone, je m'entendais super bien avec lui, a rappliqué et a sorti son *gun*. Ils se sont arrachés. Les autres, ils baissaient les yeux quand je passais après. Il avait aussi une bête de caisse, Tyrone, alors il était salement respecté. Et salué ! »

Et maintenant, il se prend pour un caïd, lui aussi, Arthur. Le retour à la réalité dans une famille française aux mœurs plus classiques va être dur. Atterrissage en perspective. Il est tout déformé, mon fils. Il voit tout « autrement ». Et il ne parle que de « bizness ». C'est le seul mot anglais qu'il prononce bien !

N'empêche que, face à pareille situation, je n'avais pas vraiment le choix. Alors, je l'ai joué soft. J'ai fait la mère certes ébranlée, mais pas trop. Celle qui comprend le calvaire que son fils vient d'endurer, qui compatit, qui condamne toutes ces pratiques (*ah, ils vont entendre parler de moi à l'organisme et à l'École bretonne aussi, je ne vais pas les louper*), certes, mais... Il faut qu'il reste sur une bonne impression des échanges linguistiques, mon fils, donc minimisons. Et pas un mot à son père, sponsor d'une partie de l'opération...

Quelles aventures ! Maintenant, ils sont là, mes deux amours. Une fois les exposés successifs terminés, ils m'ont offert le petit cadeau d'usage, que chacun m'a ramené : l'un, un savon, l'autre une crème... le tout au thé vert.

— Ça va être la semaine du thé vert à la maison, j'ai plaisanté en les remerciant. C'est M. Ceccaldi qui va être content !

Ils sont trop mignons et aux petits soins avec moi, mes bébés ! Après, Élise a passé douze mille coups de fil à ses ami-e-s et est précipitamment partie « boire un café » chez Charles.

— C'est qui ce Charles, Arthur ? Tu le connais ?

— Oui, c'est son pote, j'crois bien. Charles de Maquis Granville. On l'appelle tous Charles de Foufounland au lycée, car il se serre toutes les bonasses.

Voilà qui est pour me rassurer. Merci quand même pour l'info, mon chéri.

Mlle de Maquis Granville, euh, Élise, a fini par rentrer super agitée, crevée, décalée et KO, mais OK. Elle n'a même pas dîné et s'est endormie comme un ange. Et mon Arthur, soulagé de s'être lâché, débarrassé de ce fardeau, se l'est joué « moi, enfant de famille décomposée, voilà ce que j'ai vécu... mais, j'ai survécu », et il a fini par s'écrouler dans le canapé du salon où je l'ai laissé passer la nuit.

Moi, par contre, j'étais excitée comme une puce et pas vraiment disposée à m'endormir. Tout se mélangeait dans ma tête : demain à la chaîne pour le round numéro 4 avec Alban, il faut absolument que je sois d'attaque, ensuite avec M. Ceccaldi, j'ai besoin d'être en forme pour supporter ses ordres et ses désordres alimentaires (on en est à moins deux kilos après huit jours de cure comme prévu, mais j'en peux plus de manger des pommes, et ça m'affaiblit quand même un peu, même si je ne suis pas fatiguée du tout). J'ai finalement opté pour une petite séance mail avant de regagner mon *queen-size* !

J'ai bien fait : réponse de Bill, réponse d'Amélie et mail de Marco. L'embarras du choix. Par lequel je commence ? Bill, *of course* !

Bill Wood exprime le souhait de me revoir. Ça donne un truc du genre : « Si tu passes par les États-Unis (*oui, tous les deux jours !*) pourquoi ne pas se revoir (*mais oui quelle bonne idée, originale !*), et pourquoi pas à Beaumont-Texas, je pourrais te montrer la ville de ton... nom (*de mes ancêtres, tu veux dire !*). » Et le mail se termine par un : « *Hope to ear from you soon* » ? Un peu sec, non ? Entendre parler de moi bientôt, il espère ? Pas très sentimental, Clint ! Mr Eastwood m'avait habitué à plus romantique !

Il me fait quoi, là, Bill ? Au secours Amélie, *need you* ! Ça veut dire quoi ? Qu'il en a rien à foutre de moi ? « Au cas où tu passes dans le coin, fais-moi signe qu'on se parle. » Pas terrible et un peu triste. J'attendais... plus... emballée comme réponse. C'est vrai quoi. C'est pas la passion son message, là.

Avant de m'affoler et d'envisager une grève de mail en réponse à sa froideur, faut quand même que je consulte Amélie, histoire de ne pas me fourvoyer dès le départ. Je vais d'abord lire son mail et lui en envoyer un spécial interrogatoire, en retour !

De : amelie@aol.com

À : juliette.beaumont@hotmail.com

Objet : Re : alors ça va à Nashville ?

Great to hear from you my new friend ! Mon divorce avance et je te confirme que je suis décidée à entamer le deuxième tome de ma vie. Ici, puisque j'y suis, j'y reste. As-tu des nouvelles de Bill ? C'est un mec super, très fin, pas comme les mecs d'ici qui ne pensent qu'à se marier avec une bimbo de moins de 25 ans, rien que pour ses gros seins, size 120-E, refaite de partout ! Lui, il sait apprécier les femmes, les vraies et la culture européenne, non ? Il m'a d'ailleurs... parlé de toi... ! Réponds-moi *very soon*. Ciao bella, Amélie.

Et en pièce jointe pour ton éducation américaine... *The husband store. Have a look* !

J'ai cliqué sans attendre sur PJ !

« Le magasin des maris » (*d'Amélie !*)

Un magasin où l'on peut choisir des maris vient de s'ouvrir à Ottawa (*pas mal ! un peu loin, mais bon !*). Le magasin a six étages. Plus l'on monte, plus les qualités des hommes augmentent. (*Génial !*) Cependant, il y a un piège : quand on a ouvert une porte à un étage donné, on peut choisir un homme à cet étage, mais on ne peut pas redescendre sauf pour sortir définitivement (*OK !*).

Alors une femme va au centre commercial pour trouver un mari (*genre, ça pourrait être moi, Juliette*). Sur la porte, on peut lire :

1er étage : « Les hommes, ici, ont un job. » La femme se dit : « C'est mieux que mon dernier petit ami. Mais qu'est-ce qu'il y a au-dessus ? » Alors, elle continue.

Au 2e étage, elle lit : « Ici, les hommes ont un job et aiment les enfants. » C'est super, mais je me demande bien ce qu'il y a plus haut ?

Au 3e étage, elle lit : « Les hommes d'ici ont du travail, aiment les enfants et sont de bonne famille. » Hum, c'est mieux se dit-elle. Mais encore au-dessus, qu'y a-t-il ?

Au 4e étage, elle lit : « Ici, les hommes ont du travail,

133

aiment les enfants, ont très bon genre et participent aux tâches ménagères. » Wow ! s'exclame-t-elle, très tentée. MAIS, au-dessus ? Alors, elle grimpe.

Au 5ᵉ étage, on peut lire : « Les hommes de cet étage ont du travail, aiment les enfants, sont de bonne famille, participent aux tâches ménagères et ont un sacré côté romantique. » Oh, mon Dieu. Mais juste un instant, qu'est-ce qui peut bien m'attendre au-dessus ? se dit-elle.

Alors, elle va jusqu'au 6ᵉ étage. Et là, elle lit : « Vous êtes la cliente 3 456 789 012 à être montée jusqu'ici ! Il n'y a pas d'hommes à cet étage ; cet étage est là uniquement pour prouver que les femmes sont impossibles à satisfaire. Merci de venir faire vos emplettes au magasin des maris et bonne journée !

Tellement américaine, cette blague ! Merci Amélie, mais c'est pas vraiment comme ça que je vais trouver un nouveau mari : ça n'existe pas en France, ni en Europe, ces magasins-là ! Après la lecture des folies d'Amélie, je lui ai renvoyé un petit mot pour décoder le « *Hope to ear from you soon* » de Bill, que j'ai du mal à digérer. C'est vrai, pour moi petite Française, c'est limite poli !

Elle m'a tout de suite répondu ma copine américaine. Elle, elle parle homme et *home* de « *the most powerful country in the world* ». Alors, ça donne, que c'est hyper positif, qu'il souhaite me revoir. Un Américain surtout de son milieu, ça ne s'engage pas comme cela, que s'il invite chez lui une femme qu'il a rencontrée à dix mille kilomètres de là, dans un hôtel, ce n'est pas sans avoir réfléchi ! Et elle m'a bien précisé : « Si tu vas là-bas, Juliette, ça prouve que c'est le début de quelque chose. Pour l'instant, il te dit : "Je veux te revoir et c'est bien parti." » Et elle a ajouté que Bill est quelqu'un de très bien, de très prudent, voire méfiant, que tout marche pour lui dans la vie, qu'il n'a pas l'habitude qu'on lui dise non, donc il ne prend pas de risque. « Et il va... doucement, ma belle. À toi de jouer. Les Américains sont comme ça. Mais je te fais confiance, petite Française... donc merveilleusement... "française" ! »

A *little bit* « *klee shay* » (cliché), les propos d'Amélie ? Et un brin jalouz, ma copine ?

Après cette explication de texte rassurante, j'avais même plus eu envie d'ouvrir le message de Marco. J'étais sur mon petit nuage... un riche Américain, avocat d'affaires, amoureux de moi... On se croirait dans un conte de fées, Juliette, attention à l'arrivée sur terre !

J'l'ai ouvert quand même, le mail de mon ex, par conscience affective. Lui, me propose un dîner-rallye à Bruxelles mercredi soir ? Ah, qu'est-ce qu'il n'est pas prêt à inventer pour essayer de me récupérer ! C'est son idée de la semaine. « *Progressive dinner* », c'est inspiré des pratiques de voisins américains. Décidément. Et Bill, il fait cela aussi ? Progressivement ? Non, pardon, c'est « dîner à étapes » en français ! On se rend chez des inconnus à adresses surprises et par petits morceaux : l'apéro chez Gaston, l'entrée chez

Raphaël, le plat de résistance chez Charlotte, et on finit par prendre le dessert à deux cents dans un bar de boîte où on ne s'entend plus parler ! Et après on fait quoi, Marco ?

Non, moi je reste à Paris.

Je préfère rêver à mon Américain... de l'autre côté de l'Océan.

Face à la mer !

Et en attendant, rester mariée avec moi-même...

11

GESTION DE CRISES
ET RISQUES MAJEURS

Celle-là, il a du mal à l'admettre, Paul, mon ex-mari. (Ça y est, c'est super, je l'ai dit, j'arrive à le dire : je ne l'appelle plus Merlin, Merlin le désenchanteur comme au temps du divorce ! Je peux dire « mon » – il est encore à moi, tu vois Poustiface, euh, pardon la Nadine, sardine, tartine, radine, « mon-nex-mari » !) C'est vrai, il ne la digère pas pour être exacte ! Elle lui reste en travers de la gorge, ma dernière réplique :

— Et moi, j'ai bien le droit de ne pas refaire ma vie, non ?

Ça ne lui était même pas venu à l'idée... qu'on puisse ne pas se remarier tout de suite ! Lui qui s'est mis à la colle le divorce à peine prononcé, qui s'est fait mettre le grappin dessus par une femme qui cherchait un statut social – elle va l'avoir : femme d'un futur élu municipal ! –, doublé d'un porte-monnaie et d'une ébauche de père pour sa fille Jennifer. Il ne l'a pas vue venir. Pourtant, il est à nouveau mari ! Elle n'en est qu'à son troisième époux. Si un portefeuille mieux garni venait à passer par là, je ne garantis pas le sort de l'actuel. Il a intérêt à se méfier, Paul ! On a l'épouse qu'on mérite après tout.

Depuis mon refus catégorique d'être sa maîtresse (il se faisait un film !), les hostilités ont repris : retard accentué dans le paiement de la PA (pension alimentaire, à ne pas confondre avec les PA de mes copines : petites annonces, dont elles attendent avec impatience le résultat !), envois de recommandés avec AR, et tout ce qui s'ensuit de mesquineries post-divorce. Paul est reparti dans une mini-guérilla sur n'importe quel sujet. Sauf que, maintenant, cela ne me fait plus aucun effet. Il « crise ». Je gère. C'est tout.

Le conflit du jour : la date de fin des vacances des enfants. Je dois les récupérer au passage près de chez lui à Nice, sur la route de Toscane, où nous, le bloc d'amour, allons passer une petite semaine. Lui les a déjà eus deux fois dix jours durant l'été. Et là, Monsieur prétend abréger de quarant-huit heures nos huit petits jours de vacances, pour cause d'aïoli ! L'aïoli annuel sur la place du village dans sa circonscription. Il souhaite poser en compagnie de sa progéniture. Tout un programme. Il n'arrivera pas à me faire sortir de mes gonds !

Et tout ça se passe au téléphone comme d'habitude. Il doit avoir peur de m'affronter les yeux dans les yeux. En général, je décroche, ne sachant pas qui cherche à me joindre, l'appel étant masqué, et il attaque. Alors immédiatement, je sais à qui j'ai affaire : lui !

Et il agresse :

— J'en étais sûr.

— ??? je fais, genre silence perplexe, et je le laisse venir... et ça vient !

— Comme chaque fois, t'es pas capable. Pas capable d'organiser. De penser à mes contraintes, d'élever les enfants, quoi *(comme si c'était la même chose !)*.

— ..., ..., ... *(soupirs légers)*.

— Improvisation totale. T'improvises toujours tout, il embraye très énervé face à mon silence.

— ..., ..., ... *(soupirs agacés)*.

— Tu ne sais pas t'occuper d'eux. C'est ça, c'est ça le problème.

Et la pression monte. Il se la met tout seul. Même pas besoin de relancer par une petite pique. Ça démarre dare-dare, et mon silence, au bout du fil, ne fait qu'attiser sa colère. Il ne doit pas être heureux en ménage, Paul, sinon il serait plus détendu, je crois. Autoalimenté par sa propre rage structurelle, il continue de plus belle :

— C'est chaque fois la même chose. Tu me préviens au dernier moment.

— Ah, bon ? Non ! j'envoie au bout d'une ou deux répliques juste pour faire entendre le son de ma voix et lui montrer que je suis la conversation avec attention, sans le kit mains libres. Ça décuple son sens de l'humour :

— Je te les rendrai quand je te les rendrai.

Là, il parle des enfants. De ses enfants, Élise et Arthur !

— ..., ..., ..., *(yes, maï dire, cause tu m'impressionnes !)*.

— Évidemment, toi, t'es toujours en vacances. Incroyable. J'chais pas comment ils supportent ça à ton boulot mais...

Attention Paul, là tu vas devenir vulgaire. Gare au dérapage ! Et il entonne le couplet récurrent du DRH qui s'offusque que son petit personnel aient des congés payés (depuis 1936, M. le futur député maire ! Va falloir apprendre pour ne pas fâcher les électeurs, sinon les thés dansants de Maman, Madame Tcherko Ire et les simagrées de Mme Tcherko-driou II *bis* n'y suffiront pas !). En quoi ça le regarde mes vacances, à moi, Mme ex-Tcherko II, hein, on se demande. Il est jaloux. Et enragé. Il a bouffé quoi, le Paul ? À mon avis il a avalé un plat du Sud, genre, soupe aux orties. Une spécialité qui doit gratter la gorge et rendre irritable... !

— Moi, j'ai pas de vacances (*on-s-en-fout !*). Alors je prends les enfants quand je peux, il s'est cru obligé d'ajouter entamant le second couplet sur « le pôvre Paul qu'il est », lui.

Ah, les discours des hommes politiques... ils y croient. Heureusement, ils sont bien les seuls, aujourd'hui ! Entraîne-toi, Merlin, ça peut t'être utile. Mince, le Merlin m'a échappé !

— Et qu'est-ce que tu fais de mon argent, avec tout ce que je te donne ?

On y vient. Après la comptabilisation de mes jours de vacances, la victimisation de sa personne, j'ai eu droit à... son argent que j' dilapide :

— Je pars tous les week-ends à Maurice avec tous

mes amants que j'entretiens et, sans les enfants, tu sais bien. Depuis trois ans, c'est comme ça. Faut bien que je profite de mes vacances à gogo, non, je lui ai répondu le plus naturellement du monde.

Là, je sais qu'il s'étouffe. Maintenant, je sais comment désamorcer les crises avec ce type de pervers : ne jamais entrer dans son jeu. Toujours répondre à côté de la plaque. Tout en faisant semblant d'aller dans son sens. Un plaisir... !

Ensuite, il raccroche une fois ou deux, et rappelle, calmé. Je récupérerai les enfants aux dates prévues depuis trois mois, comme convenu. S'il lisait mes fax et courriers en temps voulu, il pourrait s'or-ga-ni-ser-pour-ses-obli-ga-tions-électorales, Paul. Merci ma cocotte, de rien mon coco !

Après le père, j'ai eu droit à la fille, hurlant dans le téléphone. C'est de famille. L'air de Grasse... ? Élise ne veut plus partir en Italie avec nous, son frère Arthur et moi, sans Charles, son amoureux ! Elle en est folle depuis deux mois (dont un aux États-Unis), elle l'a rencontré au lycée. Depuis Pâques, elle l'a mis à l'épreuve, sur « mes conseils de mère », et ça a marché. Il a tenu bon. Ça a tellement fonctionné qu'ils ont décidé de vivre ensemble. Et s'ils vivent ensemble, ils partent en vacances ensemble, hors de question de les séparer. Elle a terminé sa tirade, trop contente, par un : « Tu sais, on est un vrai p'tit couple, tu verras. » C'est quoi, ma chérie, cette notion de « petit couple » ? Déjà le mot « petit »... accolé au mot « couple », ça promet !

Là, j'ai eu le droit à une brève rétrospective sur les événements de ces derniers mois, et j'en saurai plus quand « on se verra, toutes les deux, je te raconterai tout ! » Je comprends mieux ses coups de fil, les crises de larmes alternant avec des fous rires, enfermée dans sa chambre avec ses copines, ses nuits à papoter, soi-disant « répétant un cours pour le lendemain ». Je comprends mieux pourquoi la semaine dernière, entre le retour de New York et son départ chez son père, j'ai trouvé un emballage de préservatif sur ma table de nuit. D'un discret ! Certainement sa manière à elle de m'avertir qu'elle allait passer à l'acte, *soon*.

Honnêtement, je me suis interrogée, mais comme il arrive parfois à Arthur et ses amis de gonfler des préservatifs de toutes les couleurs pour « jouer avec comme des ballons » et les balancer du balcon sur les passants dans la rue, je ne me suis pas inquiétée plus que ça. J'aurais dû questionner Arthur et mener mon enquête, même si, au fond, je sentais que c'était plutôt du côté d'Élise que ça se passait. Mais je n'ai voulu... ni voir, ni savoir. « La première fois de ma fille », et ce sentiment de « trop tôt », un truc de père, non ? Un truc de mère complice et permissive, aussi, oui !

Elle est briefée, Élise, côté contraception et côté sida. Depuis le temps qu'on en parle ensemble. Elle voulait prendre la pilule au mois de mai « préventi-vement » (*de quoi, je lui ai demandé ?*). Trois mois à l'avance ? Ils sont comme ça les jeunes maintenant. Prévoyants ! Cela dit je préfère. Mais elle m'a complè-tement caché l'existence de ce Charles. Je ne sais même pas qui c'est, ni quelle tête il a. Si, il me semble l'avoir entr'aperçu dans une soirée où j'ai déposé ma fille, fin juin, une espèce de grande chose toute blonde qui se précipitait sur elle. Et j'ai dû l'avoir quelquefois au téléphone, très poli d'ailleurs, dans mon souvenir, ce Charles de..., de Granville de Foufounland. Très simple. C'est ça il me semble de Foufounland ? Ou c'est le surnom dont Arthur l'affuble. Je ne sais plus, je n'arrive pas à m'y retrouver. Il y en a tellement qui téléphonent pour Élise qu'en mauvaise standardiste je n'avais pas détecté « *the one* ». À ma décharge, ce n'est que quand le portable de Mademoiselle a oublié d'être rechargé que j'ai l'honneur d'avoir ses amis en ligne. C'est d'autant plus difficile de faire la part des choses.

Il fallait que ça arrive un jour. Ma fille amoureuse et décidée à passer à l'acte. Elle m'a toujours dit : « Maman, je préfère faire l'amour pour la première fois avec un garçon qui sera amoureux de moi et moi amoureuse de lui, et que ça dure, plutôt que de faire ça avec n'importe qui. » Cela va sans dire. Mais c'est un peu rapide, non ? Ma fille, je n'en reviens pas ! C'est une femme, une petite femme. Amoureuse ? Et je viens d'apprendre au passage que ce Charles est en vacances à Saint-Paul-de-Vence, à deux pas de la villa de Grâce, euh, Grasse, qu'il est hébergé chez Paul, le père de ma fille, et, comble, qu'il les laisse dormir ensemble dans le même lit depuis le début de la semaine ! Ils ont tenu bon jusqu'à tout à l'heure, mais cet après-midi... ils ont craqué ! Alors là ! C'est sûr, c'est comme si son père lui avait donné sa bénédiction. Ce qui ne l'empêchera pas de me taxer, moi, « de mère incapable et laxiste », entre autres, au prochain coup de fil.

Ma fille, une femme et en « petit couple » ? J'y crois pas. Depuis des mois j'évite d'y penser, la nuit, je rumine la chose. Je me cache la vérité en gros. Quand l'hiver dernier les deux ados d'Élisabeth, coup sur coup, ont envisagé de vivre en couple, on en a beaucoup parlé toutes les deux. Finalement ils ne se sont pas formés, comme voulu, les duos. D'une certaine manière, j'ai de la chance, ça marche pour Élise ! Après ma mère remariée, ma fille en p'tit couple. Il ne manquait plus que ça. J'en suis tout émue et toute retournée. Dans la vie, il arrive un moment où c'est aux enfants de décider de leur chemin. Et il est préférable qu'il en soit ainsi. Je craignais ce passage car je sais que ça va nous priver de complicité, de moment forts, Élise et moi. La relation privilégiée mère-fille qui se tisse maintenant à l'adolescence et pour toujours va passer au second plan... Au bénéfice de son « petit couple » en formation. Ce que je redoutais est là, à la veille de notre départ en vacances. C'est arrivé. Ma fille n'aura plus besoin de moi pour être consolée, elle aura Charles. Pour se confier, pour pleurer, pour tout ! Ça devrait me réjouir que ma fille soit heureuse, mais ça me déprime, cette nouvelle, au téléphone, en plus ! Cela dit, emmener le Charles, amoureux ou pas, avec nous en Italie, pas question. Je ne céderai pas : les séparations et les retrouvailles, ça te forge un couple, ma chérie !

144

Dans la série « crise » au pluriel, donc « crises », après la sérénade de Paul, les larmes et l'annonce d'Élise, j'ai eu le retour de Ramatuelle de Chloé ! j'ose plus décrocher. Si le prochain appel c'est l'Alban ou la Vanessa ? Ils vont bien trouver un truc pour m'enquiquiner eux aussi, non ? Et puis après c'est Crazy Blondasse, qui va criser, tant qu'on y est !

Chloé fait donc « une crise de grossesse intense ». Enceinte de trois mois. C'est normal. Elle n'a plus de nausées, mais une tache brune est apparue sur son ventre à partir du nombril jusqu'en bas, comme si elle était un énorme melon coupé en deux, prête à être découpée. Son utérus, d'ailleurs, a la taille d'un pamplemousse, lui a dit le médecin, et l'embryon est devenu un fœtus qui pèse 45 grammes et mesure 10 centimètres. Je sais tout ! Tu parles. C'est pas pour cela qu'elle m'appelle mais pour ses problèmes de sommeil.

Cette nuit – celle du retour sur Paris –, elle a fait un rêve horrible. Un cauchemar. Plus qu'un cauchemar : elle a rêvé qu'elle accouchait... d'un chien. Manquait plus que cela ! Toutes les nuits, elle se retrouve dans des situations plus ou moins bizarres, mais là ça l'a marquée – je comprends, et il était joli le toutou ?! En fait, dans le rêve, elle était très contente d'avoir accouché de cet animal. Sa progéniture lui plaisait. Mais c'est après que ça a dégénéré et que c'est devenu inquiétant – ah bon, pire qu'un chien ? Oui, plus traumatisant même. La bête s'est transformée en un tout petit bébé de la taille d'un playmobil. Il était très agité

145

et n'arrêtait pas de sauter partout et de bouger. En voulant le rattraper, il est tombé par terre – Et là patatras ! Elle s'est réveillée en sursaut, en pleurs, extrêmement inquiète car elle venait de perdre son enfant. Même Jean, son mari, qui au passage va mal (il ne dort plus, il a des nausées, il est épuisé et a grossi), n'a pas réussi à la calmer. Elle n'arrête pas de penser à ce drôle de rêve. Et elle avait hâte de me parler car moi je sais ce que c'est d'avoir des enfants. Et en plus, Élisabeth n'est pas rentrée... Je l'ai rassurée tout de suite. Ces peurs sont normales. Toute mère en a des tonnes et ça se reproduira. Je ne suis pas psy mais : « Ça s'appelle "le paradoxe de la primipare", on l'a toutes connu, Chloé. Ce mélange de joie d'attendre un bébé pour la première fois et d'angoisses sur ce qui va nous tomber dessus genre E.T. à nageoires. Toi, c'est chienmobil, mais bon, dès qu'on va te le poser sur le ventre, quand tu l'auras entièrement fabriqué, ton nourrisson – là j'ai fait fort car c'est un mot qui m'est revenu comme ça, et sûr, ça fait plus de douze ans que je l'avais pas prononcé ! –, tu vas fondre, et même avec son pif rouge et de travers, parce qu'il vient de naître, tu vas le trouver beau ! Parce qu'il vient de sortir de toi ! »

Je sentais qu'elle m'écoutait et qu'elle venait d'esquisser le sourire angélique de la future mère de quarante ans passés. Alors j'en ai rajouté ! Et j'ai fait dans le style la maternité expliquée à ma copine de six ans. Je lui ai dressé et passé à la loupe les autres possibilités de frayeurs qu'elle allait pouvoir se faire dans les six mois à venir !

Qu'elle allait passer par différentes phases, quelquefois plusieurs dans la même journée, et c'est normal, qu'elle allait se sentir redevenir petite fille, qu'elle allait aussi parfois ne plus du tout avoir envie de ce bébé, qu'elle allait se croire pas suffisamment aimée, qu'elle allait se trouver moche et grosse – ce qui ne sera pas faux –, que l'accouchement allait de plus en plus l'angoisser – rien que d'en parler, moi, douze ans après, j'en ai encore des frissons –, et qu'elle allait avoir peur, comme c'est le cas aujourd'hui, que son bébé soit mal formé ! Rien de grave et même courant, les désordres émotionnels de la grossesse et de la maternité. Que toutes ces interrogations sont légitimes et qu'elle n'hésite pas à m'appeler nuit et jour, enfin surtout le jour. Que je serai toujours là, et Élisabeth aussi. *No problem.*

On sera toujours là, nous les copines. Nous sommes reliées ! Nous, le trio infernal. Que même le jour de l'accouchement on l'aidera à pousser en rythme ! Elle a fini en larmes... elle pleurait de joie et de bonheur, rien que d'imaginer !

J'ai dû m'excuser et interrompre la conversation pour filer cinq minutes chez son, mon, enfin notre acupuncteur adoré. Chloé, au passage, m'a félicitée pour ma volonté : moins quatre kilos en deux semaines. Mais j'en bave.

Il est toujours égal à lui-même, M. Ceccaldi : « L'objectif, Madame, je vous le répète n'est pas de maigrir rapidement – mais non, docteur, mais non, moins trois cents grammes par jour c'est pas rapide, plus et je perdrai mes os, comme disait Coluche ! –,

147

mais de retrouver le poids pour lequel vous avez été naturellement programmée ! »

Son régime-là et ses aiguilles pointues qui piquent m'ôtent tout désir. Exemple : je n'ai même pas le goût de braver l'interdiction et de me laver avec du savon normal, ou au thé vert, genre la folie du siècle !

Il ne lâche pas l'affaire, le Corse. Il se croit encore à l'époque de mes vingt ans, ou quoi ? Il m'a connue en cachette à cet âge-là, il est tombé hyper secrètement amoureux de moi et il s'est juré de ne déclarer sa flamme que le jour où j'aurais retrouvé mon poids de quand il m'a entr'aperçue la première fois ?! Depuis, je ne vous dis pas... ! Il n'en peut plus, il rêve de moi, et là, dans la dernière ligne droite, il est au bord de la crise de nerfs ! Pas mal la *story* que tu t'racontes là, ma Juliette. Y a pas de raison, Élise et Charles, Gloria et son Tao, Chloé et son playmobil, Juliette et qui ? Juliette et M'sieur Ceccaldi ? Juliette et Bill, c'est mieux. Ça sonne comment ? Pas top ? Si !

Ça me fait penser que je dois des réponses que je diffère allègrement, de l'autre côté de l'Atlantique... ! Elle m'a un peu perturbée, Amélie avec ses « vas-y mollo, prends ton temps », ses blagues de « maris à acheter dans des magasins » qui n'existent même pas, et les éternelles insatisfactions féminines !

Elle va pas me faire une crise, elle aussi, ma coach plus américaine, tu meurs ! Non, elle m'a juste encore envoyé une pièce jointe hier que je n'ose même pas évoquer ! Soit elle est très en manque ma copine, soit les Américaines sont des plus que chaudes, soit les deux ! « *Enlarge your penis* », c'était sa pièce jointe.

Et tout un baratin sur la pilule qui vous enlarge le pénis, IGF, elle s'appelle cette pilule. Chez nous on dit ISF, mais ça n'est pas exactement la même chose, à ne pas confondre, donc ! L'IGF c'est *safe because* gradué, et on a des *rock hard erections* et des *more intense orgasmes*, et là, les *partners* sont fabuleusement enchantées. Je me suis arrêtée là, je ne suis pas allée jusqu'aux détails techniques mentionnés. *Just enjoy... the* blague ! Dans mon nouveau mail en retour, à l'Américaine de Nashville, je lui ai précisé que Bill et moi n'avions aucun problème de ce côté-là (*super size him*, merci Amélie !). C'est plutôt du côté manque, vu qu'on ne se voit pas vraiment en ce moment, que ça pèche ! Mais qu'en bonne petite Française docile que je sais être quand il faut, comme il faut et surtout trop bien conseillée par une professionnelle de première main, j'apprends !

Elle est tellement nature Amélie, et elle me fait tellement rire. Je suis ravie de l'avoir rencontrée. *No* crise avec elle ! Elle est cool, comme fille. Avoir une copine comme ça, légère, pour le *fun* par mail, c'est pas désagréable. Surtout qu'en plus elle m'aide à comprendre le fonctionnement du héros, Bill Wood, qui occupe de plus en plus mes pensées, je me l'avoue ! Et même si je sais bien faire conseillère conjugale pour les autres, pour moi, c'est plutôt, « Juliette B., déconseillère conjugale » !

Il mérite bien un petit mail Bill en réponse spontanément étudiée à son invitation à lui rendre visite sur place, qui correspond à la phase 2 *bis* de l'engagement maximum. *Soft*, le message, genre, « *If your proposition to come* te voir tient toujours, je peux l'envisager à l'automne. Dis-moi si cela te convient. *Kisses*. Juliet. »

Prise de risk ? Maximum ! Car d'ici là, les deux démones, Chloé et Élisabeth, m'auront peut-être mariée de force avec leur candidat recruté par PA !

12

LE RÉSULTAT DES PETITES ANNONCES

« Mariages, rencontres, conseils, allô, bonjour. »

Le marché de la rencontre, ça accueille fort. 8 heures du mat ! Tôt pour un mois d'août. Qui ça peut-être ? Le cauchemar tant redouté arrrrriiiiiiiveeeet-il !

Elle m'a eue, la coquine. On pourrait croire qu'elle a fait cela toute sa vie, Élisabeth. Son petit mois de vacances en Ôtriche l'a bien retapée apparemment. Il n'y a pas à dire. À peine rentrée, elle s'est précipitée pour m'appeler et me tenir au courant. Elle a repris les choses en main : elle s'occupe personnellement des résultats de la petite annonce que « nous » avons passée, « pour me décharger », dit-elle ! Et comme elle supervise l'ensemble de l'opération, elle a demandé à Chloé de se brancher sur Internet pour doubler « mes » chances de réussite. L'autre larrone est meilleure dans la pêche à l'âme sœur en ligne. Ça a été sa spécialité, un temps, les rencontres sur le net, à la future mère de famille. Tiens elle a l'air d'aller beaucoup mieux : surmontées les angoisses nocturnes, terrassés les monstres dont elle accouche la nuit ? Elle vient de passer sa troisième échographie en trois mois ce matin à l'aube, et comme tout va bien, faut qu'elle s'occupe, elle aussi. Le ventre en bandoulière, elle y va de sa contribution en mode virtuel ! L'effet d'entraînement joue à plein... Merci les filles, je ne sais pas ce que je deviendrais sans vous !

« Tu dois maintenant te comporter en amour comme dans les autres domaines, ma poulette, c'est-à-dire en consommatrice éclairée : définition des attentes, évaluation, comparaison... Ça s'appelle « la gestion amoureuse », dixit la mère de famille au foyer. De son passage à l'ouverture de l'agence ce matin, Élisabeth a rapporté un paquet de dix centimètres d'épaisseur. Pour moi ! Elle en glousse de bonheur. Mais il ne s'agit pas de l'ouvrir comme ça à la sauvette. « On est des pros », qu'elle proclame. Du coup, elle a tout organisé, genre cabinet de recrutement, et on a rendez-vous, toutes les trois, au café « Les Éditeurs », à Odéon, à midi pétantes, pour un dépouillement en règle, pendant l'apéro... Mes poules chéries, je vous adore !

— Rappelle-moi l'objectif, poulette ? je lui ai quand même décoché.

— Te trouver un homme à la hauteur, Juliette. Enfin !

— Ah bon, mais dis-moi, poule ravie, j'avais cru comprendre que l'homme idéal n'existe pas. Dans la vie, on n'a pas qu'un seul homme de sa vie, mais plusieurs. Alors, pas la peine de se prendre la tête. Et moins on s'y attend, plus ça vous tombe sur le coin du nez ? C'est ce que tu me racontes d'habitude, Élisabeth. Et subitement suite à une petite annonce, c'est l'inverse ? Je n'y comprends plus rien. Tout cela me paraît très confus...

— Faut que tu te remaries, Juliette, elle m'a interrompu.

— ???

Toutes ces Juliette et poulettes en retour ne me disent rien qui vaille !

— J'insiste, Juliette.

— Et tu es sûre que c'est grâce à une petite annonce que tu vas le trouver mon futur second mari ? Tu ne chercherais pas autre chose par hasard, pour toi, par exemple, ma poule ?

Bien vu Juliette. Elle est restée sciée par ma repartie. Un peu gênée aussi. Après je me suis radoucie. C'est vrai elle n'est pas au courant, enfin juste vaguement, des développements pour Bill : je suis invitée *at home to visit him and* Beaumont-Texas. D'ailleurs, je ne tiens pas à ce qu'Élisabeth en sache trop, sur cette histoire naissante. Sceptique comme elle est, elle va se moquer sur le mode : « Tu ne vas pas toi, Juliette, à ton âge, au début des années 2000, nous faire le coup du rêve américain ! C'était bon pour nos grand-mères ! »

Aujourd'hui, plutôt que de contrer le mouvement, je pense que j'ai intérêt à jouer le jeu. Et mine de rien à contrôler le bon déroulement des opérations, sait-on jamais ! Élisabeth, maître ès petites annonces, acceptez-vous de prendre la responsabilité de la recherche du second mari de Juliette, ici présente, par la méthode classique des PA, pour la zone France ? Oui. Chloé, sous l'œil vigilant d'Élisabeth, ici présente, acceptez-vous de prendre la même responsabilité pour la partie nouvelles technologies (SMS, MMS, géoglobalisation, *blind date*...), pour la zone Europe ? Oui. Élisabeth et Chloé, je vous déclare unies dans cette galère !

Tout en mettant en scène dans ma tête mon arrivée au café, j'ai pensé que j'allais les mettre en concurrence toutes les deux, sans rien dire, pour voir ce qui marche le mieux : l'écrit ou le virtuel ? Et pendant que j'y étais, je me suis demandé, histoire de me mettre dans l'ambiance : Juliette, ici présente, accepteras-tu le résultat des petites annonces partout dans le monde ? *Yes !* Tiens d'ailleurs, ma copine Amélie, elle pourrait participer, pour la partie américaine ? Non j'ai ce qu'il me faut outre-Atlantique, j'ai en chair et en os. Et j'ai déjà touché et goûté de près, si je puis dire... mon Bill Wood !

Et pour mettre toutes les chances de mon côté, il me manque un agent de recrutement pour la partie asiatique. Ainsi mon échantillon exclusif pour le benchmarking des nouveaux maris de Juliette Beaumont, sera complet. Et si je sollicitais Gloria, pour la partie Sud-Est asiatique ? C'est une experte, non ? Elle l'a prouvé ma mère ! En réalité, je préfère qu'elle ne se mêle pas de mes affaires de cœur.

Où il est déjà le Rendez-vous avec la reine Babeth, à midi pétantes ? À Odéon ? Très Saint-Germain, Élisabeth ! C'est nouveau... et quelque peu étrange, limite louche. À creuser, ce nouvel engouement pour ce quartier : ça n'est pas du tout dans ses habitudes !

D'ici là, je suis Ô bureau... Les affaires en cette

première quinzaine d'août tournent à plein régime...
ou presque. Qui me racontait ça, déjà, du temps où
j'étais dans l'Administration, au Mobilier national :
« En France quand on travaille au mois d'août, c'est
pour profiter de la tranquillité au bureau. » J'avais
adoré l'expression, surtout dans la bouche d'un
directeur ! C'était Éric qui disait ça. Mon soutien
professionello-personnel du temps de mon divorce.
Maintenant il est devenu super-directeur des dentelles
des ateliers du Puy et d'Alençon réunis, et il prend ses
vacances en août, comme tout le monde ! Il continue
d'ailleurs à m'inviter dans son chalet à la montagne...
au mois d'août si je veux ! Sympa. Je l'aime beaucoup,
c'est un fidèle, Éric. Il ne faut pas qu'il perde son
statut de prétendant potentiel à vie : il l'a toujours été
et le sera toujours. Il m'appelle de temps à autre. Il est
content pour moi que je sois passée dans le privé, où
je m'éclate professionnellement, qu'après mon divorce
ma vie se réorganise, qu'Élise et Arthur (les deux
vachards du lobby anti-Éric) grandissent bien. Pas
rancunier Éric. Il n'ose pas aborder le volet sentimental avec moi. Surtout que je lui réponds toujours
la même chose : « calme plat », ce qui n'est pas tout
à fait faux. Mais il ne me croit pas trop. Lui, il
continue sa vie de célibataire en province. Je sais que
secrètement il songe à changer de poste et s'installer
en région parisienne. Ah, Éric ! Trop classique, trop
gentil, trop pépère pour moi. Mais pas pour d'autres,
si mes souvenirs sont bons il était au bord du flirt avec
Chloé, grande obsédée du mariage, à l'époque, lors de
la fête de ma victoire sur Paul... Alors, aujourd'hui je

pourrais lui conseiller les petites annonces et le brancher avec Élisabeth, la patronne !

Dans l'audiovisuel, même en août, pendant la préparation de la grille de rentrée, on pourrait facilement se laisser déborder par les affaires... privées. C'est vrai, on en traite pas mal entre deux rushes ! Alban est quand même parti douze jours à Saint-Tropez rejoindre « ses bandes » qui louent des villas de folie et font la fête tous les soirs. Sans moi ! Ouf, au moins, pendant ce temps-là, j'ai une paix royale pour fabriquer ma « Crazy Blondasse » sur mesure. Il me harcèle juste quinze fois par jour au téléphone. Dire qu'il flippe, Alban, c'est sous-sous-considérer les choses. Il est en transe. Je l'imagine au bord de la piscine avec toute sa cour d'hommes et de femmes, portable scotché à l'oreille, cherchant à s'isoler, un pied en l'air, le bras tendu : « Là Juliette, vas-y, parle. Dis-moi, dis-moi. Oui, je capte. Oui, tu m'entends. Allô, Juliette ? Ah, ça ne passe pas. » Moi je l'entends parfaitement, mais je ne dis rien. Ça l'apprendra. Il découvrira à son retour. Soit il est là et on bosse ensemble, soit il se baigne et pose son portable ! Faut choisir dans la vie. Mais les contorsions aquatiques pour savoir si Alain, le patron (qui m'appelle une fois tous les deux jours de son île en Grèce – du sérieux, lui, il téléphone de son bateau) l'aime toujours ! On s'en fout, Alban, on s'en fout. Et t'as qu'à demander à Vanessa. Elle est près de toi, non ? Elle te sert dans ta villa, dans l'espoir de passer à l'antenne en duo avec toi... dès que je serai amadouée. Eh bien, non, les stars. La pommade ne marche pas, même l'été. C'est non et ça sera non. Ma créature, c'est « Crazy Blondasse » et pas « Raye-la-Moquette Brunette ». Un seul présentateur, ça me suffit amplement pour passer l'hiver !

Et cette semaine, je vous prépare un numéro, mes chéris, vous allez devoir vous y plonger pendant mes vacances à moi, *next week*. Je serai en Italie. Portable éteint. Là où je vais... ça ne passe pas. Et ils n'ont pas de fixe dans ma grotte... Un luxe !

Je leur ai concocté une émission sur le coup de foudre. « Anatomie du coup de foudre », ça s'appelle : Crazy Blondasse va décortiquer son cerveau sous l'emprise diabolique des « phéromones ». Avec toute une mise en scène ! Les cobayes n'ont qu'à bien se tenir ! (Et si j'utilisais secrètement les résultats des petites annonces d'Élisabeth, pour le casting ?) Ma créature s'y intéresse car l'examen neurobiologique de l'amour nous concerne toutes (et tous), non ?

En gros, tout est lié à la biologie et à la chimie, bref toutes les matières qui nous rasaient passablement au lycée. Dommage, si on aurait su, on aurait écouté les profs et on aurait su, dès le plus jeune âge, que nos sens choisissent pour nous.

Le scénario est écrit d'avance : au premier contact, les phéromones s'échappent de partout chez les deux (genre, de sous les aisselles, du tour des mamelons ; je ne parle pas des organes sexuels...), et l'organe noméro-nosal de l'autre (on dit aussi nez) capte « l'attraction génétique de base » qui est en nous, la transmet à l'hypothalamus des deux, et hop, le coup de foudre va avoir lieu. Pendant la deuxième étape, un regard, un sourire, un geste réveille notre mémoire

157

affective enfouie, provoque une impression de plaisir doublée d'une décharge de PEA (phényléthylamine, rien à voir avec notre compte bancaire !) qui agit. Via l'adrénaline, elle joue le rôle d'amphétamine et hop, *again*. Nous voilà drogué à l'autre et réciproquement. Facile : le coup de foudre a eu lieu. Ensuite la liaison : c'est un simple enrichissement de ce cocktail hormonal. À la dopamine qui s'échappe à chaque orgasme et projet commun (c'est effectivement à mettre sur le même plan !), s'allient l'ocytocine et la vasopressine. Mécanique : l'attachement et la confiance sont là ! (*Pas de commentaires Juliette, c'est Crazy Blondasse, alias CB, qui parle !*) Après, ça n'est plus le sujet de l'émission : on passerait alors au véritable amour. C'est la sérotonine qui prend le relais, l'ocytocine se libère chaque fois qu'un couple se manifeste de la tendresse et blablabli et blablabla.

Au-delà des repères visuels et des influx chimiques, d'autres éléments entrent en jeu (*ça me rassure*). Il n'y a pas que l'animal qui existe en nous qui se manifeste ! L'amour biologique est programmé pour durer trois ans. C'est vrai ! Dernier exemple en tête : Marco *and I*, pile trois ans ! Tiens il ne doit plus libérer de machin en cine, Marco, l'orage chimique est passé, gavé de PEA, shooté et défoncé à l'amphétamine, donc plus de nouvelles depuis mon refus de l'accompagner dans ses dîners bruxellois.

Et Bill, un animal à fabrication de phéromones lui aussi ? Va bien falloir que je leur annonce tout à l'heure, au duo d'enfer, que j'ai rencontré Mr Wood, que cette histoire démarre fort et que, vérification faite auprès d'une copine américaine, Amélie, et de Doudou, ma voyante, ça semble sérieux. Bill se sent prêt à importer de nouveaux talents... durant une semaine à Beaumont-Texas !

Et si j'appliquais le principe des phéromones à Crazy Blondasse ? On enverrait via chaque téléviseur le cocktail en question dans l'ensemble des foyers français pour les attacher et les rendre accro à ma CB ! Va falloir y songer, mais top secret !

Avant de passer direct à l'INPI déposer le brevet miracle, j'ai *the* rendez-vous à honorer ! On va tester tout ça en direct. Non, qu'est-ce que je raconte. Il n'y aura que du papier à lettre. *No human being.* Pas très sexy, tout ça. Mais cela l'amuse tellement Élisabeth de jouer aux petites annonces que je ne veux pas gâcher son plaisir. Elle trouve cela formidable cette « brassée d'hommes qui arrivent », comme elle dit. « Et le choix au bout du compte... » Elle a quel âge ma copine ? Je crois que je vais lui laisser faire la sélection elle-même. Elle en rêve ! J'en suis sûre. Primo, je m'absente la semaine prochaine pour mes affaires italiennes, secundo, à la rentrée ce sera le rush... de la rentrée !

Avant de rejoindre les filles, je vais tout de même consulter les mails professionnels, euh, sur ma boîte perso.

Amélie ? *Yesss !* Un délire comme d'habitude.

Maintenant, elle signe ses mails d'un (@)(@), ce qui veut dire « *big nipples breast* » ! Préférable selon elle à IoI IoI, « *androïd breast* » ou à --- ---, « *mammogram breast* ». Elle ne pense qu'à ça ! Aucun doute ! Obsédée, va ! Incorrigible Amélie ! Elle a bien raison ma copine, il n'y a que ça qui compte dans la vie ! Moi dans la série, je préfère ()(), « *against the shower door breast !* » à deux, tant qu'à faire !

Et lui, Bill, c'est pas mieux. Il signe XOXO maintenant ! Me signifie-t-il que ses seins à lui sont extra musclés ou que la chirurgie esthétique est passée par là ?

Mystère à élucider plus tard dans l'après-midi. Il fô que j'aille rejoindre recherche2secondmariland et ses deux gourous ! J'ai tout compris en réalité, mais je ne dirai rien : Élisabeth se cherche un amant potentiel et Chloé explore le monde pour son après-grossesse, en repérant une série d'amants virtuels. Et toi tu accompagnes le tout en ayant en tête que Crazy Blondasse... va... peut-être s'y mettre... un jour aux petites annonces avec ou sans Internet ! Mais chut !

Au café, j'ai retrouvé mes deux addicts. Laquelle des deux méthodes va l'emporter ? PA traditionnelles ou techno de pointe ? Un match en vue, c'est stimulant !

Bien installées au bord de la vitre (en août à Paris, maintenant que tous les plans canicule sont en permanence dans les starting-blocks depuis plusieurs années, il pleut !), elles m'attendaient, une énorme enveloppe en papier kraft posée sur la table réservée pour six personnes, au bas mot vu l'ampleur de la tâche ! Ravies, elles étaient ravies ! Surtout, ne pas flancher.

Élisabeth m'a accueillie d'un : « Vu l'épaisseur, je, euh, tu devrais trouver. Mais je n'ai pas osé l'ouvrir. C'est à toi, Juliette de le faire. » Une gosse de cinq ans au pied du sapin de Noël après une nuit d'attente. « Merci pour le KDO ! », j'ai lancé en arrivant. Chloé, plus modeste, avait deux adresses de site présélectionnées : une en Suisse, merci, j'ai ce qui me faut, en matière de Toblerone, une en France, a priori plus pratique. Et une nouveauté, venue du Japon, qui n'existe pas encore dans nos contrées. Élisabeth aussi a une surprise... russe, mais elle nous expliquera plus tard : c'est plutôt pour les femmes mariées. Tiens, tiens !

Par quoi on commence ? Un morito chacune : ça nous change de la vodka ! Mais moi, je bosse cet après-midi. Et Crazy Blondasse bourrée à l'antenne, ça l'fait pas, mes belles. On est là pour trinquer, non ? Après on verra ce qu'on pourrait se mettre sous la dent ! Je ne savais pas ce que je devais véritablement penser. Ni quelle tête je faisais. Élisabeth, et je reconnais bien là son côté optimiste, s'est fendue d'un définitif : « Même si on ne trouve pas aujourd'hui, Juliette, le fait d'avoir fait la démarche, rien que ça, constitue un déclic. » J'aime ce « on » collectif ! Je brûle, je brûle !

Déclic, toi-même ! Des claques, oui ! Elle a proposé de classer les réponses en trois tas : celles illisibles et pas à la hauteur, à jeter direct, celles qui sortent du lot, à creuser, et les tangentes, à moi de décider, selon mon inspiration. Quelle responsabilité : envoyer M. X. à la poubelle, M. Y. au septième ciel, et laisser M. Z. en l'air. « Je ne peux pas faire ça toute seule. Je partage », j'ai dit. Mais surtout, ça me gonflait. J'avais beau essayer de me sentir concernée, de jouer le jeu. Rien.

Le morito, bien tassé, a bien aidé. La partie de rigolade a pu commencer. Chacune ouvrait une enveloppe et on classait :

— C'est dans ces cas-là qu'on rêverait d'être graphologue, a dit Chloé !

— Même pas nécessaire, à mon avis. C'est vite analysé, ce genre de réponses, a répondu Élisabeth sûre d'elle.

Et vas-y que j'te trie, que j'te classe, que j't'élimine les maris de Juliette. Et d'un, et de deux, et de douze... ! On a gardé deux tas : les réponses types et les réponses personnalisées. Les types : ils sont tous « sincère, sensible, cultivé, drôle, bien physiquement, mince, dynamique, sportif, aimant les voyages, les arts, la nature, la ville, les balades, les expos, la lecture », ils sont tous « libre, sérieux, attentif, tendre, et sensuel », et cherchent tous « une relation à deux faite de tendresse, de passion et de partage ». On a le choix ! Un, le physique, deux, les goûts, et la tendresse pour finir. Et le sexe alors ? J'fais comment ? Je jette tout en l'air et je pioche la première lettre qui tombe à mes pieds ? Comme ils disent tous « à bientôt, chère inconnue », avec leurs numéros de téléphone *open*, je ne suis pas plus avancée. Ça a quelque chose de dérangeant au fond cette exposition. Difficile de se vendre ! Les lettres personnalisées, c'est guère mieux : avec dessin (autoportrait de la France d'en haut, donc il me cache le bas !), avec photo (lui, il se croit brun alors qu'il a les cheveux blancs, et moi je les vois blancs !). Nous avons aussi : le ni plaisantin, ni gigolo, ni libertin, ni aventurier, mais sérieux (qu'il le reste et

162

sans moi !) et la photo en pied du mec en slip (*no comment !*).

On en était au deuxième morito chacune : eh, dis-donc-ton-bébé-Chloé ?

Parle-moi plutôt de tes recherches « *love on the bit* » et du Japon ? C'est peut-être plus *fun*, non ? Je crois qu'un regard pour la bonne vieille méthode Internet s'impose ! Je préfère les « sérials lovers » qui n'hésitent pas à avoir recours aux nouveaux moyens de communication pour draguer. J'aime ce côté ludique et... tendance ! Je n'en suis pas encore au stade des ados, forcenés du texto. Arthur, un modèle du genre. Il pourra me donner des cours. Je fais figure « d'apprentie lover » à côté de lui !

Chloé a fait son effet avec son service de géolocalisation ! Ainsi, au Japon (encore eux, toujours au top), un service spécialisé permet aux célibataires inscrits de savoir si un autre célibataire, à la recherche de l'âme sœur, traîne à quelques mètres de lui ! Son portable, et donc son propriétaire, est détecté automatiquement ! Trop bien.

Cette idée, combinée à l'effet non désiré du troisième morito, m'a déchaînée. J'ai suggéré un test sur place. Vite, un exemple parisien d'application. Je me suis redressée, mains sur la table, j'ai levé la tête, faisant mine de chercher dans la salle, histoire de déconner, et j'ai lancé à la cantonade : « Y a-t-il un célibataire connecté dans la salle ? »

Là, je l'ai reconnu. Lui. Le blondinet de la boutique Woman. Le charmant jeune homme qui faisait ses emplettes griffées, il y a une semaine ou deux, au même endroit que moi, à la même heure, un samedi soir en solo. Lui aussi m'a reconnue et m'a saluée d'un signe de tête. Puis il s'est levé et est venu directement jusqu'à notre table, dont je vous laisse imaginer le désordre. Il s'est approché et m'a dit d'un air frondeur :

— C'était bien, vos achats ? Cela vous a plu ? Mais je puis vous assurer une chose : je suis intimement persuadé qu'à deux, c'est mieux !

J'ai bafouillé un vague « bonsoir, euh, bonjour ». mi-souriante, mi-rougissante sous le regard ébahi de mes deux copines. J'étais à la fois surprise et troublée. Et soudain : « C'est lui, vas-y fonce », m'a sorti Élisabeth tout en me décochant un coup de pied sous la table. Et, à voix basse, elle a ajouté : « C'est lui le résultat des PA, je le sens ! » Elle exultait. Chloé a approuvé d'un signe de tête. Elles se sont levées et ont fait mine d'avoir une course urgentissime à faire. Chloé a improvisé un sans appel : « Je suis enceinte, j'ai une envie pressante, on a pas de temps à perdre ! » Et en deux minutes chrono, elles avaient levé le camp en empochant les trois tas de PA au passage. Attention aux mélanges, mes cocottes !

Rusées, mes copines ? On avait même pas abordé l'idée de qui allait téléphoner à qui en se faisant passer pour moi, proposant comme il se doit une première rencontre autour d'un verre. Eh oui, il faut bien recréer l'ambiance et laisser à l'homme la possibilité de jouer au chasseur, même s'il n'a fait que prendre son stylo pour se fendre d'une réponse plus ou moins truquée à une petite annonce dans un hebdo !

Élisabeth, hilare, est revenue me dire avant de quitter le café pour de bon cette fois : « Je me charge de tout poulette, t'inquiète », sous le regard amusé du prince charmant qui a cru, je l'ai vu dans ses yeux, qu'on parlait de lui et que les deux démons avaient tout manigancé pour qu'on se retrouve de manière « fortuite », en tête à tête, pour un déjeuner « improvisé ». Elles vont finir par me rendre dingue toutes les deux avec leurs élucubrations. Si ça tombe, c'est un piège monté de toutes pièces avec lui qu'elles m'ont tendu. Peu importe. J'y suis, j'y reste.

J'ai enchaîné le plus naturellement du monde et pris la carte.

— On va commander tout de suite. Pour moi ça sera une pomme et un litre d'eau plate fraîche. J'ai deux kilos à perdre avant la fin de la semaine. Et vous ?

Je n'ai pas eu le temps d'entendre sa réponse. Appel anonyme : Bill ! Discrètement, je me suis excusée et isolée pour lui parler. Il m'a expliqué en deux mots qu'il sera de passage à Rome pour affaires dans dix jours, à l'occasion d'un retour de voyage en Asie. Un peu confus comme trajet : Singapour-Houston, via Rome ? Et il a terminé la conversation en me proposant de le rejoindre... dans la capitale italienne pour une soirée ensemble... avant de repartir pour son Texas natal, *of course !*

Une deuxième nuit américaine ? Une deuxième nuit avec Clint Wood !

J'ai accepté l'idée sur le fond car j'en mourais d'envie. Et en plus, je serai déjà en Italie avec les enfants, mais du côté de Florence. Tout l'art a consisté à suggérer un déplacement du lieu du rendez-vous vers le nord du pays. Argument massue pour un Américain : deux *airports* à proximité, Florence et Pise ! Singapour-Rome-Florence ou Pise pour rentrer au Texas, logique ! Il a vite compris que cela serait plus facile pour moi de m'éclipser quelques heures sans avoir trop d'explications à fournir au lobby anti-remariage qui sévit dans mon entourage très très proche ! Et m'a aussitôt invitée pour un room service à la Villa San Michele, un petit hôtel à l'extérieur de la ville sur les hauteurs, dont il a entendu parler, où nous serons tranquilles. Il improvise et a bon goût, Clint. Après avoir consulté Internet, j'ai découvert « one of Europe's most charming and pituresque hôtel : niché dans les collines florentines, ce monastère du XVe siècle transformé en villa d'une beauté inégalable dans une oasis de paix et une atmosphère relaxante, doté d'une façade désignée par Michelangelo, *himself* ». *Not bad* Mr Wood ! Belle perspective : m'échapper au milieu de mes vacances italiennes pour une nuit de rêve avec... Bill assisté du fantôme de Michel-Ange ! Il y a des choses qui ne se refusent pas dans la vie...

Bon mais là, Juliette, t'es à Paris, à Odéon, au café, et il est 13 h 45, en présence d'un charmant jeune homme que tu viens juste de rencontrer. Donc, tu retrouves tes esprits, tu assures le déjeuner et tu mets le prince charmant germano-pratin au régime sec... pour le moment...

Et puis, avant de déguster ma pomme verte, j'ai

quand même envoyé un texto aux deux chipies sur la solitude des agences matrimoniales qui souffrent non seulement de la concurrence d'Internet, mais aussi des hasards de la vie !

« *Jeune agence délaissée recherche hommes et femmes de tous âges pour relations suivies. Contacter EC Partners !* »

Il faut sauver les agences matrimoniales : un prochain combat pour Crazy Blondasse ?

13

VACANCES ITALIENNES

(e la dolce vita !)

« Guide *hot* pour été chaud » ?

— C'est quoi ça Arthur, ce que tu lis ? s'enquit la mère, attentive et redoublant de vigilance que je suis devenue depuis l'épisode Sussex...

— J'en suis à la page « drague », le reste, Maman, m'a l'air plus cochon. Y a plein de photos de grosses chaudasses.

— Arthur, comment tu parles ! Un peu de respect, s'il te plaît.

— Oh, ça va, c'est toi qui lis tout le temps des livres de cul !

Il provoque, mon fils ! Ah, il n'y a pas à dire, on l'a commencée détendue notre semaine de vacances, nous le bloc d'amour, tout réuni. C'est si rare ! Avant de partir, Élise et Arthur ont voulu faire un test avec moi : « Vos parents sont-ils relou ? » C'est bien connu, la période estivale est propice aux tests et bilans de famille en tout genre. Pour partir sur une bonne base et passer un bout d'été tranquille, il est préférable d'avoir purgé les malentendus de l'année. Les BR de vacances en quelque sorte !

Les bonnes résolutions, ça a donné : eh bien, « je suis plutôt cool, limite plus ou moins dépassée ». Ce qu'ils voulaient savoir tous les deux, c'est si j'étais « objectivement » ringarde ou si c'étaient eux qui avaient des problèmes de communication. Ils savent maintenant. C'est à eux d'adopter, avec moi, leur mère, une stratégie de com ! Le résultat du test a dit : « Ne vous demandez pas ce que vos parents pourraient faire pour vous, mais ce que vous pouvez faire, vous, pour rendre la vie agréable à tout le monde. » À la JFK, quoi ! Je leur ai fourni, sur le vif, quelques exemples pris au hasard : je ne prends pas ma mère pour une tenancière d'hôtel, je ne la considère pas comme mon homme de ménage, je ne l'oblige pas à jouer à la gendarmette en permanence, je ne la confonds pas avec un distributeur automatique de billets... J'aurais pu continuer ! On en prend de la graine, s'il vous plaît ! Merci le test !

C'est fini les enfants ? Pas d'autre questionnaire avant le départ ? C'est sûr, « Les douze bonnes raisons de me disputer dans mon couple pendant les vacances », ça ne me concerne pas... directement. Je sais parfaitement grâce à mes copines que c'est toujours une épreuve pour l'homme de se retrouver coincé avec sa famille pour trois semaines alors qu'il « vit à distance » et fuit dans le travail toute l'année !

Moi, je n'ai effectivement de potentialités de conflit qu'avec les enfants. C'est vaste mais limité. Un avantage des familles monoparentales ! Monoparentale ou pas, le nouveau problème des familles, paraît-il, aujourd'hui c'est « la dérive fusionnelle ». Je cite des études très poussées sur le sujet : ce n'est pas nous qu'elle touche mais nos enfants. Bien sûr « dans sa dynamique », elle nous entraîne, nous aussi les parents, et du coup naît « une violence inouïe *(je cite toujours)* dans les relations adultes enfants ». Pas faux, suffit d'observer. Tiens, moi, par exemple, ce fameux « petit couple » dont ils sont si fiers nos ados de 15-16 ans, je viens d'en toucher un. Et j'observe. Et je confirme : « ... leurs liens étriqués, tissés dès le début, engendrent abandon d'autonomie et dépendance réciproque », d'où l'inévitable... dérive fusionnelle. Et au bout, la violence « inouïe ». À tous les coups !

J'le vois bien, Élise et Charles sont dans la spirale infernale : ils ne se quittent pas d'une semelle, ne décollent pas, au propre et au figuré. En réaction, j'imagine aux « souks » (ça c'est de moi !) de leurs parents. La génération des enfants du divorce généralisé compense. Ils sont écartelés entre la paradoxale obligation d'aimer (surtout leur mère !) et l'injonction féroce d'être libre et heureux (avec leur amoureux), d'où des rôles de parents et d'enfants en perpétuelle négociation. Mais la théorie ne vaut pas la pratique.

C'est vrai ça : le diable se niche dans les détails. Et vas-y que « je t'vide un lave-vaisselle mais c'est la dernière fois avant trois jours, parce que les courses de la semaine dernière c'est moi qui les ai portées de la voiture à l'ascenseur (4 mètres 50 centimètres) alors que c'était au tour d'Élise ». Alors, moi j'y vais de mon « Demain je ne lave pas ton linge et tu me donnes cinq euros pour la location de la valise, OK ? », et Élise de rétorquer « Mais j'ai dormi chez Charles, j'étais même pas là, alors j'ai pas sali de vaisselle ». D'une violence... C'est palabres, toute la journée. Pire qu'au boulot. J'ai obtenu une trêve pour l'Italie.

Huit jours de break. Pour les négos de la maison, comme celles du boulot, je suis fermée ! J'ai prononcé le mot « Femmes 7 » une dernière fois hier soir et je suis off pour quelques jours. Ma prochaine pensée pour la chaîne est programmée pour le lundi de rentrée. Ça c'est côté « jardin à idées ». Et pour le reste, notamment du côté copines, j'ai laissé Élisabeth et Chloé se dépatouiller avec la brochette, euh, brassée d'hommes à leur goût. Moi, j'ai Bill. Et au cas où je m'ennuierais à Paris, à mon retour, le prince charmant de Saint-Germain aux prés ! Au cours de notre frugal déjeuner, nous avons fait connaissance – « sincère, sensible, cultivé, drôle, bien physiquement », tout comme ceux des petites annonces ! Et intéressé par le sexe en plus ! Il a l'air d'être un vrai gentil, lui. Ça me change des requins de la télé et d'ailleurs. Mais je crois que mon cœur est pris, outre-Atlantik. Alors un amour platonik en vue ? Pourquoi pas ! C'est toujours comme ça : soit c'est l'abstinence totale, soit c'est l'abondance ! Même si l'abondance de biens ne nuit pas, deux « nouveautés » d'un coup, c'est pas facile... à gérer ! Allô, Doudou, au secours, je fais quoi, moi ?

Doudou m'a dit : « Ne te prends pas la tête, pars en Italie tranquille, pense à toi, et quand tu rentreras, tout sera clair. À ce moment-là, tu sauras quoi faire ». J'ai acquiescé. La voix de la sagesse. Elle a ajouté : « Là, c'est plutôt la copine qui te parle, pas la voyante. Passe de bonnes vacances, ma puce ».

Elle a raison Doudou. Telle était bien mon intention, mes cocos, tous autant que vous êtes ! Moi, c'est simple, j'obéis à ma voyante, alors tout va bien ! Parole de Juliette.

Villa Rigacci, à trente kilomètres au sud de Florence, à 300 mètres d'altitude : auberge de luxe familiale, cuisine italienne ; calme, fraîcheur, piscine, enfants à volonté mais pas trop... L'air de Toscane est propice à la réflexion. Si je me laisse aller, le nez à fleur de transat avec le bord de la piscine bleutée à portée d'horizon, le tout à l'ombre d'un immense parasol, je me dis quoi ? Là, tout de suite ?

Élise ? Élise, elle est sous l'eau : naïade trente secondes par jour. Ces précieuses secondes où elle pose son portable. En temps normal, elle nage avec l'oreille collée à celle de Charles, qui elle (l'oreille) se trouve en Espagne. Lui, nage aussi trente secondes par jour. Les mêmes trente secondes. C'est ça la fusion ! Chacun à un bout de la Méditerranée ! Voilà ce que des parents indignes ont infligé au nouveau « petit couple » en pleine création. Et moi je dis que c'est pas comme ça qu'elle va améliorer son italien, ma fille ! J'ai l'air de râler, mais au fond je suis bien contente que ça marche le p'tit couple d'Élise. Un chagrin d'amour d'ado à gérer cet été ne m'aurait pas permis de m'occuper de mes propres plaisirs...

Arthur ? Arthur, lui, c'est l'inverse : il ne sort de

l'eau que quelques minutes par jour pour se gaver de sucreries. Et il parle italien, mon fils. En effet, il a sympathisé avec la jeune et ronde marchande de bonbons du village (« Malabar princess », il l'appelle !). Mais d'où lui vient ce goût immodéré pour les bonbons ? Il adore les hyper acides, ceux qui font « pschitt », les *king size* parfumés au cactus. Elle, la petite vendeuse, lui concocte des *milk-shakes* à la barbe à papa et de délicieuses glaces à la fraise tagada ! Il a récupéré les recettes, *in italiano*, de la tartelette au Carambar et du tiramisu au Malabar, pour que je les lui cuisine à Paris. Un avant-goût de récré, avant la rentrée ! Un autre monde, la planète bombecs ! « Rien ne fait peur aux accros des bombecs », dit-il. Il m'a cité des chiffres qui eux font peur : les Français avalent 164 800 tonnes de bonbons par an. « Alors tu vois, il n'y a pas que les enfants. Et je compte bien continuer quand je serai grand, moi. » Il est mignon, Arthur, il écoute encore un peu et il veut me faire goûter les spécialités italiennes : « Bien meilleures qu'en France. » Mais je ne peux pas, mon poussin, qu'est-ce qu'il dirait M. Ceccaldi ? Et en plus, c'est les loukoums que j'préfère : une bombe calorique !

M. Ceccaldi ? M. Ceccaldi, lui, grâce à mes euros, s'est taillé un mois entier en Corse. Avant, au temps du divorce, je payais des vacances aux Seychelles à mon avocat et sa famille, à l'avoué, à la juge... Maintenant je m'offre un acupuncteur amaigrisseur, rien que pour moi. C'est aussi cher, mais plus satisfaisant, et côté corps, ça se voit ! M. Ceccaldi ne rentre

qu'après la rentrée ! Et ma stabilisation alors docteur ?
C'est pas sérieux ! Lors de notre dernière séance, il a
été odieux, même si, au fil des séances, on s'habitue.
On finit par trouver ça comique, surtout au moment de
payer. Là il tapotait avec ses ongles sur le bureau
pendant que je signais le dernier chèque de la « cure ».
Ça rend nerveux, ça, les clientes qui ne vont plus
aligner les euros jour après jour ! Et en plus elles
risquent de ne pas revenir après les vacances, si tout
va bien. Pourtant en vacances, on se laisse aller, on
regrossit, donc c'est pas grave, docteur, vous les
reverrez vos grosses clientes ! Il devait sentir ce que
je pensais tout bas, mais très fort ! Alors, il a failli être
grossier M. Ceccaldi. Même si je comprends que nous
allons vous manquer « moi, mes kilos et mes...
euros » ! Il avait attaqué sec :

— Bon, Madame, je vous ai fait perdre six kilos en
trois semaines comme prévu. Je pars cinq semaines,
donc, on suspend la cure pendant mon absence et on
la reprend à mon retour. Après, on verra pour la stabilisation.

— Non, monsieur, j'ai dit. « On » stabilise tout de
suite. J'avais dit que je voulais perdre six kilos, j'ai
perdu six kilos. Vous m'en voyez ravie. Ce n'est pas
la peine d'attendre votre retour. (*S'il croit que je vais
manger trois pommes par jour pendant toutes ses
vacances à lui, même pas en rêve... !*)

— Là, on a simplement « dégrossi », il a insisté.

— Moins six kilos, pile, c'est ce que je voulais, j'ai
répété souriante.

— Mais vous êtes encore « grosse », il a poursuivi,

174

vous avez vu votre ventre ? il a interrogé. Vous n'allez pas pouvoir vous mettre en maillot comme ça sur la plage, il a provoqué.

Très calme, j'ai fait la fille qui aime ça, se montrer grosse, le ventre à l'air à la plage. (*T'inquiète, on ne se croisera pas sur ta plage, tu ne risques pas de t'abîmer la vue avec tes clientes parisiennes que tu vois défiler dans ton cabinet, à longueur de journée M. Ceccaldi, pars tranquille, j'te dis.*) Il était vert !

— Alors, on stabilise, madame.

— On stabilise, monsieur.

— C'est soixante euros, madame.

Il faut toujours qu'il ait le dernier mot, M. Ceccaldi ! Enfin, j'ai eu droit à la remise des « consignes de stabilisation à suivre en fin de cure ». Trois pages, cette fois. C'est plus simple la stabilisation, mais tout aussi IMPORTANT que la cure. Je passe donc à deux cents grammes de tout... au lieu de cent ! Et j'ai le droit à toutes les viandes et tous les légumes verts que je veux, je peux aussi me laver normalement, et même me maquiller. Mais, surtout, je continue à me peser chez moi. (*Et si je dois partir sur une île déserte, docteur ? C'est bien compris, madame, c'est votre balance que vous emmenez !*) Je pèse également tout ce que je mange à chaque repas et je le note sur un petit carnet : une feuille par jour. (*À la rentrée, vous m'amenez votre carnet. Bien professeur, et le grand stylo rouge qui va avec ?*) Attention il est écrit en gras : tu ne diminueras pas les quantités, Juliette, même si tu n'as pas faim, tu te forceras, Juliette. Et pour le vin, maître ? C'est pour bien plus tard, madame, on verra à la rentrée où vous en êtes... Même pas une petite goutte de rosé pour l'été ? Merci la vie !

Mon seul vrai plaisir alimentaire, c'est le café. Ristretto. Un petit café serré bien chaud, trois fois par jour, sucré avec de la saccharine. Ma survie ! Pendant la cure, j'ai cru que j'étais en voie de béatification. J'me sentais bien partie. Abstinence nutritionnelle, abstinence sexuelle, je me sentais légère, légère et je m'élevais... On ne rit pas, je m'élevais spirituellement. Grâce à M. Ceccaldi, j'ai été là-haut, tout là-haut, dans d'autres énergies. Maintenant, grâce aux légumes verts, je me réincarne. Je me rapproche de la terre ferme. Merci, maître d'avoir étudié la médecine chinoise en Corse... grâce à vous j'ai connu quelques instants d'extase et failli rejoindre le ciel ! « Il ne connaît pas le "slow-food", ton Corse ? » m'a demandé Amélie dans un de ses mails où je lui racontais ma nouvelle vie.

Amélie ? Amélie, elle, c'est une « slow-foudeuz ». Elle vit dans une slow-city (Nashville, une slow-city ?). C'est son dernier truc. Ça veut dire qu'elle prend le temps de savourer, de sauvegarder les saveurs, de promouvoir la convivialité, de préserver la culture traditionnelle... Ça vient d'Italie (normalement, je devrais connaître), c'est une nouvelle attitude de vie (bien !). L'objectif final, c'est de ralentir le rythme frénétique des villes pour y vivre mieux. Faut que j'en cause à M. Ceccaldi, peut-être qu'en Corse il s'y adonne à la « poétisation » de l'alimentation. Faudrait que je lui offre le livre *Fooding, le dico,* avec sa couverture carpaccio ! Décidément, il m'obsède cet obsédé de la ligne. C'est vrai, non seulement, il contrôle mon alimentation à distance, mais en plus il m'a empêché de me livrer à l'une de mes addictions favorites... l'usage abusif des mousses de corps !

Mon corps ? Mon corps, il va bien. Manque juste un peu d'abdos, mais mon jeune coach, Bratt, est lui aussi en vacances. Heureusement, en Italie, j'ai pu reprendre les soins mousse. Je mousse depuis ce matin. Aérienne, sensuelle et voluptueuse, la cosmétologie poids plume qui déferle sur nous l'été ne m'est plus interdite : les mains et le corps dans la mousse toute ma vie ! Il n'y a pas à dire, on se sent mieux dans son moi social quand on a perdu ses kilos en trop. « La plage est un lieu cruel », répètent, chaque année, les magazines féminins (moi je dis que c'est aussi valable pour la piscine !). En effet, « La plage, n'est pas un territoire de liberté comme on l'imagine. C'est une microsociété avec ses rituels et ses codes. Et la norme secrète (*tu parles d'un secret !*) : c'est le top-modèle. Ni plus, ni moins », affirme Jean-Claude Kaufmann, le sociologue qui décortique nos moindres comportements et gestes. Et il ajoute aussi : « Même la trop grande beauté pose problème, par exemple, le trop beau sein. » Tout moi ça ! J'ai de trop beaux seins et ça ne me pose pas de problème, M. Kaufmann ! En plus, grâce au Corse, je suis armée pour cet univers impitoyable. Je me sens particulièrement bien avec mes trop beaux seins. Et mes trop belles fesses aussi d'ailleurs. J'en suis fière. Le syndrome de la « trop belle fesse », il existe M. K ? Moi, Juliette B., j'en suis atteinte ! Alors, j'fais quoi ? J'm'entortille dans un paréo pour ne pas gêner les autres ?

Mon horizon bleuté de piscine se trouble. Une baleine ? Non, deux ? Élise ! Quelle surprise ! Encore dans l'eau ? Elle s'approche... elle doit avoir besoin de quelque chose, mon portable ? Ou alors une envie pressante de shopping, à Florence, dans la fournaise de la ville ? Chez Prada ou chez D&G, ma chérie ? Cette année, je ne bouge pas : je suis débordée !

— Débordée ? Débordée de ne rien faire, oui ! m'a-t-elle balancé aimable.

Histoire de ne pas relâcher la pression, j'ai enchaîné sur le prochain dépassement de forfait colossal sur sa facture de portable, dont elle aura à assurer le remboursement, avec son argent de poche... jusqu'à Noël, au bas mot.

— Rentière, ta mère ? a nargué Arthur.

— Oui, mes chéris, rentière, ça me va. Je lis, j'ai répondu imperturbable.

— Ça on avait remarqué et on n'est pas les seuls ! Moi, on m'empêche de feuilleter un truc sur l'été à Paris, et on se balade devant tout le monde avec un bouquin où c'est marqué dessus en gros *L'Amour bestial*, a ricané Arthur.

— Et pas la peine de te cacher pour recevoir tes coups de fil ! On t'a repérée. Qui c'est qui paie quand tu chuchotes pendant trois plombes, à l'autre bout du jardin..., a renchéri Élise, la peste.

— Ouais, eh, maman, on t'a vue. C'est qui, le kem ? a ajouté Arthur, l'indiscret.

Je faisais la sourde plongée dans sa lecture.

— Même si tu fais semblant de ne pas entendre les trente-six appels à la minute, on a remarqué ton petit manège, insista Élise.

— Comment il s'appelle, celui-là ? On veut un nom ! rajouta Arthur.

J'ai pu constater à cette occasion que le lobby anti-Éric, constitué il y a plus de trois ans, était toujours actif et prêt à redémarrer pour dézinguer le prochain qui voudra mettre un pied dans ma vie !

— C'est Marco ? Marco, on veut Marco et pas un autre ! a clamé Arthur.

— Non, Madame a changé, Bill, Bill, moi je sais, « *oh, honey, hoooooooneyyyyyyy* », imita Élise.

Grimace de la mère en forme de pied de nez ! La conversation partie sur le ton des reproches a vite dégénéré en franche rigolade et insinuations, à mes frais bien sûr.

Zont de l'humour mes enfants. J'préfère ça. Mais j'ai noté au passage que les appels pressants et répétés du prince charmant ne sont pas passés inaperçus ! Gaffe. Pour « me faire plaisir » (c'est le seul but de sa vie depuis qu'il m'a croisée), le jeune homme ne recule devant aucun obstacle : il voulait même venir me rejoindre au-delà des frontières. Là, j'ai mis le holà. « C'est mignon, je me suis empressée de dire, mais je suis seule avec mes enfants et je le reste. » Il a rigolé, insistant sur le « seule ». Il a peut-être cru que je voyageais avec Rykiel Woman ! Mais il a fini par comprendre et rester à sa place.

Je peux donc me consacrer entièrement à la découverte de *L'Amour bestial*. J'ai en effet hâte de tout savoir sur « la stratégie des mâles ». C'est bien précisé en couverture : ce manuel universel est à l'usage de toutes les espèces. Formidable !

Ainsi, chez tous les animaux, toutes les stratégies pour copuler sont bonnes : tabassage, meurtre, infanticide, polygamie, tromperie, mensonge, concussion, rapt, viol, homosexualité, transexualité ! Ça me rappelle étrangement quelque chose ! On se croirait à « Femmes 7 », dis donc ! Ah, j'avais dis que je ne prononcerais pas ce mot-là. Désolée !

Je vais en apprendre des choses sur nos Casanova ! Parmi les techniques de drague du mâle, la façon la plus simple de parvenir à ses fins, c'est encore le viol. Ben voyons ! Très pratiqué par le mâle punaise qui perfore la dame n'importe où tellement il est pressé ! Le rustre. Ça, ce n'est pas trop courant chez nous, les humains. Chez les animaux supérieurs, la technique s'affine. Je me disais aussi ! Le paon, par exemple, compte uniquement sur la beauté de sa queue. Tiens ça me rappelle quelqu'un... dont je tairai le nom ! Plus sa roue est grande, plus le vaniteux a des chances d'emballer. (*Oh, mais vaniteux, ça lui va drôlement bien à notre ami M.a.r.c.o. !*) Il est vrai aussi que nous mordons volontiers, les pauvres pommes qu'on est, nous les femelles, euh les femmes ! La préférence sexuelle de la paonne s'exprime alors, favorisant ainsi l'allongement de la queue du paon ! *Yyyes !* Affaire à suivre !

Il y a aussi des insectes timides. Ah bon ! Bien plus galant, le minuscule mâle de l'araignée à dos rouge d'Australie (*je ne sais pas d'où il vient mon voisin de gauche mais pour le dos rouge, ça l'fait*) fait don de son corps entier (*pas encore le cas du voisin en question, quoique, il a l'air pas mal foutu !*) à son amoureuse boulimique (*normal, j'suis pas son amoureuse*) ! Ça ne me rappelle rien du tout ça, ni personne ! Certains mâles araignées se laissent « jouir à en mourir ». Tiens ? Et Madame prend son temps pour mastiquer Monsieur, une fois qu'il a joui. La sadique ! C'est quoi ces dévoreuses de mâles ? Lui se sacrifie, bien sûr. Génial ! Je cite : « On l'aura compris, la priorité du mâle chez les animaux n'est pas vraiment de faire jouir sa partenaire. » On avait remarqué, et ça évoque étrangement la soi-disant espèce la plus évoluée : « L'orgasme reste l'exception dans la nature. » J'veux bien l'croire... sauf chez les bonobos ?

C'est quoi ça. Des singes. Les cousins des chimpanzés. C'est la femelle qui dicte ses volontés sexuelles. (*Intéressant, pas le moment d'aller se tremper dans la piscine même s'il fait très chaud, je vais enfin savoir comment s'y prendre avec les hommes grâce à mes cousines d'antan !*) C'est aussi une des rares espèces à manifester sa jouissance sous les coups de boutoir d'un mâle : les bonobos sont connus pour adorer faire l'amour à tout moment, pour n'importe quelle raison et dans n'importe quelle position. (*Malheureusement, cela semble s'être perdu chez les humains du XXIe siècle où il y a peu de descendants des bonobos. Même pas en rêve. Ils bossent, les mecs, de nos jours. Et leur carrière par-ci, et leur position sociale par-là.*) Heureusement, le rat est là ! Un amant formidable, le rat, grâce à ses interminables préliminaires (*bof, là il faut voir !*). Les éléphants d'Afrique ont l'air pas mal pour les éléphantes. Elles préfèrent d'ailleurs les mâles plus âgés (*pourquoi pas*) systématiquement, eux, en proie à une sorte de déchaînement que l'on appelle « mutsh » (*nous on dit « crise de la cinquantaine » ou « démon de midi », c'est selon !*). Lorsqu'un mâle est en mutsh... (*tiens, il y en a un là-bas, me semble-t-il, plus âgé et pas mal « mutshé » au premier abord*), il s'approche, il agite les oreilles (*oui, c'est le cas*), secoue la tête (*yes ! je confirme*) et le pénis (*non, pas encore*)... donc d'après la réalité visible et la description du livre, je ne dois pas avoir affaire à un éléphant d'Afrique ! Ce mâle me regarde pourtant depuis deux heures. Je me marre tellement avec mon bouquin : un régal. L'humain en grande partie mutshé est italien et se prénomme Lalou. Il est designer. *Da Milano*. Et il design quoi, signor Lalou. Des robes ? Oui, des robes de remariage, uniquement de remariage. Il y a un vrai marché, il exporte d'ailleurs énormément... surtout, aux États-Unis. C'est bien ma chance !

Cette conversation m'a sortie de ma lecture. Je continuerai plus tard sur « la guerre du sperme ». Il s'agirait de stratégies incroyables mises en œuvre par le sexe « fort » pour s'assurer de notre fidélité. C'est sûr, il y a du boulot ! Ils peuvent toujours essayer ! Le pou serait doté d'un sperme particulièrement manipulateur, les mantes religieuses, à qui on ne la conte pas, pratiqueraient le cannibalisme pendant le plaisir, tandis que, chez les abeilles, le mâle préfère en perdre ses organes, histoire de rendre la reine sexuellement indisponible. Tout un programme !

Ça m'a pas mal « énervée », si je puis dire tout cela... Même si j'ai poliment éconduit le designer du second mariage, j'attends avec impatience l'arrivée de Bill Wood ! Encore un jour et demi et une nuit. D'ici là, j'ai le temps de peaufiner mon savoir sur les stratégies à adopter avec les hommes pour leur faire passer une nuit de rêve. Inoubliable, même. Carrément. Et pour un spécimen de l'espèce américaine, ça peut être quoi « an unbelievable night » ?

Massage à quatre mains ? Un des fantasmes masculins les plus banals, si j'en crois mon expérience. Non, Bill rentrant de Singapour, ça ne sera pas le meilleur moment et puis... je n'ai pas quatre mains ! Le coup de la fausse bonne sœur ou du fantôme qui vous saute dessus, trop film d'horreur ! Il vit ça tous les jours, Bill, dans son pays natal ! Reste quoi ? La tendresse (ils en rêvent tous, à les écouter !)... *inch by inch*. Une « nuit de noces » telle qu'on la rêve tous, il va l'avoir Bill. Et pas question pour lui de s'assoupir ne serait-ce qu'une nanoseconde !

Je sais maintenant... À déguster... comme les meilleurs Bellini du monde. À moi de jouer. Je vais tout simplement lui faire ça « à la française », et Bill, il va s'en souvenir de sa nuit toscane au couvent San Michele !

14

UN VRAI PREMIER MARIAGE

(JOUR J)

> « Le mariage est une forteresse assiégée :
> ceux qui sont dehors veulent y rentrer et
> ceux qui sont dedans veulent en sortir. »
>
> Proverbe chinois.

« Vive la mariée ! Vive les mariés ! »

C'est parti, et moi, Juliette, je suis de « noces ». C'est comme ça qu'on dit, non ? Ça me fait tout drôle de me retrouver à un mariage. Un vrai premier mariage ! Avec un grand M. Comme celui de Fleur, aujourd'hui !

Qui a dit que le mariage n'était pas une institution florissante ?

Je ne parle pas du « mariage administratif », oui ça existe. J'en connais qui se sont « remariés administratifs ! » Chez la plupart de nos contemporains, quand on quitte un mariage (grâce à un merveilleux divorce) c'est pour, en général, mieux se précipiter dans un nouveau... mariage ! Surtout chez les hommes. Y a qu'à voir le cas de l'ex-mari. La « polygamie successive » ne lui a pas fait peur. Il a replongé, direct. D'accord, il a appelé ça « mariage administratif » et a raconté partout qu'il l'avait fait uniquement pour avoir la paix et pour la consoler, la pauvre Nadine trouvée au coin d'un secrétariat de mairie en péril ! C'est vrai quoi, deux misères ! À eux deux ! Rien que de fermer les yeux et d'imaginer les voir ensemble tout à l'heure... Une vision d'horreur ! Hélène les a invités. Elle ne pouvait pas faire autrement. Aux dernières nouvelles, ils n'étaient pas sûrs de pouvoir venir. Motif : le fameux week-end annuel à Marrakech, tous frais payés, à la Mamounia qui ne se refuse pas, surtout quand on fait de la politique ! Un espoir donc de ne pas voir leurs tronches, surtout qu'elle je ne l'ai ja-mais-vue, juste entraperçue, une fois au salon du mariage ! Et j'y tiens pas : face de Pouf, alias Poustiface, soit « Poustifaïce » si on prononce à l'américaine, « Poussetesfesses » de là, oui ! Tiens, ça lui va bien ! Ou mieux, encore, le diminutif : « Faïce » comme aurait simplifié Bill ! Je préférerais tout de même que « Faïce » *and* Paul se bronzent outre-Méditerranée. Un stress de moins à gérer en ce jour de mariage de Fleur.

Je ne parle pas du « mariage asiatique traditionnel à la Gloria » qui participe, elle, à « la revitalisation des traditions dont notre monde a bien besoin ». Altermondialiste, ma mère ? Elle m'a expliqué plusieurs fois au téléphone avant de repartir là-bas, en voyage de noces, « combien un tel acte était un acte familial, religieux et domestique, que c'était l'occasion de réunir la parenté (sauf sa fille Juliette et ses deux petits enfants, Élise et Arthur, de Paris !) et le voisinage » (oui, Maman, le voisinage de la Pagode au Bouddha d'argent, soit, au bas mot, trois cents inconnus). Elle a choisi ça en pleine conscience. Après une étude poussée de tous les types de mariage sur la planète (elle fait aussi du bench-marking à sa manière Gloria !), elle a trouvé, je cite, que « c'est là-bas et nulle part ailleurs que la femme est le plus égale de l'homme en droit et dans tous les domaines ». Qui l'eût cru ? La Thaïlande le pays le plus égalitaire dans les relations hommes-femmes, euh femmes-hommes, j'veux dire !

Je ne parle pas du « mariage par rapt » : j'en rêve comme toutes les princesses, bien sûr ! Mais ma Maman m'a appris quand j'étais petite que ça n'existait plus, en vrai. *But ov korz*, sauf pour elle...

Je ne parle pas du « mariage par achat » : trop cher *for you maï dirrr* ! Surtout de nos jours y a plus de confiance du tout, l'or ne vaut plus rien, le dollar c'est plus ça et l'euro il arrête pas de monter, alors, comment se repérer !

Je parle du mariage occidental : l'instantané, le monogame, le contractuel, l'ex-indissoluble, le fondé sur l'affectif. L'authentique, le « en dur », le solide, bref, celui qui marque la consécration des sentiments amoureux, qui dure pour toujours, quoi ! *Yes !* Comme celui d'Henri et d'Hélène, de Paul et Juliette, euh pardon, comme celui qu'on célèbre aujourd'hui !

C'est merveilleux : Fleur, fille aînée d'Hélène et d'Henri, en plein divorce, eux, se marie. Une longue

journée pleine de surprises, d'émotions, de rebondissements et d'embûches, s'annonce. Le jour le plus long,
le plus émouvant, le plus stressant de sa vie. Pauvre
Fleur ! Tout ce qui lui a occupé l'esprit ces six derniers
mois, l'unique objet de ses pensées et de ses conversations va disparaître. Avalé ! Le jour où l'on flotte dans
un état second, où l'on n'éprouve aucun sentiment, où
l'on ne pense à rien, où l'on n'a ni chaud, ni froid, où
l'on ne voit personne, où l'on ne sait pas ce que l'on
mange. Bref, le plus beau jour de sa vie, le plus extraordinaire, quoi ! Celui où l'on est tous condamnés à
l'EX-CEP-TIONNEL : c'est la règle du jeu. Moi, j'étais
tellement dans l'exceptionnel que je ne me souviens de
rien. Seules... les photos... attestent de ma présence !

« Délicieuz fille » et « gentil fiancé » montrent
l'exemple. Les parents sublimement classiques de
« gentil fiancé », aussi. Les parents de « délicieuse
fiancée » qui ne s'adresseront plus la parole de leur
vie, que par avocats interposés, vont être exceptionnellement coopérants et souriants. Et moi aussi, je vais
être exceptionnellement calme face au spectacle de
Paul et de « Faïce ». Cela dit, je ne garantis rien. Ils
ont intérêt à la jouer modeste. Pour l'instant ils sont
pas là. Tout va bien... Et aujourd'hui, c'est merveilleux, c'est le jour de Fleur. Elle y croit et elle a
raison... d'y croire... au moins le jour J !

Si les mariés, eux, ne voient rien de ce qui se passe
à leur cérémonie, les autres, au contraire, voient tout.
Familles et amis réunis, chacun « joue » au mariage.
La pièce est unique et ne se donne qu'une seule fois
dans cette configuration-là, même si les mariés se la

repassent en boucle une bonne partie leur existence, voire jusqu'à la fin de leurs jours. Enfin c'était comme cela avant l'existence de la répudiation, euh... du divorce.

Dans ce formidable théâtre où des dizaines de vie se croisent, se rencontrent et parfois se confrontent, y a des risques, donc gaffe ! Avec Hélène et Henri, nous sommes en terrain miné. Et le sachant, Élisabeth, Chloé et moi, nous nous sommes autosaisies d'une mission particulièrement délicate : personne ne se mettra en travers du chemin du bonheur de Fleur en son jour de mariage. Moi, Juliette, je suis le chef de la mission : je me suis fixé comme objectif d'éviter l'explosion de toutes les mines antipersonnel, notamment grâce à une gestion fine des parents divorcés de la mariée ! Même si chez les riches (ce qui est le cas, Hélène n'est pas pauvre) le mariage s'exhibe et s'expose au monde entier, il vaut mieux prévenir toute tentatrice de conflit.

No dérapage, *no* transaction à la marchande de tapis. Le mariage n'est jamais un long fleuve tranquille mais le trio E C J & ass veille !

Ah, j'oubliais, les douze mille invités, aussi... à surveiller, quand même, faut avoir un œil sur tout le monde... ou presque ! Enfin, s'ils viennent ! Parce que, avec les nouveaux faire-part (exit les faire-part austères en lettres anglaises comme de mon temps), on a intérêt à savoir ouvrir ses mails, si on veut être de la partie ! Fleur et gentil fiancé sont au top de la modernité en matière de mariaj ! Avec des parents en plein conflit depuis deux ans, c'est préférable. Pour éviter les invitations au nom des deux, soit le traditionnel « Madame Hélène et Monsieur Henri, fâchés à vie, sont heureux de vous faire part du mariage de leur fille Fleur », la fille maligne a préféré le faire-mail : « Nous vous attendons avec impatience le samedi 30 août à 15 heures à la mairie de Jartac et à 16 heures à l'église Saint-Sernin. La réception aura lieu à partir de 18 heures au moulin de la Gueulardière. Ci-joint : les plans d'accès (*pas d'embrouille !*). Si vous êtes perdus, n'hésitez pas à appeler Arnaud (*le gentil fiancé, futur marié*) sur son portable : 06-tructructruc. » Pratique et pas polémique ! Dommage pour les anciens qui ne savent pas surfer sur Internet ! Ce type d'invitation permet, a priori, une sélection quasi naturelle des invités. Pas idiot ! Ça va dans le sens d'un rajeunissement de la population : y a plus que des « djeuns » dans les mariages ! Super pour la promotion de l'institution. Reste à vérifier sur place l'efficacité de la tactique.

La longue période de préparation qui relève de la haute stratégie militaire (tous ceux qui y sont passés le savent) est généralement assurée par la génération aînée qui cherche à tout contrôler. Si je me souviens d'un truc, un seul, c'est bien de ça : l'ex-belle-mère terroriste a capturé l'organisation de mon mariage. Avec le peu d'expérience que j'avais, cela me semblait normal. Maintenant ça ne se passerait plus comme cela...

Elle avait tout choisi à sa guise. Tout : la ville (Grasse, ville du marié, contrairement à la tradition, là aussi elle n'avait pas peur de déroger, la mère du fils béni-adoré), l'Église, le prêtre (frère Jean-Philippe, *him-self*), le restaurant, le traiteur, le bouquet de la mariée, la coiffure de la mariée, la maquilleuse de la mariée. Moi, je ne savais pas. J'ai laissé faire. Gloria aussi, elle a été top. Elle a compris. Elle a laissé faire l'autre. Pas de bagarre ou alors elle s'en foutait (Paul, elle ne l'a jamais « senti » celui-là !). Et par qui le scandale arriva ? Quand même, à mon mariage. Me faire ça ! J'aurai dû me méfier. Je la croyais pro du truc. Mais la pro du mariage a quand même oublié la pièce montée. Faut le faire, non ! Ma pièce montée ! Zappée sous mon nez. Y a pas. Ah la gueule des invités et la mienne surtout. C'était plouc. Trop plouc pour eux, les Tcherkodriou ! Et Madame n'aimait pas les choux à la crème... C'est dire le niveau ! J'espère qu'Hélène ne fera pas ça à sa fille pour se venger d'Henri... et qu'entre deux lettres recommandées et deux reports d'audience, elle n'a pas failli au rôle : combattante en gants beurre frais, elle devrait être parfaite. Nous jugerons sur pièces !

D'ailleurs, c'est le moment.

Il est temps maintenant d'ouvrir la marche nuptiale !

Le carrosse pour les noces est avancé. Il attend. Fleur sera en Bentley (les Tcherko n'avaient pas mis un sou pour le transport !). La mariée est belle jusqu'au bord des ongles, épilée au poil près (ce qui n'a pas échappé à Chloé, notre esthéticienne préférée qui a repris du service pour la journée !) et pieds bichonnés – c'est important les pieds pour cette magnifique et interminable journée. Aujourd'hui, personne ne rivalise avec la mariée. Même moi, je fais de la figuration... au même titre que... le marié, par exemple ! En ce jour merveilleux du mariage de Fleur...

Paul et sa « Faïce » (c'est décidé, c'est comme ça que je l'appelle maintenant, et dès que je croise Arthur dans un coin, je le lui signale. Va être fier de sa mère, mon fils !) ne sont toujours pas là... Avec ses tenues ras d'la touffe, j'l'aurais remarquée, elle. Que se passe-t-il ? Pas grave. Ils ne sont pas indispensables.

En route pour la mairie donc. Ici, on n'échappe pas à l'ennui des sept minutes, montre en main, au cours desquelles l'écharpe tricolore débite à toute allure les articles 212-213-214-215 et autres nouveautés du Code civil (*qui n'a toujours pas défini le mariage !*). Là, en cet instant précis, tout le monde l'oublie, mais nous sommes au cœur du contrat conjugal. Devant témoins en plus, qui ne témoignent jamais de rien, d'ailleurs. Moi, le mien avait dit à Paul à la sortie de l'église : « Si tu ne la rends pas heureuse, je te casse la gueule, mec. » Il l'a pas fait ! Au moment du divorce, tu parles, plus de témoin. Sauf éventuellement des témoins à charge... Mozart en entrée, cris de bambins, toussotements, éternuements et écrasement de larmes au milieu, Mendelssohn en sortie. Là, c'est à la sortie de la mairie que ça a failli dégénérer. En femme responsable, mature et très, très récemment mariée : quelques minutes auparavant, elle a fumé un pétard. Ça l'a détendue, Fleur ! Alors, quand sur le perron nuptial, sa mère, Hélène, n'a pas pu s'empêcher de lui balancer devant Henri, juste au moment du « *smile* » qui éternise l'instant : « Tu aurais dû m'inviter à ton premier mariage, ma fille, et ton père à ton deuxième, ça m'aurait évité de le croiser, lui et son mignon ! » Fleur a bien réagi. Fin, habile et généreux, ça a jeté un froid, et sur la photo, on a tous certainement l'air crispé à mort. Faut dire qu'Henri n'a pas hésité à s'afficher. Était-ce le bon endroit et le bon moment ? Pourquoi pas, il a hésité, m'a consultée. Mais c'était une décision tellement personnelle, à vrai dire. Je l'ai laissé décider seul. Peut-être à tort ?

C'est vrai, Henri est maintenant un homme qui aime les hommes. Il est amoureux. C'est réciproque. C'est comme ça. Il est donc venu avec son ami : Giorgio. Un Italien beau... comme un dieu. On était toutes là, à nous pâmer, nous les femmes ! Mais non c'est pour Henri qu'il est le beau Giorgio avec sa chemise en lin, orange pétante ! Le père de la mariée aime italien, *eh mio amico*, que voulez-vous c'est ça l'Europe de nos jours.

Cet épisode où l'on a frôlé le franchissement de la ligne jaune passé, vite le réflexe religieux. Un furieux besoin de sacré, de ferveur, s'est fait sentir. Alors on s'est tournés vers Dieu ! La mariée s'était remise de son tarpé. Dans la petite église romane exiguë dans laquelle seule la famille très proche a trouvé place, le jeune prêtre cousin de la mariée a prononcé un sermon, un très long sermon sous les hurlements des bébés. Chloé était aux anges. Elle rayonnait au bras de Jean, enceinte de quatre bons mois. Elle ne parle que des ruades du bébé et se vante de sa libido, au beau fixe (ça change, le mois dernier c'était libido zéro). Il a intérêt à assurer Mr Flam.

De la messe j'ai rien écouté, mais je peux le faire :
« Le mariage est d'abord un contrat noble et sacré...
rédigé à l'avance par la mosquée, euh, la synagogue,
euh que dis-je, l'église, mon père, mes frères, mes
sœurs... » Juliette, tu dérapes. On est dans un pays
laïc ! Déjà, je divaguais et c'était avant. Avant que je
le voie, là, derrière le pilier. Tout seul. Un peu voûté
de dos. Une chance sur deux pour qu'il vienne. Et il
est là. L'autre, la face de pouf, euh sa femme à Paul,
va pas tarder à pointer sa pomme. Beurk ! J'préfère
encore écouter c'que raconte le cousin de la mariée,
sur la scène là, devant, avec ses grandes manches. Ça
fait tellement longtemps qu'on ne s'est pas retrouvés
dans une église à un mariage ensemble, Paul et moi !
  Émotions ?
  « *Oh Happy days* » m'a sortie de mes pensées. Rien
de tel que l'ambiance *negro spiritual* pour vous
remettre les pieds sur terre. Hélène, en accord avec
Fleur, avait choisi du mouv' ! Elle donne dans le
gospel, maintenant Ellen ? J'espère qu'elle va pas se
reconvertir en bonne sœur après son divorce. Amoureuse du curé de sa paroisse, elle s'était longuement
interrogée dans sa jeunesse, à l'époque de notre
quatuor. Élisabeth, Chloé et moi, on était inquiètes
alors. Heureusement Henri est passé par là, l'a vite
détournée du droit chemin et l'a épousée. Henri, Fleur
et les jumeaux, une parenthèse dans sa vie de nonne ?
Sœur Ellen ! Ça lui va comme un gant, au fond, on
n'aurait pas dû l'empêcher de vivre sa vocation. La
mère de la mariée va entrer dans les ordres, on tient
un scoop !

Vive les mariés ! Vive les mariés !

On s'est tous pris des grains de riz sur la tête à la sortie de l'église. Ça aussi l'ex-belle-mère, elle avait pas voulu. Trop ordinaire.

Avant de retrouver le moulin, on a dû se plier à nouveau au rituel de la photo... ce qui a permis à Élisabeth de draguer le photographe : à la recherche d'un amant, sans les petites annonces ?

Bien sûr tout le monde va se trouver moche, aura les yeux fermés... N'empêche, les mariés accrocheront dans la chambre nuptiale « *the* photo » de leur calvaire, euh, de leur mariage. Et le marié, il pense quoi, lui, pendant ce temps ? Il semble bien silencieux. Moi, je vais vous le dire à quoi il pense le marié pendant qu'il sourit béatement à l'appareil photo pour le cliché de l'éternité de son mariage du jour J avec Fleur. Une chance sur deux pour qu'il se dise : « Merde, je fais une connerie. La connerie de ma vie. Je n'aime pas cette femme, je ne veux pas me marier avec elle, je ne l'ai jamais voulu. Ce n'est pas la femme de ma vie. Mais je ne peux plus reculer. Et je n'ai pas le courage de me barrer. Je reste uniquement pour faire plaisir à Papa-Maman, surtout Maman. » Voilà ce qu'il répétera invariablement à chacune de ses maîtresses jusqu'à sa mort en n'ayant jamais le courage de divorcer de lui-même. « Je le savais. » Grotesque confusion entre l'amour et la peur, tout simplement. Et quelques vies gâchées... Eh oui, moi, Juliette B., j'ai fait un sondage pour un projet d'émission de « Crazy Blondasse ». Un homme sur deux, et encore je suis optimiste, quand on creuse un minimum, avoue avoir réalisé soit à J – 1, soit à J, soit à J + 1 qu'il ferait mieux de prendre ses jambes à son cou et de se tirer. Ils sont pas beaux les mariés, hein ? Si on rapproche ces aveux des stats du divorce, un pour trois, ça n'a plus rien d'étonnant. Si on pousse l'analyse des motivations profondes des hommes et des femmes dans leur décision de se marier, on constate que c'est la peur de la solitude qui motive. Pour éviter le « vas-y seul dans la vie », les femmes sont prêtes à épouser le diable, et les hommes la première venue ! Est-ce le cas, ici et maintenant, du « tout nouveau mari » de Fleur ? L'avenir le dira...

Ça y est nous sommes à mi-parcours de ce jour J. Les principales sources de conflits se sont éloignées : mairie, église, photos... Il ne reste plus que le repas et la fête. Tout aussi risqués. Hélène et Henri s'ignorent superbement, chacun vit sa vie dans son coin. Et qu'est-ce que j'ai pu observer mine de rien ? Paul est venu seul. Élise, qui roucoule plus que jamais avec son Charles, me l'a confirmé : y aurait-il de l'eau dans le gaz avec Mme Tcherkodriou II *bis* ? Aurait-il vendu sa Faïce chérie aux abords de la Mamounia ?

Et maintenant, place à la fête !

La principale préoccupation des invités en ce début du XXIe siècle n'est plus « Qu'est-ce qu'on va nous servir à manger ? » mais « Quand est-ce qu'on s'amuse ? » M. Kaufmann, mon sociologue préféré, dit que c'est parce que « le mariage est fragile et aléatoire que l'on veut absolument faire la fête, un peu comme au carnaval. On cherche l'exagération, on se cache derrière les déguisements. Façon de conjurer le mauvais sort par une cérémonie solide et tout ce qui apporte du poids à la symbolique ». Il a peut-être pas tort, M. Kaufmann. Donc c'est décidé, moi, ce soir, je m'amuse. Fini ma mission surveillance tous azimuts. Tout est calme...

Un repas de mariage, c'est un repas de mariage. Et celui de Fleur est quasi identique à ceux qu'on a déjà connus : aussi froids qu'insipides. Non arrête d'être médisante Juliette. C'est un vrai dîner-buffet : on a échappé, paraît-il à « l'authentique dîner tibétain » pour gagner un... « dîner thaïlandais »... Merci Hélène ! Moi, c'est le tirame'su thaï que j'préfère ! Ça me rappelle le remariage de ma mère... ou presque ! Vive Gloria ! Un modèle de mariée, elle !

Pas de repas sans boissons. Y a quoi ? Des vins, des alcools et plein de champagne. Je prends l'option tout champagne. C'est ce que je préfère. M. Ceccaldi, basta. Ce soir, je l'oublie et je mélange féculents, sucres et alcools ! C'est la fête du mariage de Fleur. Demain, promis, je ferai correctif « œuf dur » toute la journée et aussi après-demain, et après, après-demain, s'il le faut. Mais ce soir, c'est... champagne !

Le powerpoint tant attendu, visant à retracer la vie des jeunes mariés, amoureusement concocté par les quatre témoins amis d'enfance, est arrivé à point. Juste avant la pièce montée. Ils ont de la chance Fleur et « gentil marié » d'en avoir une pièce toute montée (j'espère que l'ex-belle-mère, elle oubliera le thé, lors des thés dansants électoraux de son futur fils politique ! Maintenant que Faïce Tcherkodriou a disparu !). L'est tout triste d'ailleurs, Paul. À cause des choux à la crème qu'on n'a pas eus, nous ? Mon ex-mari a l'air de tellement s'emmerder, tout seul à la table du fond... Les enfants ne l'ont pas vraiment calculé. Le p'tit couple continue à s'bécoter. Élise raconte qu'elle veut se marier rien que « pour la robe », et Arthur est parti à la « soirée casino » des ados. Après le vol du matériel vidéo, va être un spécialiste du black jack et de la roulette. Décidément, il perfectionne sa formation, mon fils ! J'ai vérifié du coin de l'œil : Paul ne boit même pas pour se consoler. Hélène est passée lui faire la conversation mais elle me semble « en grand désordre », à défaut de bientôt entrer dans les ordres, la mère de la mariée ! Faut dire qu'Henri et Giorgio se sont lâchés ! « Il s'est reconverti à l'italien, le père de la mariée », murmure-t-on de çà et là. À certaines tables, ça jase sec !

Tiens, quand on parle de jazz... Musique ! Et si on lève le nez, on découvre Fleur et son mari qui ont fini par monter sur leur table et dansent ensemble d'un bout à l'autre. Olé ! Sacrée ambiance. Bien arrosée la soirée. Et pour la nuit de noces ? Ça risque d'être le superflop, les héros vont être nazes ! Moi, la mienne je n'en ai aucun souvenir. Rien. Je ne sais pas si ce fut une calamité (ça m'aurait marquée tout de même) ou un grimpage aux rideaux (ça m'aurait marquée aussi). Nada. J'peux toujours aller lui demander à Paul, si s'souvient lui ! Non, il prendrait ça pour une avance, tu parles ! Et à ce rythme, ils auront même plus la force, les mariés, de partir demain midi voir leur coucher de soleil combiné Tanzanie-Zanzibar qu'on leur a tous offert ! Et ils ont continué à danser de table en table, sur les tables, toutes les tables... C'est beau ! Ces danses. C'est beau un mariage. C'est beau le mariage.

Avec le champagne, je me suis gavée de dragées d'amour. Mes préférées : nougatine-chocolat-noir ! Plus grand monde avec qui faire la conversation. Chloé épuisée est partie s'endormir dans un hamac entre deux arbres. Jean Flam erre seul. Élisabeth, sagement assise à côté de Philippe Ier, a toujours un œil sur le photographe, cela ne m'a pas échappé (sans succès, c'est pas le bon jour pour lui). J'me trompe pas, elle se cherche bien un amant, la cachottière.

Une p'tite coupe ? Là je m'adresse au prince charmant des petites annonces de Saint-Germain-des-Prés. Il est venu direct au moulin de la Gueulardière. Il a absolument tenu à me rejoindre. Oui ! Figurez-vous qu'il était en vacances trois jours chez sa grand-mère qui habite dans le coin (cent kilomètres à l'ouest). Il s'y est cru. Le mariage de Fleur, lui, ça lui a fait de l'effet. Il ne connaît personne, à part moi, mais pas grave. Il y était. Il était. Enfin, il s'est pris pour. À tel point que j'ai vu dans le regard de Paul, à un moment quand on l'a croisé, qu'il s'interrogeait, mon ex-mari. Le prince charmant, romantik à souhait, s'est pris pour le marié. Pour mon marié, toute la soirée. On m'a même posé la question :

— Votre futur mari ? Vous nous présentez, Juliette ?

Je leur ai balancé à la figure illico : « Fleureter c'est tendance, se marier c'est osé. » Paf !

Les *Just married* ont fini par s'éclipser. Là, j'ai

pensé : c'est la fin. La fin du conte de fées qui commence. On tombe vite dans le « Ils se marièrent et eurent beaucoup d'enfants ».

Ça me déprime, champagne ! Encore une petite coupe !

Et si « Crazy Blondasse » était là, elle ferait quoi elle, hein, dit Vanessa. Elle se ferait Alban, elle, c'est sûr. Sont pas là, eux. Restent où ils sont. Et Amélie, ma copine de Nashvillelowfoodcity, elle ferait quoi, elle ? Elle se cherche un deuxième mari... Elle se le ferait !

Mes copines Élisabeth et Chloé m'ont abandonnée. Marco n'est pas là, panne de Porsche qu'il a dit dans son message ! Trop drôle ! Éric est au Puy. Ici on est trop loin du Puy même si c'est la campagne ! Et ma nuit de noces de ce soir à moi, hein ? Le côté érotik du « rêve d'amour de petite fille », c'est réservé à la mariée ? À Fleur ? Et moi, alors ?

Dans mon scénario à moi, du jour de Fleur à elle, du merveilleux mariage de la mariée en robe, il doit y avoir une meule de foin ! Voilà ce que je dis. *Yess* ! Sinon, on n'est pas à un mariage à la campagne dans le Sud-Ouest. Loin de Grasse ! Paf ! Vite une meule, deux meules, trois meules... C'est très tendance d'ailleurs la meule. Je l'ai lu. Lu de mes propres yeux dans un magazine féminin. Subitement, je me sens redevenir Cendrillon (qui d'ailleurs se ferait bien le prince charmant dans la grange de la meule...). Blues, blues, j'ai le blues, et Bill ? N'est pas là ? J'l'oublie juste pour la fin de la soirée. Infidèle... par... égarement, Juliette. Pas moi, elle !

Je vais le faire, sur place, ce bain de foin. C'est la folie à Hollywood. Elles font ça en cure là-bas, les stars. Hydrothérapie, ça s'appelle (ou un truc comme ça). L'idée : on s'allonge sur un lit d'eau, le corps recouvert de foin coupé chaud légèrement humide, et on se laisse aller. Et ça tourne, ça tourne. C'est bien !

On imagine pas à quel point c'est difficile d'être lâche ! Bill, le lobby pro-Bill n'est pas là ! *Help* ! Ch'fais koi là ? Comme tu le sens, Juliette ! Je ferais mieux de fumer un tarpé en cachette, comme la mariée c't'après-midi, dis ! La vascularisation, hips, augmente, la circulation s'accélère (quand même après la dix millième coupe... de champagne) et entraîne un effet détoxifiant. Suis-je détoxifiée par rapport au mariage, euh, re-mariage ?

Parle pour toi, Banane ! Fleur, mariage jour de ce merveilleux...

Zapping Bill, il en prend des bains de foin, lui aussi au Texas ? Tant qu'à se marier autant le faire... avec un Américain, non ? Il m'attend de pied ferme en plus, qu'il a dit.

Lui, mon deuxième mari, ça y est, c'est décidé...

Le prince charmant m'enlève... au... se... cours... Oui, j'enterre ma vie de jeune fille ! Vite un strip-tease ! Non, le mariage comme promesse d'une autre vie ! Un mariage blanc alors ? Et si l'amour naissait dans les meules de foin ?

200

15

GRILL DE RENTRÉE

Je veux me marier ! Je n'en peux plus de ne pas avoir de mari. Je suis la seule, là, parmi toute cette foule de femmes, à la rentrée, à ne pas avoir de mari. Fini la liberté, le prince charmant, les dérapages, les escapades, je n'en veux plus.

Je craque. Il me faut du solide, du sérieux, de l'authentique. J'ai pleinement conscience de la vision sérielle du couple que l'on vit aujourd'hui : la succession de périodes où l'on est célibataire (moi depuis trois ans) et d'autres où l'on est en couple (moi, bientôt). C'est le moment de passer à l'action, je le sens.

« Vos rendez-vous de la rentrée », « Les nouveautés de la saison à découvrir », « La rentrée des classes », « La rentrée littéraire », « La rentrée tout court ». Tout est de rentrée. Même ma grille, et ça, c'est pas de la rigolade. Juste encore, avant de me plonger dans la masse de courrier et de courriels « de rentrée », un œil sur mon « horoscope de rentrée » ! Il dit quoi mon horoscope de rentrée ? « Du grand Dallas pour les Scorpion ». Eh bien, Juliette, te voilà prévenue !

Je suis arrivée à 9 h 30, ce matin, de bonne heure

pour un jour de reprise, et avant toute la petite bande. Histoire de reprendre le territoire déserté pendant dix jours. Va falloir mettre au placard les états d'âme personnels sur le mariage et autres distractions. C'est bon pour les vacances. Il faut reprendre pied, dans et avec la vie professionnelle, toute la vie professionnelle, rien que la vie professionnelle.

Non, encore un peu de vacances... quelques minutes... et j'arrête ! Une reprise en douceur, c'est mieux. Et parmi les mails de ces derniers jours à écluser, je traite les perso d'abord ! C'est plus urgent. Et ceux du bureau ensuite. C'est plus important !

Par qui je commence ? Et dans quel ordre ? Ancienneté, préférence ou alphabétique ? De la méthode ! Le plus simple : ordre alphabétique et je garde le meilleur pour la fin. Après, je me remets au boulot direct.

Par ordre alphabétique, B, comme Bill c'est après le A, comme Amélie. Ma copine, *first* donc, même si son mail date un peu (le 25 août) mais bon !

De : amelie@aol.com
À : juliette.beaumont@hotmail.com
Objet : RE : Help !!!

« XOXO » banane, ça veut dire « *hugs* (câlins) *and kisses* (bisous) ». Traduction : « Je t'aime beaucoup, je pense à toi souvent et j'ai envie de te serrer dans mes bras. » Ça te va ? Pars en vacances, tranquille et... sois sage ! Ciao bellissima.

Amélie.

Mail à retardement ! Toujours aussi romantique Amélie. Ah, les convertis ! Elle est plus américaine que Bill *himself*, ma copine de Nashville. Je suis partie sereine. Mais pour ce qui est d'avoir été sage... Bof, bof ! Après ma nuit inoubliable et préméditée avec Bill Wood dans la campagne florentine, au mariage de Fleur, je me suis égarée. D'accord. J'ai pris un bain de foin revitalisant mais c'était pour me détoxifier...

Ça a marché d'ailleurs. Je suis détoxifiée, maintenant. Je sais ce que je veux plus que jamais : du sérieux. Je suis prête. Prête à m'engager à nouveau avec un homme, prête à aller jusqu'au bout, prête à me remarier. Oui, je le veux. Et pourquoi pas avec Bill ? Mon Américain. Un conte de fées : « Juliette au pays des merveilles », ça sonne bien ! Le passage intempestif du prince charmant (fétu de paille, j'y pense même plus) m'a carrément ouvert les yeux. Grâce à ce petit écart, dont Bill ne saura rien bien sûr, j'ai compris. Et j'ai aussi senti que je m'éloignais de la béatification promise par mon acupuncteur ! Je ne vais pas me mettre à être infidèle à M. Ceccaldi, en plus, non ?

Vite, B, comme ? Quel délice de lire Mr Wood ! Il m'a écrit tout ça ! 5 Ko son mail ! *Incredible.* Il parle de notre « *unbelievable night* ». Il a été « *so amazing* ». C'était mieux que tout ce qu'il pouvait imaginer, l'Italie... Tous ces mots qui carillonnent ! Je ne me lasse pas de les lire. Et les relire. Fort, puissant son texte. Et cette tournure ! Ah, cet « *amazing* ». Ça sonne tellement bien. Au fait, ça veut dire quoi « *amazing* » dans ce contexte. Bonne ou mauvaise nuit ? Il est étonné ? Bluffé ? Ou effondré ? Amélie, *please* ? Non, pas à chaque échange. Je ne peux pas la consulter chaque fois qu'on respire, Bill et moi. Ça serait pire qu'avec Doudou ! Non, Juliette, ne stresse pas. Tu es une femme d'expérience, maintenant. Tu dois faire confiance à la vie, aux hommes, à un homme et à lui. Paf ! C'est que ça commence à prendre forme cette histoire. C'est vrai, il a renouvelé son invitation pour Beaumont. Il est content, réjoui, ravi, impatient, que sais-je, et il m'attend. Il m'attend ! Ah, le Texas...

Et moi, je flippe parce que je me dis que c'est dans trois semaines et que ça va vite arriver et que... Non, je ne pense pas à cela pour le moment. On est lundi matin 1er septembre et c'est la rentrée.

Je ferme mon mail perso, je répondrai plus tard à mes amis d'outre-Atlantique quand l'épreuve sera passée. Et je me concentre sur la rentrée de la chaîne. Le moment tant attendu, le test grandeur nature, *live*. La première diffusion de « Crazy Blondasse », c'est ce soir ! C'est là que tout se joue entre 20 heures et 22 heures. L'avenir de ma créature, de l'émission, d'Alban, de la chaîne, du câble, de l'univers et, plus modestement, du mien ! Tout arrive en même temps, bien sûr : l'amour et la gloire ! C'est comme ça la vie des stars !

Merci, Mme Beaumont, d'être présente parmi nous.

Alors, ce matin ? Massage à 11 heures ? Ah, oui... Massage, non pas aux pierres ça ne se fait plus, mais au bambou ? Waouh, c'est bien une reprise en douceur que j'avais prévue. Ça roule pour ce type de massage en ce moment. Neuf (bambous) d'un coup ! Roulements, affleurages à la main et au bambou pour la « double sensation ». Il paraît que c'est terrible... Plus fort que ceux de Gloria qui va s'en payer en Thaïlande des massages, la veinarde. Elle va revenir toute ferme et rajeunie, ma mère. Quant à moi, ça n'est pas raisonnable de commencer la journée par un massage même si ça déstresse, et 11 heures, c'est un peu tôt pour la détente ! Je reporte.

Ensuite, j'enchaîne avec M. Ceccaldi à midi. Eh oui, c'est notre heure, ça, midi. Qu'est-ce qu'il va pouvoir me sortir, à la rentrée, hein ? J'ai pas grossi, j'ai bien rempli mon carnet, j'ai lutté à coup « d'œuf dur quotidien » pour maintenir mon poids à cinquante-six kilos. J'ai même perdu (sans frais) un kilo, je suis à cinquante-cinq. Qui dit mieux ? J'aurai bientôt vingt ans, M. Ceccaldi, bientôt mon poids de mes vingt ans, grâce à vous ! Je garde.

13 heures : déjeuner avec... Marco ? Qu'est-ce qui m'a pris. Je suis au régime encore. On n'a rien de spécial à se dire ? J'annule ? Non, non, je veux qu'il me voie toute mince. Dès aujourd'hui ! Je vais frimer un peu. Resplendissante et tout juste vingt ans. Histoire qu'il me regrette un peu plus. Et il faut qu'il me donne des explications valables sur sa panne de Porsche. C'est vrai, il n'y a qu'à lui que cela arrive. Du coup, quel dommage, il n'a pas pu assister au mariage de Fleur, je vais le lui raconter, moi Juliette, la peste ! Je maintiens.

15 heures : café avec le prince charmant ? C'est quoi ça ? Ah oui, rendez-vous pris avant le mariage.

Je vais faire annuler par mon assistante dès son arrivée. Je n'ai pas envie de me taper une *quiet-party* avec lui, nous taire ensemble étant notre seul avenir. Ça risque de m'énerver. Ce n'est pas la peine de rajouter une occasion d'énervement à un méga stress, *today.* Gaëlle annule.

Et cet après-midi ? Je rentrerais volontiers faire une petite sieste à la maison. Non, je plaisante, vague souvenir de vacances !

À 16 heures : ah, là, enfin du sérieux. L'ultime rendez-vous de l'équipe et de la chaîne. Je vais retrouver Alban. Je ne l'ai pas revu depuis... début août. Tu parles, il ne m'a pas vraiment manqué, ni sa pédante assistante, comment déjà... Vanessa Cruella ! Il a intérêt à être bon ce soir M. Alban. Tout le monde nous attend au tournant. Nous, la petite chaîne qui grimpe, avec son émission phare « Crazy Blondasse » et son animateur vedette. Il joue gros. Hypocondriaque comme il est, il doit être dans un état. Liquéfié ! Sûr, c'est à lui d'assurer sur le plateau et en direct, faut dire ! Pour Juliette, c'est les coulisses. Contrairement à moi, lui, c'est pas le genre à s'organiser une journée dé-ten-dante en attendant l'heure fatidique. Et le verdict. Il ne faudrait pas qu'on se transforme, nous « Femmes 7 », en deux heures de temps, en « la petite chaîne qui se casse la figure », à cause de lui. Ça nous serait fatal. Une mauvaise audience au démarrage, et là... J'ose pas imaginer la presse demain matin. Même pas en cauchemar.

Car ce matin sur les ondes, ça y allait : « La nouveauté de la saison, à découvrir ce soir, lundi

206

1er septembre », et dans la revue de presse de ce matin, en pleine rubrique les rendez-vous de la rentrée, je lis : « Une grille rénovée, une émission plus proche de l'intimité, un nouveau présentateur pour "Crazy Blondasse" sur Femmes 7 », « le magazine hebdo d'Alban, venu de la radio, arrive », « chaque lundi, un magazine de la vie quotidienne, sexué, généraliste et pratique destiné aux femmes mais ouvert aux hommes », et encore, je cite : « Le nouveau magazine sera présenté par Alban S., et Crazy Blondasse est la créature à découvrir » ; et enfin, dans la presse spécialisée : « Le principe de l'émission : apporter à la fois l'expérience et le commentaire en faisant attention de bien séparer les deux : les spectateurs ont la parole via les séquences vidéo et les SMS en fin d'émission. » Châpô la prômô ! Que du dithyrambique ! Alors...

— Allô ?

— Chloé. Ma Chloé ! Justement, je pensais à toi (en fait, je pensais à me mettre au travail... peut-être). Je suis en plein boum (façon de parler). Toi aussi ! Oui, je vois. Alors, cette grossesse ?

Je refuse d'aborder le sujet télé avec elle comme avec Élisabeth. Sinon, c'est sans cesse des questions sur Alban. Et comment il est dans la vie ? Comment il s'habille ? Qu'est-ce qu'il mange ? Est-ce qu'il est sympa ? Et il doit avoir tellement de filles à ses pieds (si elles savaient... les pauvres !) ? Et toi, pourquoi tu ne passes jamais à l'écran ? Je leur ai expliqué douze fois que chacun son rôle. Mais rien n'y fait : le côté paillettes de la télé les fascine mes copines !

Du coup, Chloé ne m'a parlé que de tricot ! Rien de

mieux pour se détendre (tiens, je pourrais tricoter un pull à Alban, pour ce soir, avec mes aiguilles du 20, j'ai le temps !). Elle a d'ailleurs décidé d'organiser chez elle des « soirées tricot ». Et elle m'invite à celle de ce soir. En serais-je ? C'est ça ma belle. C'est de la maille, comme dirait Élise. Non, maille ça veut dire « fric ». C'est de la balle, pardon ! Et Chloé de me faire l'éloge de la laine : tricoter ensemble, ça crée des liens. Une nouvelle passion (une thérapie oui !). C'est idéal pour les femmes en pleine dépression de s'occuper les mains, pendant ce temps l'esprit est en veille ! Le plaisir de tricoter, elle découvre. Comme à Hollywood. Et à New York aussi ! Toutes les stars, de Julia Roberts à Britney Spears, s'y sont mises. En deux soirées, elle a fait une demi-manche d'une brassière de naissance en point mousse. Formidable ! Continue Chloé, t'es sur la bonne voie. Les chaussons assortis, c'est pour après-demain, alors ? Demande à Élisabeth, je crois que c'est une pro. Car moi, avec ma Crazy Blondasse, tu sais, ce n'est pas tout à fait le bon moment ! Peut-être un peu plus tard dans l'hiver, si tout va bien.

Et c'est pas tout : Chloé en plus de la layette, elle retourne à l'école ! À l'école des femmes : couture, gâteaux (cours de pâtisserie à base de crème fouettée), bouquets (c'est là où elle s'épanouit le plus, en classe de fleurs). Secrètement, comme toute femme, elle en a toujours rêvé notre délurée de Chloé : exceller dans le rôle de maîtresse de maison modèle. J'ai écouté avec étonnement. Je crois qu'elle est fragile en ce moment la future maman. Alors je l'ai ménagée et j'ai raccroché en douceur.

C'est vraiment difficile de reprendre. Je viens d'apercevoir mon assistante subrepticement arrivée à son bureau. Je vais lui proposer un petit café pour savoir où en sont les derniers potins et surtout faire le point sur les affaires. D'abord, prendre des nouvelles de son dentiste. A-t-il passé l'été ? Où en est le traitement ? La vie, quoi, et hop, immédiatement derrière enchaîner sur le boulot : les mails, les appels, les problèmes...

Sitôt franchie la porte de son bureau, contrairement à d'habitude, j'ai eu l'impression de déranger. Je la sentais fuyante, Gaëlle. Elle a rougi en plus. J'ai quand même tenté une allusion sur l'état des travaux dentaires. Elle a répondu, expéditive, que c'était fini avant d'avoir commencé, qu'il ne s'était aperçu de rien malgré ses regards énamourés, et qu'elle avait compris qu'il n'y avait rien à comprendre et rien à faire avec ce mec. Comme avec les autres, d'ailleurs.

— Et vous êtes sur quel dossier en ce moment, Gaëlle ? ai-je dit en m'approchant Vous pouvez me sortir les derniers mails de la direction ?

Très fière, elle m'a immédiatement tendu ce qu'elle venait d'imprimer. Deux pages. Là, dès le premier coup d'œil, j'étais sciée ! Ah, ça fait plaisir de rentrer de vacances. On retrouve son personnel motivé, concerné. Dès que la Régente a le dos tourné, les assistantes s'en donnent à cœur joie. Il va falloir reprendre tout cela en main, ma petite. J'ai demandé quelques explications et j'ai eu le droit aux... « *Fuckerware*

209

party » ! C'est nouveau et ça vient des États-Unis. Encore une qui s'entendrait à merveille avec Amélie !

Vanessa et elle, Gaëlle, respectivement assistantes d'Alban S. et de Juliette B., ont organisé chez elle des réunions entre femmes, style Tupperware, pour « des produits uniquement réservés aux femmes ». Le tout par mail. Et là je lis l'invitation à la prochaine soirée. On y trouvera : sensations, love-vibrations, émotions, feelings, préliminaires stimulants, nouvelles positions excitantes et redécouverte du connu pour titiller la curiosité. Elles ont l'intention d'ouvrir un féminitim-shop au bureau ou quoi ? Bravo ! Tout un programme. Et vive Internet. À surveiller, ces deux souris-là. Pire que les enfants, les jeunes assistantes d'aujourd'hui. Élise et Arthur sont plus sages, eux, avec leur ordinateur dont ils font bon usage. À vérifier discrètement ce soir par la même occasion... !

Se fâcher et remettre de l'ordre à la chaîne dès le matin, cela m'épuise. Un petit remontant, s'il vous plaît.

— Un double expresso serré dans mon bureau, *please*, Gaëlle. On oublie cette histoire. Vous faites cela de chez vous si vous voulez. Votre vie sexuelle, avec ou sans votre dentiste, ne regarde que vous, compris ?

End of story. Et maintenant au travail.

Tu parles, il est déjà 11 h 45. Je dois filer (en douce) chez mon acupuncteur préféré. Ah, retrouver la Corse, encore un petit arrière-goût de vacances devant moi !

Il était moyen aimable, M. Ceccaldi. Et d'un stressé ! S'il est dans un tel état dès le premier jour de sa rentrée à lui après plus d'un mois de repos, il ne va pas passer l'hiver. Va nous faire a *nervous breakdown*. Il devrait se piquer lui aussi. Il a d'abord regardé mon carnet, jour après jour, repas après repas, gramme après gramme, tout souligné et enfin encadré les poids successifs avec son stylo rouge. Résultat de l'inspection ? RAS ! Rien à dire du côté de la prise de poids. Elle a la ligne votre cliente. Quelle volonté, hein ? Elle a bien tenu le coup la Juliette. Déçu, M. Ceccaldi ? La *cash-machine* à euros ne va pas repartir aussi sec que prévu. Va falloir aménager. Après une seconde lecture plus attentive, détaillant les trois repas/jour pendant un mois, intrigué, il m'a interrogée :

— Mais vous mangez toujours la même chose, surtout en légumes. Vous ne connaissez que la salade et les haricots verts ? C'est pas folichon. Y a d'autres légumes tout de même. Surtout l'été. Vous devez vous lasser. Salade midi, haricots verts le soir ou l'inverse. Pourquoi vous faites ça ?

Je l'ai regardé à mon tour un peu étonnée, légèrement courroucée, pensant qu'il se foutait de moi.

— Mais vous m'avez dit « deux cents grammes de légumes verts par repas ». Alors j'ai mangé des légumes verts. Et j'ai fait simple.

— Oui mais, vous avez aussi les tomates, les courgettes, les aubergines, les carottes, toutes sortes de légumes, tout de même, madame.

— Mais vous m'aviez dit « verts » les légumes. Les tomates c'est rouge. Les carottes, c'est orange ! C'est pas vert tout ça.

Là, il a é-cla-té de rire M. Ceccaldi. Pour la première fois, j'ai réussi à le dérider et le faire se tordre de rire. Quel bonheur ! Il n'arrivait plus à articuler. « Légumes verts », ça voulait pas dire de couleur verte mais « non féculents » ! Merci du quiproquo. Si j'avais su je me serais gavée ! Sourire aux lèvres, il m'a raccompagnée jusqu'à la porte tout guilleret. Sa salle d'attente était toujours aussi pleine. Mais, étonnement, il n'y avait que des hommes ! Zont pris du poids cet été les Zom. L'été indien risque d'être chaud... Juliette ? On ne regarde pas les autres messieurs quand on pense au remariage !

Tout cela m'a mise de bonne humeur pour mon déjeuner au muranoresort.com. Rendez-vous fixé dans un endroit des plus branchés de la capitale. Tout Marco, ça. Un hôtel en plus ? Non, on ne dit plus hôtel mais « *urban resort* ». J'espère qu'il n'y a pas une intention déplacée derrière le choix de ce lieu. J'ai du boulot, moi, monsieur, et quand c'est fini, c'est fini ! Il ne m'a pas vue depuis longtemps, Marco. Ma nouvelle silhouette va lui faire un choc !

Il arrive avec des béquilles ! Tout claudicant dans un ramdam, le journal dépassant de la poche du pantalon. Moyen, son allure à lui. Un accident de Porsche ? Rien à voir : une simple entorse au tennis. Faut pas forcer Marco, tu sais à ton âge (50-2 !)... C'est qui qui conduit le bolide alors ?!

Il a tout de suite remarqué que j'avais minci (fondu comme m'a dit Gaëlle ce matin), je l'ai vu dans son regard, mais il a prétendu que non, ça ne se voyait pas mes sept kilos en moins. C'est pas grave, tu vas pas être déçu mon Marco ! Parce que même si je continue à maigrir, je mange quatre fois plus que les autres. Une vraie ogresse en quantité ! Il a pu vérifier sur place. Si lui n'a pris qu'une salade Caesar, moi, j'ai enchaîné : une tranche de tête de veau aux cerises ratatinées, une aubergine laquée au citron vert, un carré d'agneau brûlé au yaourt, un aigrelet de laitages et, tout en douceur, une pêche laquée vanillée. Puisque j'ai le feu vert... pour la couleur !

Cinq plats et deux cafés serrés. Je suis en pleine période de stabilisation. Plus jamais, M. Ceccaldi me l'a dit, je ne reprendrai une vie normale, à base de salade et verre de vin, comme toi, Marco. Je l'ai remercié pour ce frugal repas, mon ex !

— Prends-en de la graine, j'ai ajouté, car si moi je n'ai pas changé, je trouve par contre que toi, t'as pris du volume et que ça se voit. Les béquilles, j'espère ?

Après, je me suis sentie en pleine forme pour retourner à la chaîne, histoire d'attaquer l'après-midi en attendant le prime time. Gaëlle avait bien annulé le café avec le prince charmant qui rappellera plus tard. Bien.

15 heures : Vanessa patiente au studio. Je vais juste passer la saluer. Un peu tôt encore pour parler boutique. Je préfère attendre l'arrivée d'Alain. Et d'Alban aussi. Ça s'agite sec, ici. Je ne vois pas pourquoi puisque tout est en boîte depuis des semaines. Et on ne saura rien avant 20 heures. Alors, l'idée de se réunir tous ensemble pour stresser dans une salle en commun, pas terrible. Je préférerais, je ne sais pas moi, tricoter un peu ou consulter le site

féminin préféré de Gaëlle ! Vanessa a failli ne pas me reconnaître quand je suis entrée dans la pièce. Elle m'a trouvée tellement mieux elle aussi. Incroyable, ça a marché ce régime pomme verte/eau transparente ! Elle n'aurait pas parié car généralement on fait un régime, on tient un mois, et hop ça repart de plus belle : plus dix kilos. Pas moi, Vanessa, pas moi. C'est mal me connaître. Elle m'a félicitée, limite passage pommade (elle ne lâche pas l'affaire et pense qu'un jour je vais céder sur sa présence, à côté d'Alban, sur le plateau de « Crazy Blondasse »). Elle, par contre, elle a pris des fesses, j'ai trouvé ! Là, juste en dessous, ça me paraît un peu mou. Je ne me suis pas privée de le lui dire... Elle est jalouse. Complètement jalou-zeu ! Et alors, en plus, à la vue de mes derniers bijoux de sacs, mes « Prada-tricks », j'ai senti dans son regard son énorme côté envieux. Jalouz et envieuz de la Régente, Cruella, ça ne se fait pas. La femme est une louve pour la femme. C'est ça l'ambiance à la télé. Cool !

Gaëlle nous a interrompues dans notre duel visuel. Un appel urgent pour moi. Désolée. Je me suis éclipsée, ravie. Élisabeth ! Elle nous fait quoi en ce grand jour de rentrée en attendant de se scotcher devant sa télé à 20 heures pétantes ma copine ? Elle est au salon du... mieux-être ! « Rentrez zen » ça s'appelle. Elle me propose de la rejoindre, sachant que Chloé arrive dans vingt minutes. Avant j'en avais qu'une de fan de salons en tous genres. Maintenant, elles sont deux, et ce sont mes deux meilleures copines. Au secours ! J'ai cru entendre des expressions comme : « grâce à une harmonisation avec l'énergie de l'automne, on est mieux dans sa tête, mieux dans son corps », et dans trois quarts d'heure, il y a l'atelier « la vie en face, où l'on démontre qu'être heureux ça n'est pas nécessairement confortable ». Je rêve ! C'est sûr, elles se sont trouvées. Et aussi ? « Affronter le réel ». Ah, ça leur va bien, ça ! Continuez, les filles, mais sans moi : je bosse. Et finalement, je préfère.

C'est dur la reprise, y a pas ! En feuilletant le « *Elle* spécial rentrée », j'ai repéré un test à faire : « Êtes-vous vraiment rentrée ? » Justement, je me le demande. Revenue de vacances, c'est clair, je le suis. Mais dans ma tête, il y a encore un paréo qui flotte. Et mon entourage proche ne m'aide pas à le ranger au placard, mon paréo fleuri. Alors ? Où en suis-je ? De retour, au maximum de ma radieuse féminité ouverte sur la vie à l'aube d'une saison nouvelle ? Ou à la ramasse, au maximum de cette agitation désordonnée qui caractérise la fin de la période estivale. Je penche pour la deuxième proposition.

Je vais le faire ce test.

Je l'ai fait ce test.

Résultat : « Vous n'êtes pas rentrée du tout ! (*Personne ici ne doit s'en apercevoir.*) Votre tête et votre cœur sont restés ailleurs. Vous êtes complètement déphasée. (*C'est rien de le dire.*) Vous n'avez pas la moindre petite idée de ce qui se passe en ce moment dans le monde ni dans votre travail. Mais derrière cette pagaille apparente, vous savez au fond que, comme tous les ans, dans quinze jours, la rentrée sera derrière vous ! »

Pas faux !

215

Un peu de stress, Juliette. Du stress, du stress, du bon stress.

18 heures : on y vient, ça arrive. Alain est en retard, très en retard. Pris dans les embouteillages, il a encore un rendez-vous urgent à honorer à l'extérieur. Annulée la réunion de 18 heures qui ne servait à rien d'ailleurs. C'est aussi bien. Plus que deux heures à tuer. *Too late* pour se mettre au boulot aujourd'hui. Qu'est-ce que ça a filé mine de rien ! Y a plus qu'à attendre maintenant.

20 heures. *Yes !* Tout le monde est devant notre mur d'écrans dans le bureau du patron. Champagne au frais ? Non, ça porte malheur... Pendant l'émission, c'est l'émission.

Et après l'émission ? Ça été... la déception : des chiffres d'audience en demi-teinte. Ambiance lourde, têtes défaites, visages pâles, mines en berne, cernes creusés, neurones abattus. Silence de mort. Après l'abattement, ce fut la panique : que s'est-il passé ? Qui est responsable ?

Soirée pénible en vue. Heureusement, grâce à l'analyse instantanée du conducteur de l'émission, seconde par seconde, face aux chiffres d'audience, le suspens n'a pas duré. On a tout de suite trouvé deux choses :

— un, pendant mon absence, Alban et son équipe – Vanessa en tête –, contre toute attente et sans me consulter – énorme faute professionnelle –, ont pris une initiative tellement malheureuse : rajouter un micro-trottoir, vulgaire à souhait, qui tue une partie de l'esprit de Crazy Blondasse. Indéfendable. Nous, on fait du plateau, pas de télé de situation, du plateau pas de la télé du réel, pas une émission en extérieur. On est dans l'interview, pas dans la conversation. Ce rajout inopiné a fait des ravages dans le décrochage du public. C'est inadmissible.

— deux, les SMS n'ont pas défilé du tout à l'écran et l'interactivité annoncée zappée ! Manque de coordination entre la régie et le plateau. La cata. C'est technique.

Cela dit, dès le départ on savait qu'il fallait laisser l'émission s'installer. Les téléspectatrices, hommes et femmes, ont dû être surpris par le ton novateur et décontracté de « Crazy Blondasse ». C'est normal.

Je préfère passer sur ma fureur. Et la colère d'Alain : valable pour tout le monde, moi compris pour une fois. Et il avait raison. J'ai lancé à Alban que si c'était pour faire comme la concurrence, y avait qu'à vendre « du temps de cerveau disponible pour la publicité des produits des annonceurs », et éviter de se creuser la tête à « Femmes 7 » pour être créatif et tenter de renouveler les concepts. Il était rouge, bouffi de chaleur, il n'arrivait même plus à parler. J'ai même cru qu'il allait en venir aux mains.

Le patron soucieux du maintien de l'unité de ses troupes est intervenu : il a tempéré ses propos mais a immédiatement décidé de lancer un audit d'audience sur les trois prochaines émissions avant de se prononcer sur les responsabilités des uns et des autres et de trancher. Et il a demandé la suppression de cette foutue séquence pour les autres diff de la semaine. Il en a profité pour rappeler que notre cible, à tous ici à la chaîne, était les femmes de 35 à 45 ans et non les hommes de 45 ans et plus, comme ce fut apparemment le cas aujourd'hui. Grâce à l'audit, Alain y verra plus clair, aura le recul nécessaire et le moment venu avisera.

Je suis ressortie lessivée de cette bagarre à minuit après une longue journée d'attente et de stress... Que du dithyrambique, j'avais cru. Demain matin, la presse ne va pas nous rater : « L'émission tant attendue déçoit, elle ne s'est pas installée hier soir comme prévu » ; et on ne va pas couper au « Alban S. menacé d'hécatombe », ni à « Femmes 7, la petit chaîne qui coule » ! L'horreur, quoi. Et la direction de la chaîne s'empressera de répondre : « Laissez-nous un peu de temps, les épisodes les plus pêchus sont à venir. » Tout ce qu'on voulait éviter. Bravo l'équipe de branquignols ! Je suis déçue, déçue. Pourtant le défi de construire une émission de quatre-vingt-dix minutes avec une créature inconnue, ma Crazy Blondasse, a bien été relevé, non ?

Au bord des larmes, à pas d'heure, sur le chemin du retour à la maison, le long des quais, j'ai eu une idée. Demain, au réveil, je vais convoquer un rassemblement éclair (on dit *flash-mob*) organisé de mon téléfonino via le web et par texto. Pour tout le monde, rendez-vous au pied de « Femmes 7 » ! Histoire de détourner l'attention : comme ça on parlera de nous mais autrement ! Joli succès médiatique en vue...

Car au fond, que ce soit en bien ou en mal, l'essentiel c'est qu'on parle de nous, comme dirait un vieil ami à moi !

16

FAN DE MÉNAGE

Ce n'est pas tous les jours Gucci !

Je n'en suis pas encore revenue... ! Cette semaine, juste après la rentrée des classes qui n'est pas une mince affaire à gérer avec deux ados, je me suis décidée à faire quelques achats... « de rentrée », rien que pour moi. Cool ! Juliette fait des emplettes. La mode en ce moment : le néo-bcbg à la Bernie. Toutes premières dames de France. Pas franchement mon genre. Moi, je cherchais une sorte de bas de jogging seyant pour traîner le week-end, avec des rayures sur le côté. Adidas ou Gucci ? Adidas, je connaissais. Élise en a un. Gucci, non, juste repéré dans *Madame Figaro*. Ça ne coûte rien d'essayer. Alors, j'y suis allée. Avenue Rabelais direct. Pas première mais grande dame ! Magnifique. Surtout le blanc, transparent, rayure jaune gansée de noir. Exactement ce que j'imaginais. D'un chic. Mais pas de chance, pas à ma taille. Trop large. Ça m'apprendra à maigrir. Merci M. Ceccaldi, pour moi, Gucci, c'est fini ! Dommage (ah ! 520 euros tout de même, que des économies). « On peut en faire venir un à votre taille de la boutique de Cannes, madame. Repassez demain », m'a suavement susurré la vendeuse. D'accord, je repasse demain, pas de problème (une nuit de réflexion de gagnée).

Le lendemain, pas de chance, j'avais un rendez-vous professionnel, juste en face de la boutique de criminelles. Et cinq minutes d'avance. Tentant. Avant de renoncer et de filer chez Adidas, je vais essayer « la » pièce à ma taille, juste pour vérifier que le 34 de chez Gucci me va à merveille. Déjà une satisfaction. Un jour, peut-être, je pourrai me payer un pantalon de chez eux, quand je serai riche. Retralala, regrande dame. Toujours aussi magnifique le pantalon de jogging ! Mais le 34, même venu de Cannes, était encore trop large. À désespérer. Juliette t'as trop fondu. Là, j'ai fait la fille agacée. Vraiment. C'est vrai, quoi, je ne suis pas particulièrement mal foutue, ni squelettique, alors qu'est-ce que c'est que cette coupe ? Inadmissible pour un couturier italien. Il n'y a que les obèses qui s'habillent ici ou quoi ? La responsable en chef, ennuyée à souhait, pour se montrer aimable m'a proposé une retouche sur mesure pour le lendemain, gratuite, et sans engagement de ma part, bien sûr. « Repassez demain, vous essayez et là vous déciderez. » Tout vu ma belle : cinq cents euros restent cinq cents euros. Et moi, j'ai pas !

Le lendemain du lendemain donc (trois jours sur cette affaire, ça commençait à me prendre la tête, j'y pensais jour et nuit), re-rendez-vous professionnel en face (des pousse-au-crime, eux aussi). Trop bête. Encore en avance, dix minutes, cette fois. Irrésistible. Je me gare, je fonce direct à l'étage, la responsable pas là, la vendeuse désolée, moi déshabillée dans la cabine d'essayage, la retouche retrouvée. « Madame, il vous va à ravir. On dirait qu'il a été fait pour vous. Il tombe... à merveille. C'est parfait sur vous. » Vite mon rendez-vous, j'ai pas le temps, vite, je me rhabille. Je redescends les escaliers quatre à quatre. Ça tournait dans ma tête à toute allure. Pas le temps, la voiture mal garée, cinq cents euros tout de même, mais bon, moi je bosse, pour une fois, cinq cents euros de plus ou de moins, y a que mon banquier qui le verra, personne ne saura, personne et surtout pas Élise, ni Chloé, ni Élisabeth. Coupable, je suis coupable de luxure. Au pire, je suis délestée de cinq cents euros. J'ai failli glisser sur leur moquette-tapis rouge. D'un discret comme cliente. Et Bill, au Texas, me verra si belle avec ce jogging un peu dérivé des produits américains, le chic italien en plus, porté par une Française : tout pour plaire. J'étais arrivée à la caisse, la carte de crédit machinalement à la main, posée sur le comptoir, face aux deux jeunes pimbêches vêtues Gucci des pieds à la tête, elles.

Je me suis entendue leur dire, moi, Juliette B. :

— Combien je vous dois ?

Je les ai entendues me répondre à moi, Juliette B., consciente d'être au bord de commettre un crime de consommatrice compulsive :

— Rien, Madame, c'est réglé !

Je me suis entendue insister et vue tendre à nouveau ma carte de crédit, plus hésitante cette fois, à la deuxième vendeuse caissière qui a confirmé, limite agacée :

— C'est déjà réglé. Madame.

Comme si c'était évident !

Alors dès cet instant, mes neurones ont pris le relais, à toute allure, et mon cerveau m'a ordonné : « Juliette maintenant, ça suffit, assez parlé, on te dit pour la deuxième fois que c'est réglé, c'est que c'est réglé, tu ne poses plus de question, tu ranges ta carte de crédit dans ton portefeuille illico, tu arraches le paquet à la dame, tu la remercies gentiment, tu descends les trois marches restantes sans te casser la figure, tu rases les vitrines sans jeter un œil jusqu'à la sortie, tu continues à la boucler encore, encore et encore, et tu files. Une fois sortie, tu prends tes jambes à ton cou et tu cours, tu cours jusqu'à ce que tu te retrouves assise dans ta bagnole. Et là, une fois enfermée à clé seule à l'intérieur, tu peux hurler, crier, pleurer, rire aux éclats, enfiler ton jogging sur la tête ou faire ce que tu veux. »

Merci, merci. Je n'ai pas réfléchi, je n'ai pas décidé. On a décidé pour moi. C'est un cadeau du ciel et cela ne se refuse pas.

J'ai pas vraiment compris et pas franchement cherché à comprendre. J'ai juste sondé par téléphone deux ou trois prétendants susceptibles d'avoir les moyens de m'offrir une si belle pièce sans broncher. Mais non, rien. Personne pour m'aider. Pas facile, d'autant plus que, pendant ces trois jours, je m'étais bien gardée de dire quoi que ce soit à qui que ce soit, fautive comme je me sentais. Alors ? Mystère. Un miracle, comme il en arrive quelquefois dans la vie. Et pourquoi pas à moi, hein ?

Je préfère ne pas percer le secret !

Ça c'était hier. Mais aujourd'hui c'est aujourd'hui, et, à Monoprix, j'ai eu beau attendre, rien. Les courses de la semaine, j'ai dû les payer ! Comme avant !

Un malheur n'arrivant jamais seul, Gaëlle, mon assistante zélée, m'a téléphoné pour me confirmer l'appel des Philippines que je pressentais : désormais chez moi, je suis seule face au ménage. Seymour, mon homme de ménage, me lâche. Il reste dans son pays pour « raisons familiales » jusqu'à... Il ne sait pas. Tu parles. Soit il a trouvé une Gloria européenne et il tente sa chance, soit il en a trop marre de nous. Je penche pour la deuxième solution. Moi, ça allait encore, mais les enfants, non. La dernière d'Élise avant les vacances a dû l'achever : elle l'avait enfermé dans l'appartement, en partant au lycée à la bourre comme toujours. Alors en attendant le retour d'Arthur (qui le surnommait aimablement « Sulku », va savoir pourquoi, mais ça le faisait bien rire lui et ses potes), sur le coup de 17 heures, Seymour-Sulku avait eu le temps et de frotter et de flipper. Il en avait été tout retourné, ses appels téléphoniques au secours n'ayant rien donné. À tel point qu'il a dû décider de ne pas revenir. Il va pouvoir balayer la pluie là-bas, oui... Son grand truc, ça, le balai et la poussière. Et qui c'est qui va s'y coller dès cet après-midi ? C'est Juliette. La poussière, je n'en fais pas une obsession ! Le repassage non plus, ça ne me brûle pas. C'est Arthur qui a une passion pour le fer. Élise, elle, rien ne l'intéresse dans le ménage : zéro ardeur. Ma vraie frénésie à moi, c'est le rangement.

Prise au dépourvu comme je le suis, je n'ai pas

vraiment le choix. Crazy Blondasse comprendra ! En attendant que je trouve le temps de recruter une femme de ménage que je veux femme, cette fois, et si possible marocaine, comme ça je pourrai aller en vacances chez elle, dans son palais, à Marrakech. C'est très tendance... Top chic, même. Mais pour l'instant, c'est « commando dégraissage », car moi, « le ménage, je m'en lave les mains », j'y arrive pas. Je ne peux pas laisser les choses en plan. C'est comme ça. Oui, l'héritage spirituel de Gloria pèse... Avec une mère maniaque d'entretien et de rangement, j'ai eu beau lutter contre l'hérédité, je dois nettoyer et mettre de l'ordre. C'est plus fort que moi.

Au moment de mon divorce, c'est vrai, je me suis un peu laissée aller. Normal, le ménage avait disparu ! La cassure du couple, c'est connu, entraîne un changement dans le mécanisme : il se brise. Après le divorce, la reprise d'une nouvelle vie crée du sens et de l'élan. Et hop, c'est reparti pour la danse des objets !

Ces questions de sciences ménagères sont très d'actualité en France et ailleurs. Va falloir que j'y songe pour « Crazy Blondasse ». Une émission rien que sur le sujet. Alors là, question audience auprès de la ménagère tous âges confondus, je ne vous dis pas le carton ! Plus besoin d'audit, Alban ! On clouerait le bec à tout le monde... et ça nous détendrait, car ces jours-ci à la chaîne, c'est plutôt ambiance « Cour des comptes » et contrôle à tout va. Pas vraiment fun. Le ménage à « Femmes 7 », ça sera pour après !

Accroche-toi, Juliette, accroche-toi, et dans quinze jours, c'est l'Amérique !

Le débat ménager passionne. C'est vrai ! Suite au tabac d'un livre sorti au Royaume-Uni, sur le thème : « Comment trouver le bonheur dans les tâches ménagères ? » Et la réponse est : il suffit de les accomplir avec... classe ! *So british* cette façon de voir les choses, *isn'it* ?

Pour moi, cet après-midi, c'est tout vu. Mieux que la classe, le panache ! Moi, messieurs-dames, je le fais en Gucci. Toute simple la Beaumont en attendant le Texas ! Ah chez le couturier de l'avenue Montaigne, ils n'en reviendraient pas de savoir que leur cadeau de don du ciel, il sert à passer le balai !

Et pour réussir son ménage, cette auteure anglaise ajoute : « Il faut mettre une musique d'ambiance, boire un thé fumé (oui, le thé vert, c'est fini pour moi. J'ai fait une allergie, euh une indigestion. Et désormais, même un mec au thé vert j'en voudrais pas !), avec des biscuits au milieu des tâches, et prendre un bon bain de détente à la fin. *And, at last*, s'installer dans le canapé et contempler "l'œuvre" : l'appartement tout propre, tout embaumé, et la prestation digne d'un grand hôtel, c'est moi. »

Et là ça marche, c'est le bonheur ! Elle conseille aussi de se repasser le DVD de Cendrillon, pendant le repassage, par exemple. Mais je confirme le repassage, c'est pas mon truc, Cendrillon non plus, d'ailleurs ! Par contre c'était l'obsession de l'ex-belle-mère : ah ! les plis de pantalon du costume de son fils adoré ! Et pour le reste, une accro (une tarée, oui, bien pire que ma propre mère !) du scotch-brite triple action et des poudres bi-javellisantes. La lingette jetable, connaissait pas. Trop cher. Tout à la main. Moi, c'est plutôt gel sans frotter et lingettes jetables, grattantes, lavantes, cirantes, moussantes odorantes à gogo, et j'en jette un max !

Je me moque des deux grand-mères, mais quand je m'y mets, question ménage, ce n'est pas triste. Moins j'ai de temps, plus j'en fais, moins je peux m'arrêter. Je me sens entrer dans la danse du propre, je suis prise dans le mouvement, j'ai la mécanique qui tourne à plein régime. Un vrai bulldozer. Le stress du ménage, en fait, j'adore. Ça me tonifie. Le rythme devient fou et mon corps a parfois du mal à suivre. Ralentir et me replonger dans la détente est impossible. Le plaisir de vaincre est plus fort. C'est un combat que je livre. Je me bats pour que nous, le bloc d'amour, on vive dans le propre, le net. Je ne suis plus moi-même : je veux triompher pour ceux que j'aime.

En réalité, j'ai tout faux. Les enfants détestent me voir dans cet état de ménage à tout crin. Au début, ils se marrent, me traitent de dangereuse détraquée, puis rapidement ça se gâte et verbalement ça fuse. Surtout avec Élise. Elle ne supporte pas. Miroir déformant ?

— Toujours une éponge à la main ! Tu rentres du boulot et qu'est-ce que tu fais, Maman, alors qu'on a un homme de ménage, tu passes l'éponge dans ta cuisine au lieu de nous dire bonsoir.

— Mon évier n'est pas autonettoyant, ma poubelle ne s'autodétruit pas toutes les cinq minutes, mon homme de ménage n'est pas là tous les jours, alors je mets la main à l'éponge.

— Oui, c'est ça. Reconnais que pour toi, les objets c'est plus important que les personnes. Tu préfères ton éponge puante à nous. Tu te rends compte ce que c'est de te voir dans cet état tous les soirs. C'est chiant à la fin.

Elle est comme enragée. Je lui explique chaque fois que ça me détend de passer l'éponge quand je rentre du boulot, après une journée de concentration, que j'ai besoin de me défouler, elle hurle à la maniaque grave.

— T'es malade. Ça serait sale, oui, mais s'acharner sur une éponge dans une cuisine propre, je rêve ! Et après, au lieu de t'asseoir avec nous, tu te précipites dans le salon comme une folle, à replacer les objets, tes chouchous...

Alors je surenchéris, provocante :

— Tu as raison ma chérie, l'avantage des objets sur les personnes, c'est qu'ils sont immobiles (*je leur donne le trajet que je veux*), silencieux (*ils ne téléphonent pas à leurs copains 24 h/24*), discrets (*même s'ils jouent un rôle de premier plan, dans ma vie, comme tu le prétends*), et ils ne me fatiguent pas, eux. Bref, tout ce que j'aime.

Et là ça dégénère.

— T'as vu l'énergie que t'y mets. T'es pas normale comme mère. Je suis la seule à en avoir une comme ça.

— C'est l'élan. Élise. Au contraire tu devrais être fière d'avoir « une mère comme ça ». Pour l'instant, tu ne connais pas, mais tu verras plus tard, fanatique de ménage tu seras, comme Gloria et moi... ! C'est hé-ré-di-taire, ma chérie !

— La famille, notre bien-être, tu parles. Un prétexte pour exercer ta maniaquerie, oui !

La jeune fille de la maison affirme être là, heureusement, pour enrayer mes débordements majeurs sur le terrain : calmer ma fougue rangeuse. Arthur, lui, reste en dehors de cette bataille, perplexe. Une histoire entre femmes !

Devant tant d'efforts, prodigués avec amour, pour des enfants peu reconnaissants, la mère protectrice, quand elle délègue à un homme ou une femme de ménage, devient la donneuse d'ordres qui persécute l'employé(e) de maison. Celle qui se trompe de siècle, quoi ! et s'entend dire : « l'esclavage, c'est fini ».

Ja-mais-cont-ents-les-zen-fants !

Moi est-ce que je leur reproche leur façon de déranger ? Oui ! Alors, où est le problème ? J'suis une mère trop normale, oui ! Et d'abord, c'est quoi cette quête du normal, hein ?

Dans la voiture, j'étais pressée d'arriver à la maison pour mon combat dans la jungle des choses, des objets, des trucs, des machins et des machines et la pratique active de la « science ménagère » en solitaire ! J'me gare, je passe la porte, je pose mes affaires en attendant la livraison des courses (deux heures devant moi), je mets le CD *Amor, Amor* d'Ariel D., spécialement la chanson 7 « Rhum and Coca-cola ». Top pour passer l'aspirateur en rythme. Ça l'fait grave (elle ne serait pas contente, Ariel, si elle savait !). Et là, je lève le nez.

Mon arrivée intempestive et inattendue, chez moi alors que je suis censée être en « ville » en train de gagner notre croûte jusqu'à 20 heures, a été instructive sur le mode de vie des enfants du désordre.

Ça a dû être « tripant » leur début d'après-midi de cours à Élise et Charles. Pris en flag de p'tit couple qui s'adooooore... *In the boxon* : l'appartement entier, à partir du couloir menant à la chambre d'Élise (pour une fois la mienne a été épargnée, merci) jusqu'à celle d'Arthur, était jonché de fringues, caleçons et strings en tous genres, balancés un à un comme pour tout déshabillage en règle dans les superproductions hollywoodiennes les plus glamour, champagne compris. Je passe sur l'odeur d'encens à vous faire tourner la tête de toute une bande de hippies dignes des pires sittings à Woodstock, dans les 68's.

Le p'tit couple a surgi de la chambre en question, hagard et nu. C'est qui ? C'est moi, mes chéris, votre Maman... C'est quoi ce delbor ? C'est l'aspirateur poussé par votre Maman ! *Yes !*

Une fois rhabillés dare-dare, cela m'a donné l'occasion de les prendre entre quatre zyeux, le petit couple ! D'habitude, soit ils dorment, soit ils sortent. Là, ils avaient tout leur temps, pour discuter et pour ranger ! Au passage, j'ai eu le loisir de découvrir le vrai look de Charles : au mariage de Fleur, je n'avais pas vraiment fait attention. Là, j'ai vu. Les piercings dans les sourcils et dans les oreilles, rien que quatre délicatement alignés, la crête sur la tête et les bracelets-chaînes aux poignets. Charmant, M. de Granville.

J'ai dressé la liste des griefs de la mère « normale » à l'encontre de sa fille au comportement de « peste » et pas de négociation possible :

— la chambre, à nettoyer après chaque après-midi de « révision de cours ensemble à la maison », y compris le plateau de « bouffe » et les sacs de chez Lina's éventrés sous le lit, sans compter les bouteilles vides de Smirnoff !

— l'encens, à consommer avec modération, surtout celui à la pomme !

— les doigts à dépalmer, pour les coups de main avec application immédiate et rangement des courses pour l'ensemble de la famille,

— les grignotages en bande dans toutes les pièces, à toute heure du jour et de la nuit, la peinture sur le canapé, et j'en passe, à supprimer.

Restait l'épineuse question de la douche du dimanche matin. Elle méritait un quart d'heure à elle toute seule. Je m'explique et vous écoutez sans répondre, OK ?

D'accord, je reconnais, le réveil du lendemain du samedi, seul soir officiel où l'on sort en période scolaire, c'est pénible. Surtout après midi. L'heure du déjeuner approche, alors émerger et prendre son brunch complet (corn-flakes, yaourts, œufs coque, jambon, blinis, biscottes, confitures, la moitié du frigo y passe) en gardant un petit creux pour le déjeuner de 14 h 30, c'est dur à digérer, je ne le nie pas. Pour moi, jusque-là, ça va. C'est après que ça ne va plus. Du tout. Au moment précis où je m'apprête, moi, à prendre ma douche, vite fait, pour filer au marché capturer le poulet dominical chaud et croustillant, histoire de ravitailler les fauves avant 15 heures, je me heurte à Charles. Le Charles sifflote pendant trois quarts d'heure sous sa douche, le Charles s'ébroue dans le couloir jusqu'à tremper les murs, le Charles a tous les droits y compris celui de se rasouiller avec mousse, s'il vous plaît, les trois poils blonds qui dépassent sous le menton, dans ma salle de bains, et ce après avoir obstrué ma douche. Et c'est systématique. Ensuite, la poursuite de Charles par Élise qui hurle : « T'as dû être assassiné par une brosse à dents dans une vie antérieure toi. Il faut se battre pour que tu te laves les dents. » Tout comme s'ils étaient seuls au monde, d'ailleurs, ils le sont ! « Je ne commets pas de crime de lèse-Charles, ma chérie, quand je rappelle que, si je n'ai pas de mec à la maison, c'est pas pour supporter celui de ma fille... ! »

La contradiction n'a pas tardé à venir. Le p'tit couple dont Élise avait pris la défense s'est exprimé : « On ne fume pas de shit, on ne boit pas, on ne se drogue pas et je ne change pas de mec tous les week-ends, tu n'as pas à te plaindre. » C'est ça, c'est moi qui ne me rends pas compte de la chance que j'ai. Elle en a marre que je joue les mères-poules, c'est plus de mon âge ! Elle est mignonne, Élise. C'est une artiste ma fille !

Je recommençais à me dire que, là, maintenant, il fallait absolument que j'accélère côté ménage, quand Arthur a déboulé du collège. Il avait besoin de moi tout de suite...

Arthur, lui, c'est pas du côté du dérangement qu'il

a attaqué, en cet après-midi grandiose. C'est avec sa rentrée scolaire qu'il a joué avec mes nerfs. Les trois tonnes de livres à couvrir avec du plastique transparent fuyant qui glisse, c'est en urgence pour demain (trois jours seulement qu'ils traînent dans son cartable). Une véritable épreuve, chaque année, de plus en plus pesante... Et, ô surprise, j'ai déjà une convocation avec la prof principale d'Arthur. Pourquoi ? Pour rien, bien sûr, juste comme cela pour faire connaissance. Tu parles, l'éternel dialogue de sourds va reprendre. L'incompréhension est quasi totale. Ça fait des décennies que ça dure, et d'année en année, c'est de pire en pire. Avec les profs d'Élise, on arrivait encore à se supporter, mais avec ceux d'Arthur, c'est la galère. Tout est sujet à friction : la lourdeur du cartable (un scandale dénoncé chaque année par tous les parents), l'absurdité des méthodes pédagogiques, le manque de considération vis-à-vis des élèves, les absences très très fréquentes des enseignants (le mammouth dysfonctionne grave). C'est la guerre. Et mon fils manque de concentration par-ci, et il est agité par-là, et surtout il a une forte « dérive de langage » (d'accord, il lui arrive régulièrement de dire à l'une de ses profs « je m'en bats les couilles », ce qui ne se fait pas, je le lui répète chaque jour à la maison). Là, trois jours après la rentrée, c'est la prof d'anglais qui a écopé. Et d'une ! « Arthur et les 400 coups », c'est encore bien parti pour cette année de quatrième.

Souvent, je le couvre mon fils car il s'ennuie au collège. Même si je sais que savoir s'ennuyer est un signe de bonne santé ! Dixit les spécialistes de la médecine scolaire affirmant que c'est de là que naissent l'imagination et le désir de création, qu'on appelle plus tard « l'art de ne rien faire ». Arthur n'aime aucune matière, sauf l'histoire qui le passionne. Il n'est pas motivé. Les profs le barbent. Mais je sais, moi, qu'au fond il est doué mon fils.

Pourtant, j'ai essayé les cinquante recettes pour parents (*plutôt pour mère seule avec deux ados*) : je ne dramatise pas la situation, ça va passer (*pas avant dix ans minimum !*), je ne culpabilise pas (*pour ne pas accentuer son sentiment de dévalorisation. Arthur ? Tu parles !*), je ne le brutalise pas en hurlant (*pauvre chou*), je montre l'exemple (*ben voyons !*), je lui donne le goût de l'effort et je m'intéresse à ses travaux scolaires (*et son père alors, il fait quoi, lui ? Il paye La pension ! Cool !*).

Et avec les ados, face à leur crise (moi avec les deux, c'est double-crise), surtout, je ne m'a-ffo-le-pas ! La crise, euh, les crises sont plus ou moins violentes, surviennent de plus en plus tôt et peuvent durer quinze ans. Ils sont entre « l'ado-dieux » et « l'ado-rable ». Les critères de sortie de crise iront de la disparition de l'acné à celle des copains qui ne s'imposeront plus à l'improviste à la maison, en passant par le dialogue qui reprendra et par l'hygiène qui redeviendra naturelle (ah ben alors non, car si ado = dégradation de l'hygiène, avec Arthur c'est l'inverse. Nous assistons à une croissance exponentielle : trois douches par heure, douze mille demak-up à la poubelle par soir, c'est pas du côté de la propreté que sa démarche d'autonomie se fait sentir ! Quatre tonnes de crèmes et de parfum pour homme, c'est sa bohème à lui). Autres signes de fin de crise : abandon du look de l'ado (actuellement cultivé, il n'y a pas de doute), fin de la période de pudeur excessive (c'est vrai, il respecte la sienne de vie privée, Arthur, c'est même sacré. Mais la mienne, alors là, il ne voit même pas de quoi je parle !), reprise d'un sommeil à heures « normales », fini le « tartar » (couche-tard/lève-tard), et enfin, remise à disposition du téléphone qui va cesser d'être squatté (je vais pouvoir y toucher et « j'te rappelle, vas-y, réponds toi chez toi » ça ne sera plus pour les copains mais pour moi !). Et ça c'est pour dans quinze ans ! Un vrai bonheur, la vie !

J'ai accordé, comme avec Élise, quatre minutes pour la contradiction. Arthur est un bon garçon. C'est vrai, il ne se fait pas « pécho » en train de vendre du shit à la sortie du collège, il ne fréquente pas les « cailles » sauf pendant les séjours linguistiques que je lui organise... Et j'apprends que cette année il veut faire du hip-hop, pour se calmer. Tu parles, Charles !

Je hais les ados.

Ce soir, je suis fatiguée, ma capacité à fabriquer de la famille est fortement remise en cause. Faudrait peut-être que je retourne voir mon psy. M. le psy, de l'aide ? Non Doudou, ma voyante ! Le résultat est plus rapide et, en plus, c'est plus tendance ! Le ménage, je vais devoir le faire aussi dans ma vie familiale ! Sans compter ma vie affective.

Eh oui, le prince charmant s'est re-manifesté. « Fuis-moi, je te suis ; suis-moi, je te fuis », c'est rien de le dire. Avec lui, on la sur-vit, cette vérité ! Il est créatif ce jeune homme. Oui. C'est vrai. Et touchant au fond. Je l'aime bien. Je ne regrette pas d'avoir fait sa connaissance. C'est bon pour le moral un fan pareil ! Sa nouvelle initiative pour me plaire : il veut créer à Paris une antenne du club de fans de Juliette de Vérone, en Italie. Comme je m'appelle Juliette, comme j'adore l'Italie et comme ce club existe déjà, « il club di Giulietta » à la mairie de Vérone, il se charge de tout (*bonne idée*). Surtout de répondre à tous les courriers. Et comme ce sont surtout des femmes qui écrivent à Juliette, je l'encourage, histoire qu'il trouve rapidement chaussure à son pied. Une belle Italienne... rien que pour lui !

Avec moi, il est un vrai tamagoshi. Et ça devrait être Juliette, en appuyant sur la touche « décide », qui choisit pour lui son activité : boire, manger, dormir, voyager, inventer... C'est beau d'y croire. Vive la jeunesse !

Oui mais ça lasse ! Décidément, j'ai pas le moral. Cet après-midi de cafouillage m'a mise à plat. Je n'ai plus aucune maîtrise, sur rien. Les enfants, je ne contrôle plus. Le ménage, c'est mon corps qui commande. Au boulot, on attend l'audit. Et même pour mes achats de fringues, c'est le bon Dieu qui décide ! Et même M. Ceccaldi, avec son système nerveux d'hiver qu'il m'a mis cette semaine grâce à ses cinq aiguilles, ne va pas me suffire à remonter la pente. Et même Amélie, dans sa série poète, avec sa pièce jointe en mail intitulée « les 365 manières de faire l'amour », n'a pas réussi à me faire rire. J'l'ai pas ouverte, enfin pas vraiment, juste... parcourue :

À ma femme adorée

Au cours de l'année qui vient de s'écouler, j'ai essayé de te faire l'amour 365 fois. J'ai réussi 36 fois, soit en moyenne une fois tous les dix jours. Voici la liste des raisons pour lesquelles je n'ai pas eu plus de succès : ... Sur les 36 fois où j'ai réussi, ce ne fut pas satisfaisant car : ...

C'est bien ce que je disais, Amélie, une poète est née.

À mon mari chéri

Je pense qu'il y a quelques confusions. Voici les raisons pour lesquelles tu n'as pas eu plus que ce que tu as eu : ... À propos des fois où nous l'avons fait ensemble : ...

J'avais pas la tête à ça, moi ce soir, à Paris. Le seul qui pourrait me consoler, c'est Bill. Et le Texas, c'est dans quinze jours !

D'ici là, le week-end prochain, faut que je travaille ma paresse domestique et autres accélérateurs de vie perso... !

17

MA VOYANTE EST TENDANCE

Envie de détente : gloria.fr ?! Non ? Glowria ! Ouf !
La mienne de Gloria, est rentrée de Thaïlande hier. Un
clin d'œil du destin ? Faut croire, pour que la bande
annonce qui défile en boucle quand je consulte mes
mails me le signale... ou presque ! Ah, sur Internet, ils
sont au courant, y a pas !

Tiens, maintenant c'est « Voyance : passé, présent,
avenir ». Ben voyons ! Côté voyance, moi, j'ai ma
Doudou ! D'ailleurs ça fait trop longtemps, allez
depuis... mon départ en vacances, euh non, depuis
deux jours en fait, que je ne l'ai pas appelée. Si je
faisais un point post-rentrée, mais surtout pré-Texas
avec elle ? Mieux que les soirées divertissantes entre
amis, mieux que les stages d'été d'initiation au déve-
loppement personnel, mieux que tout, il y a Doudou !

Je vais me payer une bonne tranche d'avenir d'ici
peu moi, je le sens. Et ce avant de partir pour mon
voyage de l'autre côté de l'Atlantique. Je suis décidée
à tout entendre. Je veux savoir...

Mais j'en ai marre de la consultation à distance. Le
téléphone, c'est bien mais c'est froid. Toucher les
cartes, voilà ce qu'il me faut. La visionnaire le réclame

d'ailleurs ! Elle n'en peut plus ! Elle ne cesse de me répéter ces temps-ci : « Viens que tu te tires les cartes toi-même, moi je préfère. Elles seront plus claires et parleront mieux. » Logique. Ce sont les cartes qui parlent. Et elle se fend pour les lire. Et elle les lit bien Doudou les cartes, la vérité !

J'ai prévu quoi ce week-end, déjà ?

J'avais prévu de faire spa chez moi, toute seule. Me bichonner quoi, suivre un programme farniente en cinq leçons minimum : en m'entraînant à l'inactivité (*c'est quoi cette activité ?*), en pratiquant l'arithmétique de l'oisiveté (*zéro minute de détente + zéro minute de repos = 100 % de stress et 1 000 % de pression*), en appliquant la trempette d'Archimède coulée tout au fond le visage recouvert de concombre (*plus de 10 minutes dans un bain, même plein de mousse et je ramollis*), en respectant les limitations de vitesse (*où ça ? dans mon parking ?*) et... en laissant les autres s'occuper de tout (*ah, enfin une proposition qui me ferait trop de bien !*).

Tu dois renoncer à ta toute-puissance, Juliette, il est grand temps. Laisse les autres un peu se débrouiller à ta place. Tu es épuisée. Et tu as intérêt à récupérer et te retaper avant ta visite à Beaumont. Pas question d'arriver chez Bill en lambeaux. Tu dois flamber direct là-bas. Dès l'arrivée. La réputation des Françaises est en jeu !

Mais c'est difficile car ici c'est le bagne. La pression partout, ça finit par mettre à plat. À « Femmes 7 », avec Alain et son audit, Alban et sa trouille à zéro, Vanessa et ses dents qui poussent à vue de nez et

Gaëlle qui laisse tomber les siennes, moi, je craque. Même Crazy Blondasse se fane ! À la maison, Sulku, euh Seymour a disparu (il m'embrouille mon fils qui parle de lui sans arrêt. Il lui manque, son boy philippin, pour couvrir ses conneries, oui. Pas pour le rangement de sa chambre) et avec Élise et Charles, après le savon que je leur ai passé la semaine dernière, c'est l'épreuve de force permanente. Pour le reste, M. Ceccaldi est presque aimable, maintenant qu'il sait que je travaille à la télé et que la « mère » de Crazy Blondasse, c'est moi. Même plus drôle d'aller le voir pour le suivi de la stabilisation du régime de la perte de poids d'avant l'été.

J'ai vraiment besoin d'un gros coup de booster. Et quoi de mieux qu'une petite prédiction pour cela ? Une voyante, ça vous dit quoi, en fait ? « Voilà ce qui est en train de se mettre en place, à vous de voir si vous voulez que ça arrive ou pas. » C'est vrai quand on réfléchit bien : si on sait ce qui peut advenir, on peut changer son état d'esprit, transcender l'événement plutôt que de le subir. Ce n'est pas, comme on le croit trop souvent, s'en remettre à quelqu'un, qui existe quelque part et en sait plus sur nous que nous-mêmes. Reste la question du libre arbitre que je n'ai pas encore totalement saisie. Mais cela ne saurait tarder. Je vais travailler mon libre arbitre, d'ici mon départ aux US !

La voyance, ça a l'air, comme ça, fastoche. Mais pas du tout : c'est un art ! Croyez-moi. Je pratique depuis mon divorce.

La très rationnelle Élisabeth se moque. Quand j'ai un petit coup de blues, elle fait mine de me prendre la main, et après s'être noué un foulard sur la tête, façon gitane, elle me déclare : « Hum... Vous êtes seule, très seule... vous avez un besoin urgent d'amour... vous désespérez de trouver un homme ! Et voilà. Ce sera soixante-dix euros ! » Et la grande Élisabeth de conclure : « C'est n'importe quoi. Pour t'en rendre compte que t'as besoin d'un homme, d'une épaule, d'un mari, pas la peine de lire les lignes de la main... Juliette, il suffit de voir ta tête ! » Merci meilleure amie de trente ans, merci.

Je lui rétorque alors que, pour certaines personnes, les voyantes jouent le même rôle que les psys. « Et la psychanalyse, Madame Je sais tout, donne-t-elle toujours de bons résultats, hein ? » Car maintenant, même chez sa voyante, il faut du résultat ! Ici comme ailleurs, on est dans la culture du résultat ! Un comble, hein, Doudou ! J'te dis la vérité !

En tout cas, chez elle, à la différence de chez le psy, on boit du thé, on mange des gâteaux et surtout, surtout... on rit beaucoup ! *Yes !*

Et moi, Juliette B., je dis que ma rencontre avec Doudou ce week-end est inscrite dans mon destin. Donc changement de programme : je ferai spa à domicile une autre fois. Je case les ados... chez eux, c'est quand même plus pratique que les bébés pour ça. Chacun invite ses copains. Cinq pour Arthur, plus sept pour Élise, soit douze au total, pas de problème mes chéris... du moment que quand je rentre tout est en ordre ! L'appartement est ravagé pendant quelques heures c'est sûr, mais je peux compter sur eux pour le rendre nickel avant mon retour. Fans de ménage en herbe ! Un petit post-it jaune collé dans la cuisine, écrit en gros et au marker rouge : « En cas de problème se réfugier chez Mamie Gloria et Papy Tao qui sont rentrés de Thaïlande ». Et c'est parti !

Je me casse pour un week-end prédiction : quelles sont les tendances pour demain, s'il vous plaît ?

Je ne pouvais pas partir comme ça en égoïste. Elle ne m'aurait pas pardonné. Elle adore, elle aussi, « l'irrationnel », Chloé. Tout l'inverse d'Élisabeth. Et surtout ça la changera de ses achats de landau et autres gris-gris de la consommation prénatale (elle m'a soûlé l'autre jour avec ses poussettes aux noms pas possibles. D'ailleurs, on ne dit plus poussettes, on dit « bébécar ». Elle hésite, Chloé, entre le Plika P3, l'Expresso « sportif et coloré », le trio Cl et la Carrera C., pas plus encombrante qu'un parapluie. Je lui ai proposé de demander conseil à Marco, il s'y connaît en Porsche lui ! Elle n'a pas apprécié du tout !).

Pour le plan voyance, elle est d'accord et ravie. Elle prévient Jean, saute dans un taxi, et c'est parti. Lyon, c'est pas loin. À quinze euros de Paris... en heures creuses, bien sûr ! Alors d'accord la journée sera fatigante. Mais l'aller-retour est vite fait. Et demain dimanche, sous la couette pour récupérer. Alors... Rendez-vous gare de Lyon. Direction Lyon-Saint-Exupéry. TGV. Deux heures, et au bout des rails : notre Doudou nationale, euh... notre avenir ! Qui dit mieux ?

On va revenir gonflées à bloc. Surtout Chloé, vu qu'elle est déjà bien partie avec son bébé dans son ventre qui grossit, grossit. Au téléphone, Doudou m'a promis la to-ta-le pour moi et ma copine (je vais enfin connaître le sexe de l'enfant de Chloé, elle, elle veut pas savoir. Mais moi, oui. Faut pas que je me trompe dans la layette !). C'est parti pour un moment de folie !

Elle nous attendait de pied ferme ma voyante. Pas facile de recevoir deux consultantes d'un coup. Mais on a promis, Chloé et moi, de ne pas se disputer et de passer chacune notre tour. On aura des histoires à se raconter dans le TGV de retour ce soir. Chacune rapportera à l'autre... ce qu'elle voudra bien lui livrer. Doudou va tellement nous en dire des choses secrètes !

À peine arrivée, Chloé a choisi de s'allonger. Son ventre lui pesait. Les voyages, ça fatigue les futures mères passé la quarantaine !

À moi, l'honneur !

Surtout ne pas papoter pour ne pas influencer la pro, juste boire un petit café ensemble, histoire de chauffer les cartes ! Elle a sorti son jeu : elle utilise les cartes « gréco-espagnoles ». Avec plein de couleurs : du rouge, du jaune, du bleu. Plein d'amoureux partout, et plein de sous dans tous les sens et plein de contrats à signer et quelquefois aussi des contrariétés qui sont là. On voit tout. Grâce à des séries de huit cartes, puis de six cartes. Et on pose des questions de plus en plus précises. Moi, je voulais tout savoir.

Alors allons-y. D'abord, une globalité ! Ma globalité d'aujourd'hui, elle dit quoi, Doudou ? « Franchement t'as de belles cartes aujourd'hui. Ça n'a pas été toujours le cas depuis que je te connais. Mais, là, Juliette, c'est bon. On dirait que tout le négatif est derrière toi. Tout est parti. Tu te souviens, avant, j'te

disais, Juliette c'est noir. T'as trop de pensées néga-
tives. Alors que, mince, t'es une belle femme, tu ne
devrais pas être dans la noirceur comme ça. » Elle
n'avait pas tort. C'était au temps du divorce : juste
après et pendant des mois et des mois. La traversée du
désastre. On se doutait bien qu'après ça ne pouvait
qu'aller mieux. Mais quand ? Le temps, c'est toujours
difficile à saisir en voyance, même pour ma Lyonnaise.
Elle voyait que ça allait s'éclaircir sur tous les plans.
Et maintenant, c'est là.

La globalité toute positive achevée, j'avais hâte de
détailler. Par quoi on commence ? Le cœur, le boulot,
les enfants, l'argent ?

Le cœur Doudou, le cœur bien sûr. Le boulot, ça va,
juste deux ou trois turbulences. Mais on jettera un œil
après. Les enfants, les enfants rien de grave. On
regardera aussi. L'argent, ça va, ça vient. On fait avec.

« Alors tu penses très fort à qui tu veux et tu mets
huit cartes. Et t'en touches une. » Et l'étalage de la
voyante, y dit quoi ? Elle, en tout cas, plus elle
retourne les cartes, plus elle sourit. Limite insolente.
Mets-en encore huit dessus. Et re. Tordue de rire. Tu
veux que je te dise ? Oui, je veux que tu me dises.

« J'te jure, Juliette, tu vas te remarier. Si tu ne te
remaries pas, allez dans trois mois, j'm'appelle pas
Doudou ! » Et impossible d'en savoir davantage.
Madame s'étouffait de rire. C'est cela, Doudou, c'est
cela ! Sidérant ! J'ai beau y croire à ses cartes qui
parlent, j'ai ricané, moi aussi. Un peu nerveusement,
je peux le dire. Et elle, elle redoublait. J'aime quand

elle rit, Doudou, ça vient du fond du cœur et ça fait du bien.

Précise, précise.

« Avec cet homme-là, c'est super. Tout est dégagé ! Pourtant, tu ne manques pas d'hommes. Remets-moi huit cartes, là. Il y a bien quelques hommes (que cinq, ça va le stock !), Juliette, là regarde un, deux, trois, quatre et cinq, qui te tournent autour, mais il y en a qu'un dans ton cœur ! C'est lui. » Et mon interlocutrice de me mettre sous le nez une espèce de cavalier sur un cheval bleu. Bill Blue !

Je passe sur les détails des propositions que les uns et les autres vont me faire, rivalisant de ténacité. Elle a recensé, en plus de B., Marco (toujours accro), Éric (je compte toujours dans sa vie), le prince charmant (qui se fait des films), et un autre qu'elle identifie mal (mais sans importance). Stop, stop, Doudou, n'en j'tez plus !

Elle délire ma copine. « C'est pas moi, c'est les cartes qui le disent, et c'est toi qui les tires, Juliette. Regarde, là. Regarde, le contrat. »

Parfois, il arrive même qu'il sorte des choses qui répondent aux questions qu'on n'a même pas posées ! Dingue ! Je n'insiste pas sur la pêche de Doudou face à ce parterre de prétendants. Tombeuz, va ! Elle était déchaînée, ma voyante.

« Tu veux qu'je te dise, Juliette. » Et là, elle se marre à nouveau. Qu'est-ce qu'elle va encore me sortir ? « Ton mari, ton ex-mari, là, je l'vois. Il sort dans ton jeu. » Ah, non ! Vas-y, dis-moi Doudou. On ne sait jamais. Je me méfie. Et là qu'apprends-je ?

Paul est tout perturbé. Il est mal, il est mal. Que du négatif pour lui. Ça ne va pas du tout avec Faïce. Ils se tournent le dos dans les cartes. Alors on a creusé un peu même si ça ne m'intéresse plus vraiment. Par curiosité. Et les cartes de contrariété de tomber. J'le crois pas ! Mais si, mais si. Ils se disputent, grave, on voit des étincelles partout, et encore une carte avec des tonnes de bâtons dans tous les sens. Et voilà, là, au bout de la ligne de cartes : le divorce ! La séparation. C'est sûr. « J'm'appelle pas Juliette, euh Doudou, s'il ne divorce pas de sa femme. » Un deuxième divorce à l'horizon ? Une deuxième pension à verser. Ça va être dur pour lui. Ça va encore lui arracher le cœur de sortir de l'argent.

Mais il va faire quoi, le pôvre Paul, s'il n'a plus sa teigne. Il va retourner chez sa maman ? Il fait partie du lot majoritaire des hommes qui aiment les emmerdeuz (eh, oui, ça existe les hommes faibles). Il a besoin d'autorité pour bander. Après une enfance avec la Kommandantur ! Il a préféré sa mégère intéressée, superflue et sangsue, à moi qui le laissais libre, qui ne le collais pas et lui faisais confiance. Maintenant la page est tournée.

Revenons à l'avenir. Alors ce mariage ? Ce contrat ? On avait beau tirer les cartes dans tous les sens, il ressortait toujours. Seule précision à apporter, c'était au cours d'un voyage. Un mariage au cours d'un voyage. Pas clair. « Question voyage, là, t'en fais un. Très bientôt. Tu traverses la mer. Tu quittes l'Europe. Et tu vas bien t'amuser. C'est un homme qui t'invite. Un homme étranger, il n'est pas français, il est grand, il ressemble à un acteur américain. C'est le mec dont je t'ai parlé cet été. Il s'appelle B. quelque chose. Il est *love-love* de toi. Et toi, Juliette, t'es accro. Moi, j'te l'dis. » Et elle sourit.

J'ai obtenu deux ou trois précisions sur ce voyage : « Tu peux y aller. Vas-y n'hésite pas. Tu seras super contente. Tu feras beaucoup de choses. Je te vois bouger sans arrêt. Tu vas sortir. Il va t'emmener partout, au restaurant, et là-bas, je sais pas je te vois faire un voyage. Un autre voyage sur place. Plus court. Tu verras, tu me diras, Doudou, elle l'a vu ! »

Et elle ajoute : « C'est lui. C'est lui avec qui tu fais le voyage. J'en vois même un deuxième voyage. Il n'est pas loin. Juste après. Tu traverseras à nouveau la mer pour aller plus loin. Et c'est encore mieux que le premier. Il t'arrive un truc extraordinaire. Tu prends des avions, des voitures, tu bouges encore beaucoup, tu vas dans de grands hôtels, tout ça, ma, ma, ma, Madame Juliette a la grande vie avec son chéri. Mais c'est bizarre. Il y a comme un truc. C'est très bizarre. J'sais pas comment dire. On dirait qu'au dernier moment tout est charamboulé (j'adore ce mot, c'est mon mot préféré de Doudou. « Oh Bill, charamboule-moi, s'il te plaît. Encore, encore et un peu ! » Comment on dit « charambouler » *in english*, déjà ?). Je ne peux t'en dire plus. Fais ton premier voyage et on verra. Je regarderai à nouveau, et si tu veux, j't'en dirai plus.

Bon le sentimental exploré à fond, l'ex-mari, les ex, les prétendants, l'actuel, passons au professionnel.

« Professionnellement, Juliette, il y a pas mal de turbulences. Je vois beaucoup de jalousies autour de toi. J'y connais rien à ton boulot à Paris. Mais ça bouge : t'as une petite idée de là où tu veux aller. J'te l'ai déjà dit. C'est toujours la même chose qui sort. Tu progresses, tu réussis, tu me l'enlèveras pas de la tête. » Les ondes sur Crazy Blondasse sont bonnes, le succès et l'argent sont proches de moi. « Mais surtout, dis rien de tes projets. Raconte rien à personne. Garde ta langue... Tout ce que tu veux, tu l'auras au boulot. C'est là, tout de suite, rapidement sans délai. » C'est bon, ça me parle... je vois, je vois.

Comme Chloé dormait toujours, on a continué un peu pour le plaisir, et plus léger : les enfants, la famille. J'ai tiré : « Un enfant. Un autre enfant. Un troisième enfant ! » Elle délire Doudou. Elle me voit avec un enfant. À venir. Un garçon. Elle délire grave. Tout comme M. Ceccaldi. Lui aussi me voit avec un enfant, des enfants en bas âge même. Son nouveau truc, quand je lui dit que j'ai mal au dos tellement je bosse tard, il me rétorque :

— C'est parce que vous portez trop vos enfants en bas âge. Faites attention.

Je le regarde. Serait pas devenu un peu lèche-bottes, l'acupuncteur avec ses propos flatteurs ? D'accord, je fais jeune avec tous mes kilos en moins, mais tout de même. C'est grâce à vous M. Ceccaldi, *of course*.

— Ma fille a seize ans et mon fils treize. Je ne les porte plus dans les bras. Donc, c'est autre chose. *End of discussion*.

J'ai préféré zapper cette folie de troisième enfant. Doudou, j'l'adore mais là... j'y crois pas ! *Too late*, Juliette.

Quelques contrariétés tout de même. Avec Gloria, en ce moment, il y a un léger froid. Pas faux. « Ta mère, elle va vivre très vieille, quatre-vingt-dix ans et plus. C'est vrai. Elle est là pour longtemps. Mais on n'a qu'une mère. Alors arrange-toi avec elle. C'est mieux. » Autant d'occasions de nous refritter, de nous réconcilier et de nous fâcher à nouveau. Si ! On a encore trente-cinq ans devant nous... autant en profiter !

Avec les enfants, le bilan est mitigé. C'est un peu dur avec Élise. Elle est insolente avec moi et sûre d'elle. Normal, les chats ne font pas des chiens. Ça roule pour elle avec son chéri. Arthur est un peu agité. Pas faux, il ne voit pas assez son père, un vrai manque. Il faut le surveiller à l'école et aussi dans ses fréquentions : attention au shit. Il ne manquerait plus que ça. Merci de m'avertir, je vais redoubler de vigilance.

J'ai aussi une copine très proche, pas celle qui est là, une autre un peu jalouse, qui ne me dit pas tout. Rien de grave, des petites trahisons. Mais, je le sens, car moi aussi j'ai un sixième sens, et je ferais bien de l'écouter ce sens d'ailleurs. Oh, mon intuition, là, me dit que c'est plutôt du côté d'Élisabeth que ça se passe... Élisabeth ? Qu'aurait-elle à me cacher ? Un amant ? Deux amants ! Trois amants ! Je vais la faire parler, elle, tu vas voir ! Et une autre copine qui attend deux enfants. Deux enfants ? Non, Doudou, tu te trompes, pas deux, un seul. Ça c'est Chloé. Tiens, quand on parle du loup. La voilà qui émerge.

Doudou a fait signe qu'elle maintenait ses propos. Mais chut ! Elle ne le sait pas. On verra bien. Ça alors ! Et ma Chloé qui s'applique et se prépare à accueillir « *the* enfant ». Va falloir tout acheter en double, ma poulette ! Deux poussettes expresso Porsche Carrera double C 4 ! À ton tour Chloé ! J'ai hâte de voir ta tête après la consultation.

Juste avant le départ, ma voyante préférée a tenu à nous faire « la marre » de café, comme elle dit. Et la « marre » de café, elle dit quoi ? J'vous raconte pas ! Le marc de café de Doudou dit exactement... la même chose que les cartes de Doudou !

Happy, happy, happy, je suis repartie ravie et Chloé aussi. Et moi, je me casse chez Bill avec plein de rêves en tête. Et toi, Chloé, t'as intérêt à tout me raconter dans le train du retour.

La voyance, c'est tendance. Et ça permet d'avancer. Et maintenant, je le sais : l'œuvre qui m'est confiée... c'est moi !

18

PARIS-BEAUMONT-TEXAS

J'en croyais pas mon corps. Qu'est-ce qu'il était bien !

Et moi aussi. Blottie dans les bras de Bill devant un immense feu de bois dans son ranch (c'était pourtant bien écrit en gros dans l'entrée principale : « Ce ranch vous garantit un environnement sans fumée » !) au fin fond du Texas.

Ça fait cliché, hein ? Eh bien oui. Ça l'fait et ça m'plaît !

Quand j'ai atterri à Houston Bush Airport Inter-continental, cinq jours auparavant déjà, j'ai totalement déconnecté. Faut dire que j'étais conditionnée et prête à oublier Paris pendant mon séjour. J'en ai tellement rêvé du Texas ! Et de Mr Wood *too*. C'était devenu *the leitmotiv of my life* ces dernières semaines de *stress all around*. L'accueil qu'il m'a réservé était à la hauteur... de mes rêves ! Je passe sur les douze mille câlins et recâlins très sexe, dignes de nos retrouvailles.

Un petit cachottier ce Bill... À le voir, comme ça, faire la conversation aux dames au bord de la piscine de La Réserve, à G'nève, ou jouer les jolis cœurs en sirotant des Bellini au bar du San Michele en Toscane, on ne cerne pas complètement le personnage. On croit qu'on a affaire à un Européen... ou presque. Avec, bien sûr, une légère petite différence culturelle qui donne une touche exotique pas désagréable du tout. Mais aussi source de quiproquos amusants que l'on s'emploie, l'un et l'autre, à prendre avec humour. Il était délicieux lors de nos rencontres-retrouvailles en Europe. Qu'en serait-il en Amérique ?

Alors, avant de venir, même si je crânais sec, je m'interrogeais un peu. Qui vais-je découvrir, là-bas ? Celui qui m'a plu en Suisse, en Italie ? Ou un affreux Mr Wood ? Ah, ça les comblerait mes poules ravies, Élisabeth et Chloé unanimes ! Les pipelettes qui n'arrêtaient pas de me raconter, histoire de m'effrayer, qu'il allait d'abord me faire passer une IRM de vérité et se révéler, immédiatement après, un horrible maniaque pervers !

Après tout je ne savais pas grand-chose de lui, loin de là...

C'est sûr, ici, c'est différent. Il est chez lui, dans son pays, sur ses terres, dans sa culture. C'est une autre facette de sa personnalité que j'ai découverte. Bill Wood est américain et Bill Wood est bien texan. Mais pas une caricature du type bloc de certitudes qui voit le monde en noir et blanc comme on se l'imagine en France. Un Texan démocrate, pro-européen, cultivé (il sait qui est Chateaubriand et ne le voit pas comme un morceau de viande, du même nom, spécialité texane...), plein de finesse et aimant les femmes mûres. Que du bonheur ! Ça m'a rassurée de le retrouver toujours aussi cool, et même *cooler than cool*. Et très *love-love*.

Mais ce que je ne savais pas et ne pouvais pas deviner, c'est le reste. Tout le reste !

Mon cow-boy est un faux Texan, bien que Texan de souche (c'est-à-dire, un ex-nouvel arrivant venu de la côte Est, New England, Connecticut, exactement) : il n'y a pas de références bibliques dans ses propos (même s'il chantait dans un chœur quand il était petit). Il est « fils de », une dynastie à l'américaine : en réalité, il ne s'appelle pas Bill Wood, seulement. Il est William Jefferson Wood, fils de Robert Harding Wood, lui-même fils de William Fuller Wood. En clair, *from a long line of the Wood family*, le troisième de la lignée des W's (« dubya's », en texan). Simple. Nous en France on donne des prénoms composés, genre Jean-Marie ou Philippe-Alexandre. Eux, aux États-Unis, c'est le nom de famille qu'ils doublent. *Why not ?*

Petit-fils de sénateur, Bill m'a tout de suite mise à l'aise avec la politique qui n'est pas, comme chez nous, la principale préoccupation du citoyen américain : « Pour tous les New-Yorkais, un républicain reste à la gauche d'un démocrate du Texas, quoi qu'il en soit ! » Blague texane ou « woodism » ? Il est plein d'humour cet homme.

« *Work hard, play hard* », telle est la devise de la famille Wood. Alors au quotidien, ça donne... que quand il bosse, il bosse ; que quand il s'amuse, il s'amuse ; que quand il baise, il baise. Et moi, Juliette, je confirme !

Le pedigree établi, j'ai eu droit à la visite sur place.

Les terres, que dis-je, les champs de pétrole de la famille Wood I, II et III. Quatre heures aller-retour de voiture dans un pick-up truck tape-cul de chez tape-cul, tout rouille et tout rouillé, le standing quoi ! Moi, je m'attendais à la Hum V (version civile de la Hummer), le four-by-four des 4×4 ! À la Clint, il vit Bill ! Ici, la voiture est partie intégrante du rêve américain : donc il faut que ça aille avec le décor. Plat, plat, plat à perte de vue, jusqu'à la barrière là-bas. Et le ranch est au milieu. Facile à trouver ! Non, j'exagère. Grâce au drapeau américain magnifiquement étoilé et fièrement accroché, on ne peut pas le louper. Au bout de la propriété, on est carrément à deux heures de la prochaine épicerie, construite sur le champ acquis en 1832 et vendu en 1972 ! Qui produisait à l'époque dix milliards de barils/jour de pétrole. Il m'a tout raconté, fier, il me citait des chiffres et des chiffres... Les Américains aiment bien compter. La quantité pour eux ça parle. Je faisais semblant de tout comprendre à ses *inches, yards, miles, and gallons* ! J'ai même fait la fille impressionnée grave ! Lui, il a vendu les parts d'associés de son père dans la compagnie pétrolière, il y a trente ans, pour monter son cabinet d'avocats en plein centre-ville de Houston. Ça lui a coûté sentimentalement parlant, mais il y avait conflit d'intérêts entre son héritage et sa profession. D'ailleurs, on y est allés à Houston aussi visiter les dix étages de « Wood Associates », deux cents personnes employées qui trônent dans un gigantesque immeuble de verre. Il peut ainsi travailler tout en profitant de sa fortune. Avant que son ex-femme n° 1 ne lui en pique une bonne partie. Et l'ex-n° 2, une autre. Ici, c'est la règle du jeu. Elles en ont de la chance les femmes américaines : elles se font respecter de la sorte, en dépouillant leur ex-époux. Et le mâle américain, texan ou pas, la craint. Il n'est pas prêt de se remarier, Bill, c'est lui qui le dit !

Moi, je lui ai raconté comment cela se passe en France avec les ex-maris, les difficultés à se faire payer la pension alimentaire malgré des jugements en béton de notre bonne et généreuse justice de la République. Il avait l'air surpris, Mr Wood, pensant que M. Tcherkodriou s'en sortait très très bien. Un bon point pour la petite Française qui ne le ruinera pas après le mariage... Oh, Juliette ! Puisqu'il te dit qu'il n'est pas prêt à se remarier !

Pourtant, Bill, j't'adore !

Les Américains et caines, avec le mariage, c'est compliqué ! Ça je le sais. Amélie, ma décodeuz, m'a fait un petit *brief* complet avant que je vienne rejoindre son ami de trente ans. Tout en me rappelant que lui, bien sûr, n'est pas représentatif de l'homo américanus type. Tout de même, c'est un homme, et il baigne dans cette ambiance.

Le *brief* portait aussi sur les hommes riches, dont William Jefferson fait partie. Amélie en connaît un rayon, du côté des riches, car c'est dans cette catégorie-là qu'elle cherche son deuxième mari. Elle a bien raison, et moi, je l'encourage. Elle dit qu'en général « les hommes riches soit sont trop vieux, soit recherchent des femmes jeunes et tendres. Pour les séduire ceux-là, il faut être "belle et blonde". Au fond c'est la même chose partout, sauf qu'ici, en Amérique, ils sont TRÈS riches ». Voilà ce que dit Amélie, Interior Designer de Nashville.

Et mon avocat de Houston, il dit quoi ? Entre un homme du Texas et une femme du Tennessee, c'est tout un monde. Comme entre une Alsacienne et un Marseillais, quoi ! Les propos de ma copine sont donc à relativiser.

Si la femme américaine est une obsédée du mariage, le Texan milliardaire n'est pas insensible au charme féminin. D'ailleurs, devinez un peu quel est le livre qui traîne chez le cow-boy Bill Wood ? *Getting married when it's not the first time, from* Pamela Hill Nettleton, *a leading expert on remarriage...* Tout un programme : *an etiquette guide & wedding planner.* C'est quoi ce gaïde ? « Pour le remariage, partout dans le monde, un guide intelligent, pratique pour faire de CE mariage quelque chose d'encore plus fabuleux et mémorable que le premier. » Ah, ouais ? J'ai cru rêver en touchant l'objet. Bill m'a tout de suite arrêtée, ironique : un cadeau d'Amélie ! C'est juste notre copine commune, pavée de bonnes intentions, qui nous a envoyé à l'un et à l'autre le même livre. La semaine dernière, j'avais reçu cet ouvrage à Paris. Ah ! Amélie et ses bonnes blagues ! Ça m'a quand même un peu titillée ce truc.

La question que je me pose souvent : pourquoi Bill s'intéresse autant à moi ? Je ne suis pas la jeune bimbo, je ne suis pas héritière, je ne suis pas une « *trophy wife* » ? Quoique... ! « C'est parce que tu n'es rien de cela que tu lui plais : tu es sexy, pas obsédée par le mariage, toi, tu laisses le rôle de prédateur à l'homme, tu rayonnes d'une disponibilité sous-jacente qui te rend particulièrement attractive, bref tu es française... » *So smile*. Amélie me l'a répété... souvent.

Oui, je suis française, naturelle, pas conflictuelle, j'ai baisé le premier jour sans avoir réclamé de « pré-nup » avant tout flirt virtuel ! Le pré-nup, c'est un contrat prénuptial que les femmes américaines exigent avant même le premier baiser... mais tout de suite après la deuxième fellation ! Tout est prévu, conclu, verrouillé de manière à anticiper tout divorce. Comme ça chacun sait parfaitement à quoi s'attendre. On pourrait appeler cela le pragmatisme américain, euh, pardon, le romantisme à l'américaine ! Banco !

Pour Bill et moi, *no problem* : il n'y a pas l'ombre d'un soupçon de début de moindre idée de mariage dans l'air. Alors ? Pas de pré-nup entre nous. Juste « l'effet string ». Et de l'amour... *Yep* ! Ici on dit *yep* à la place de *yes*, même si on n'a pas bu !

Au Texas, il n'y a pas que Paris ! Nous les Français, on connaît bien « Pairisse », mais on ignore l'existence de Beaumont. Beaumont-Texas, la ville de mes ancêtres à moi aussi, plus anciens encore que ceux de Bill ! Je n'ai pas voulu lui faire de la peine, mais ma lignée à moi, elle date de la fondation même de la ville. Oui, d'accord, de génération en génération on a tous été ruinés... mais bon. Je m'appelle quand même Djulietteu B., B., comme « Bomanttt », comme belle, bien balancée, botoxée naturellement, et bien, bien amoureuse de toi, Bill !

C'est ça le destin : Bill de Beaumont et moi, la Beaumont, ne pouvions que nous rencontrer. Elle a raison Doudou. C'est ça le mektoub !

N'empêche, ma semaine à moi à Bomantt-Texas, avec l'inimitable accent texan, a été won-der-tastique et fan-full ! Je ne savais plus où donner de la tête tellement mon amoureux avait bien fait les choses. Il a l'air tout raisonnable et posé, comme ça, mon Clint Eastwood, mais j'ai l'impression que ma présence le transforme. Notre alchimie, ça donne un cocktail qui pourrait facilement s'enflammer. Je sais pas vraiment dire ni pourquoi, ni comment. Je le sens, c'est tout. C'est là présent en lui. En moi. En nous. *Who knows*...

Côté balades, ça été top. Après l'incontournable tour de ses terres natales et la visite du petit port pétrolier de Beaumont (malheureusement, c'est en février, au moment du carnaval que la ville bat son plein, mais je reviendrai...), Bill m'a réservé une super surprise. Je ne parle pas de la partie de golf avec vue sur le golfe... du Mexique qui nous a valu une série de fous rires. Un vrai bonheur car M. Wood, on ne le déconcentre pas, lui, quand on se marre de le voir rater ses *puts*. Contrairement à d'autres qui ne supportaient pas, eux, qu'on les raille : j'ai quelques souvenirs navrants du temps de Paul, quand l'été, en vacances, on côtoyait la bonne société grassoise sur les tapis verts (déjà en campagne le Tcherkodriou ? Sans en piper mot à qui que ce soit. Tout lui, ça !). Trop *fun* les greens avec Bill ! Et en plus, il n'est pas avare de bisous dans le cou entre deux swings.

Je parle de « the surpraïz façon Wood » ! J'en garderai toute ma vie un souvenir... Un vent de folie a soufflé. C'est avant-hier soir qu'il m'a annoncé la surprise : « *Let's go out for dîner* », il a dit.

L'idée était de commencer par un peu de shopping. Ouahh ! Au royaume du consommateur, c'est un devoir civique (le shopping mode in US, mieux que le Lexomil made in France ?). Je ne voulais pas pendant ma semaine que Bill ne soit pas un bon citoyen. Alors, ravie, j'ai dit oui ! Mais j'ai ajouté en plaisantant : « C'est risqué. » « *Risk ay* ? » *No problem,* il a répondu simplement. Quel homme facile à vivre ! Comme on allait « *out* », il m'avait juste dit de m'habiller léger pour la soirée, d'un œil malicieux... appréciant ma nouvelle silhouette (ce qu'il avait souligné dès mon arrivée). Il a l'intention de nous envoyer en l'air direct tous les deux ? D'accord, il fait bon au Texas à cette période de l'année (plus de 25 degrés depuis le début de la semaine), mais tout de même.

Shopping, *first*, and « dîner en ville *out* ». Mais « out » loin... Parce qu'on a pris l'avion pour y aller ! Mr W. Jefferson Wood *is a pilot. Yes !* Bill pilote lui-même un petit avion privé qui est là sur la propriété. Sans plus de détail. À lui, pas à lui ? Il est resté simple cet homme. Pas vantard pour un sou. J'aime ça, les hommes simples comme lui ! Et la destination... c'était New Orleans ! Il tenait absolument à m'emmener en territoire français ! Histoire que je retrouve un petit coin de France aux États-Unis et que je ne me sente pas trop dépaysée pendant mon séjour chez lui.

Tu parles ! Trop bien ! Louis Armstrong, encore un ancêtre ! La visite du French quarter, « *the most charming and historical architecture* » de La Nouvelle-Orléans. On est restés dans ce coin dit « le vieux carré » pour notre devoir national ! Bill, grandiose, m'a offert *as a little « soo veh near »* (souvenir) de ma visite, un sac en alligator rouge pétant, d'un des plus grands chic ! J'ose pas imaginer combien il a fallu de bestioles du delta du Mississippi pour fabriquer une splendeur pareille... Je l'ai adopté immédiatement, et j'ai continué la visite du french market, Bill et sac au bras ! Et moi, j'étais sous le charme... Regards complices, sourires énamourés. J'étais totalement séduite. Mes dernières défenses ? Par terre. J'ai craqué...

Mais on n'était pas venus que pour les achats, surtout pour le « dîner ». Mais avant le dîner, y a l'avant-dîner et après le dîner, l'après-dîner. Et déjà l'avant-dîner, ici, ça tue. Alors quand on enchaîne le tout dans la même soirée, et qu'il faut rentrer après, de nuit, en avion, à Bomantt. B comme bourrés ! Juliette et Bill, Bill et Juliette, en « petit » avion perso !

Oui, on a commencé par un *evening cocktail at the* Columbus Hôtel. Cela s'imposait : le plus bel hôtel historique de la ville. Un, puis deux, puis trois. Puis on a dîné *at* « K-Paul's (tiens ils zont des Paul ici aussi !) Louisian Kitchen », cajun contemporain. Un must. Que de la tradition, de la cuisine traditionnelle française avec... les épices en plus ! Jambalaya, read beans, gumbo, « reh mou laud » (rémoulade, une sorte

259

de sauce mayonnaise piquante qui n'existe pas chez nous, mais chut !) *and* « poisson en papillote ». *Scrumptious* (trop bon !) ! J'ai pas trop voulu goûter de l'alligator, vu que j'avais déjà mon sac ! Repas accompagné de vin français comme il se doit : a « *bor doa* ». Rien de plus. Sobre. Mais après, Bill, toujours plein de bonnes idées, a voulu m'emmener écouter du Jazz dans un music bar.

La maxime de La Nouvelle-Orléans étant « *If a little is good, more is better* », Bill *and* I, on a appliqué. *A toast for the town* ! Au « Bourbon canne », direct, on a attaqué pour accompagner le Jazz. Après trois ou quatre breuvages New Orleans, on apprécie davantage encore le rythme, on pige beaucoup mieux ce qu'a voulu nous faire comprendre l'artiste... si, si ! Et on peut même danser sur l'estrade, serrés l'un contre l'autre. Le talent le plus fort de la ville est aussi, paraît-il, que les gens soient à l'aise !

Les bars ne ferment jamais leurs portes pour aider. L'alcool est aussi une part fondamentale de la culture locale. In New Orleans, vos nuits peuvent facilement brouiller vos jours... *Yes, yes, yes !* Et Bill et moi, on a vu le jour se lever lentement, lentement sur le Mississippi ! Le café au lait du matin au Café du Monde, avec ses toasts au beurre de cacahuètes-banane-noix de pécan, sa tranche de bacon et sa tarte à la patate douce, gloups, à la première cuillère on trouve ça divin, à la deuxième sucré, à la troisième gerbant ! À 6 heures du mat juste avant de reprendre les airs. Merci les turbulences de vous évaporer. Si... vous n'acceptez pas... le *milk punch* « *eye openers* » qui va avec le *breakfast*, aussi. *Our first morning cocktail*, on trinque dis, Bill ! *Tcheers !*

Y a pas... moi, c'est la Louisiane que je préfère ! Fann-taass-tic !

On a changé d'avis, vu l'heure et vu notre état, et on s'est reposés un moment dans un hôtel avant de reprendre l'avion. Responsable mon Clint.

Le vol du retour a été silencieux. On était bien. Et bien ensemble. Simple cet homme, simple, j'ai dit !

Côté balade, aujourd'hui, on a décidé de faire un break ! Vu notre état, on va faire sobre *today* ! On est resté *at home* pour se cuisiner des petites gâteries à tour de rôle. « *Mrs Beaumont and Mr Wood cooking lessons* » ! *Yes !*

Chacun devait faire découvrir à l'autre un mets de son choix. Fabrication maison.

Et quand on met un Américain qui ne cuisine jamais mais veut faire plaisir à sa lady-friend spécialement venue de Paris et une Française bonne cuisinière qui ne demande qu'à épater son boy-friend texan dans une cuisine suréquipée et sans un seul livre de recettes à l'horizon, ça donne quoi ? Un sacré repas...

Moi, je me suis chargée du plat principal. J'ai fait ma spécialité : le canard à l'orange, avec de vraies oranges. Il a adoré, Bill. Un franc régal !

Lui, il s'est occupé du reste : fromage et dessert. Et boissons. En mon honneur il a acheté du vrai fromage : the camembert of Beaumont-Texas est à goûter, si si j'y tiens. Avec un petit verre de vin... ça passe. Tocqueville, *himself*, aurait même pu trouver cela

261

agréable. Moi, j'ai juste un peu regretté l'absence de pain !

Mais Bill s'est rattrapé : sa spécialité, c'est le *carrot-cake* ! Et là, il n'y a pas à dire, en matière de douceur, Bill, il s'y connaît.

Puis nous sommes allés jusqu'à réaliser un plat ensemble : une recette internationale, en quelque sorte, que tout le monde est censé connaître mais qu'on réussit plus ou moins bien. C'était très excitant. Nous, entre deux, sur la table de la cuisine, on l'a particulièrement bien réussi notre *quickies* ! Et ça nous a fait du bien ! Trop bon... Qui a dit que les Américains n'étaient pas de bons amants ? Ça ne lui déplaît pas à Bill d'avoir affaire à une petite Française qui réveille fortement l'érotisme torride enfoui en lui ! Aux États-Unis, d'habitude, il n'y a que dans les films qu'on voit ça. Et encore ! Lui, avec moi, il le vit !

Après, j'ai eu droit à un vrai café ! Bill a fait un effort. Il sait que, amoureuse de l'Italie comme je le suis, je n'apprécie pas la médiocrité du café version Yankee. De plus, j'adore la cannelle, alors on a joué à « Starbucks » *at home* !

On est vraiment bien, tous les deux, Bill *and* I. Mais dans quelques jours il va falloir que je reparte. Et là ?

J'ai des nouvelles de France. Élise m'envoie des mails tous les deux jours. Ça se passe bien pour les vacances de la Toussaint à Grasse. Leur père est venu leur rendre visite chez ses parents à lui. Ils ont même accepté, les ex-beaux-parents, ONU comprise (c'est comme ça que je l'appelais l'ex-beau-père, du temps du divorce, mobilisé dans une tentative de compromis mais impuissant à résoudre le moindre incident), qu'elle emmène Charles dans ses bagages pour la semaine. Cathos, mais tolérants avec les jeunes. Ils s'assouplissent.

Et cette nuit, j'ai rêvé qu'Arthur, mon bébé, faisait venir en cachette une fille dans son lit sans m'avertir. Moi, j'allais l'embrasser, le matin de bonne heure dans sa chambre, avant de partir bosser, et là, qu'est-ce que je découvrais dans les draps de mon petit garçon de treize ans ? Une sorte de naïade avec des espèces de cheveux dans tous les sens. On aurait dit une pieuvre, elle avait envahi tout l'espace. Et lui, Arthur, il se relevait en sursaut et hurlait « casse-toi ! ». À moi, sa propre mère. Un vrai cauchemar.

J'en ai été toute charamboulée une partie de la matinée. Grâce à l'attention de Bill, ça a fini par passer, le blues. Les enfants me manquent. Je me sens entre deux eaux : encore physiquement au Texas auprès de mon amoureux, et dans ma tête à Paris avec mes enfants. C'est pas facile comme situation. Bill n'arrête pas de me dire qu'il est bien avec moi, qu'il est épanoui quand je suis là, qu'il aimerait bien que je reste plus longtemps. Il me charrie sur mon installation au Texas, sur ma vie à Houston si j'étais subitement adoptée par le pays. Il me dit qu'il plaisante. Mais je sais que pas seulement. Moi aussi, je lui dis que je suis bien avec lui, que c'est dépaysant. Il me manque mes ados. Mais fin comme il est, William, il se doute. Alors qu'est-ce qu'on va devenir ? « J'aimerais que tu sois avec moi à Paris, Bill. »

La phrase a été lâchée. Et c'est de ma bouche qu'elle est sortie. Ah, la gaffe ! Qu'est-ce qu'il va dire. J'ai dû le contrarier. Il va me faire la gueule. Je n'ose plus lever la tête là. Parler d'avenir, c'est pas notre truc. Non, Bill m'a tout simplement souri. Il avait l'air aux anges. Décidément, il y a encore quelques facettes de lui qui m'échappent. Il a eu cette mine resplendissante parce qu'il est amoureux de Paris ou de Juliette ? Ou de Juliette à Paris ? Alors, j'ai fait ambassadrice de Paris au Texas. C'était pas trop difficile : je suis face à un homme qui aime la France et sa capitale.

J'ai parlé de la vie à Paris, « la fameuse qualité de vie parisienne » (cette chose assez mal définie pour nous, Français, mais apparemment séduisante pour les Américains), la vie agréable que nous aurions ensemble. Je n'ai pas abordé le fond. Trop tôt. Trop frais. Mais la forme. On se baladerait dans le quartier de Saint-Germain, tranquillement, nous pourrions prendre un café régulièrement, sans stress, tous les deux, au Flore, à deviser sur les relations franco-américaines... par exemple. Et faire des projets, comme, je ne sais pas moi, en faire une pièce de théâtre pour éduquer nos concitoyens respectifs. Histoire d'atténuer les tensions entre nos deux pays. « *From* Popincourt *to* Broadway » ! Je l'ai fait rire en lui mimant le truc. C'est vrai quoi. Il y a tellement de choses possibles à faire... à deux dans ce merveilleux pays dont tout le monde rêve : la France !

Ce fut le seul moment de crispation entre nous durant toute la semaine. Vite oublié. On était là pour se faire du bien, non ?

Et là, maintenant, ce soir, blotti dans mes bras devant les braises encore brûlantes d'un feu de bois, dans son ranch, au fin fond du Texas, Bill s'interroge... en pensant peut-être à Woody Allen quand il dit : « Si j'étais heureux, qu'est-ce que je serais heureux ! »

19

BOULE DE MIEL

J'ai vite repris le rythme parisien.

Une fois de retour *at home*, limite *groggy* avec les deux demi-Stilnox de rigueur, avalés pour le vol de retour, je n'ai même pas eu le temps d'être nostalgique de l'Amérique. Ni de Bill. Non, j'rigole ! Mais je préfère ne pas en parler pour l'instant. Et surtout ne rien laisser paraître devant les enfants. Enfants qui m'ont littéralement sauté dessus. Et maman par-ci, et maman par-là. Est-ce que tu peux m'aider pour mon anglais ? *Yep !* Est-ce que tu peux signer mon carnet de correspondance pour la réunion de parents d'élèves ? Pas de problème. Classique, je les ai abandonnés une semaine entière, mes bébés, alors en une soirée, j'ai dû compenser.

Élise a eu une poussée d'acné pendant mon voyage. Elle se trouve donc très moche (miroir, ô mon miroir). Du coup, elle veut un... scooter. Normal ! La discussion récurrente et stérile sur le véhicule à deux roues est réapparue au détour de trois boutons. Va savoir pourquoi ! Juste pour manifester sa présence et tester ma détermination. Mais avant comme après mon séjour aux États-Unis, ma chérie, la réponse est et

266

reste : non. Pas de scooter. Ni à Paris ni ailleurs. Ni pour Noël, dans deux mois, ni en commun avec qui que ce soit de la famille ou des amis. « Ton père est d'accord là-dessus. C'est la seule chose sur laquelle nous le sommes, tu as raison, mais c'est ainsi. »

La colère de Mistinguett n'a pas tardé, ni les reproches qui vont avec. Le thème de prédilection : les enfants du divorce, rien que des victimes. « De toute façon, quand les parents divorcent, ça n'en finit jamais, car ils se conduisent comme des enfants dans la cour de récré ! Des enfants qui jouent aux billes et qui se battent. Et les billes, c'est Arthur et moi. Pour le fric et la pension alimentaire, vous ne vous parlez pas. Mais quand il s'agit de nous priver de quelque chose, c'est bon, là, Papa et Maman s'adorent et s'entendent à merveille. Sur notre dos. Pour nous faire bien chier. » Donneuse de leçons, Mlle Élise ? Pas un peu jalouse de Bill ? Et du voyage de sa mère, par hasard ? Pourtant ça roucoule sec avec son Charles. Ce qui ne l'a pas empêchée de m'emprunter, dès cet après-midi, sans me le dire, « juste pour aller boire un café », mon sac rouge new-orléanais. Le truc bien de son âge ! J'ai hurlé à mon tour. Soûlante, ta mère ? On s'adore toutes les deux, mais on se chamaille sec.

Arthur, lui, est moins vindicatif. Il ne m'a pas harcelée moralement pour me faire payer ma semaine de liberté. Il s'est juste contenté de s'enfermer dans sa chambre pour manifester son opposition au fait que demain on lui pose un appareil dentaire. Qu'il va être défiguré, que ça sera de ma faute si aucune fille ne le regarde plus. Qu'il n'osera même plus sortir. Du coup, il n'arrête pas de se photographier avec son téléphone portable et d'envoyer ses photos à toutes les copines de sa classe. En pleine crise narcissique, le BG ! (Oui, quoi, Arthur le beau gosse !).

Y a pas qu'à la maison que j'ai payé mon absence. M. Ceccaldi s'y est mis aussi. Il a été odieux à mon retour. Pourtant il a bien dû constater que, malgré le Texas, je n'avais pas pris un gramme (ah, la cuisine de Bill..., M. Ceccaldi, si vous saviez... Sportive, énergétique et trop bon, euh, bonne !). Grandiose, je lui ai fait un chèque d'avance de deux séances (on n'est plus qu'à une tous les quinze jours). Pour voir. Là, il a retrouvé le sourire. Quel comédien ! Rien que pour ça, il ne va pas tarder à me manquer l'acupuncteur corse. Parce que d'ici deux mois, c'en sera fini. Je ne passe pas l'année avec lui car, en décembre, je serai stabilisée de chez stabilisée.

Retour *hard* aussi, côté messagerie. Une avalanche sur mon portable personnel. Incroyable. On s'absente huit petits minuscules jours à l'étranger et paf... dix mille messages. Plus ou moins passionnants, il faut le dire. Et le record de la semaine est détenu par... Gloria. En personne. Ma mère m'a pas loupée. Elle a droit de filer à l'autre bout du monde asiatique, de se remarier en cachette là-bas au nez et à la barbe de tous, d'y repartir en voyage de noces tous les trimestres. Moi non. Dès que j'ai une histoire sérieuse avec un homme, elle me redécouvre. Et ma petite Juliette par-ci, et ma fille chérie par-là. Jalouse, Gloria ? À ton âge ? À tout âge, je crois qu'une mère est jalouse de sa fille. Et réciproquement d'ailleurs !

Après toutes ces sollicitations, je me suis rendu compte que j'étais bien jet-laguée quand même. Heureusement, côté boulot, j'avais prévu : je me suis octroyé deux jours pour me remettre. Reprise mardi matin seulement. La semaine qui arrive va être tendue, c'est la dernière avant la restitution de l'audit. Alors, question énervement, excitations et coups bas, ça va pas être triste. Il faut que je sois en pleine possession de mes moyens pour rattraper les éventuelles vacheries qui auraient pu m'être faites lors de mon absence. Mais j'avais chargé Gaëlle de faire de la veille stratégique et de m'avertir par mail de toute tentative de déstabilisation. Bien organisée et calculatrice à souhait, hein Juliette ? Pas folle la guêpe. Valait mieux que je rentre le plus tard possible pour être la dernière à donner mon avis, non ?

N'empêche qu'au milieu de cette remise en route un peu chaotique Bill me manque. Même si je m'efforce de jouer les grandes dames. Il m'a déjà appelée depuis mon départ, mon Texan. Ses appels sont plus doux les uns que les autres. *Miss you too*. Il m'imagine à Paris. Il a envie que l'on se revoie. Il propose de me montrer plein d'autres choses et d'en faire encore plus qu'au Texas... ! Par exemple me faire découvrir la côte Ouest, cette fois. Il a ses meilleurs amis installés là-bas et il aimerait que je les rencontre, *as soon as possible*. Vraiment. Alors, qu'est-ce qu'il va faire, Clint Wood ?

Emballé, Mr Wood ! Et bien décidé à tirer la couverture de son côté de l'Atlantique ! Il m'amuse Bill. J'ai dit : « Pourquoi pas, *good idea* en attendant

de se voir à Paris. C'est à ton tour de venir, *next time.* »
Moi, je ne peux pas laisser les enfants, ni mon boulot
régulièrement, même si je ne demande qu'à repartir.
Ça va pas être facile à gérer tout ça, ni mon temps, ni
mes sentiments.

Déjà, là-bas, à la fin du séjour, je me sentais
partagée. Plus ça allait, pire c'était. J'étais comme
fendue en deux. La dernière nuit, je n'ai pas fermé
l'œil. J'ai ruminé et retourné les problèmes dans tous
les sens. En français, comme en anglais ! Notre
histoire n'est pas qu'une aventure passagère. Il y a
plus. Mais quoi ? Et difficile de faire des projets au-
delà d'une semaine. On se connaît peu Bill et moi.
Quelques jours de vie commune, et encore dans les
meilleures conditions qui soient : il m'a traitée comme
une reine, oui la reine du Texas. C'est sûr qu'il faut
qu'on passe plus de temps ensemble avant de... de...
rêver. De rêver à quoi, d'ailleurs Juliette ?

Redescends sur terre ma cocotte. OK, t'as découvert
Bill. OK, t'as vu le Texas. OK t'as aimé l'Amérique,
le paradis des riches. *And so what ?*

Is Bill, Mr Right ? Do I really love him ? N'est-il
pas *too* texan, et moi *too frenchie ?*

Pour l'instant, tout beau, tout neuf, nous sommes
sur la même longueur d'onde : poursuivre une liaison
suivie ensemble. Liaison dangereuz ? *Love story ?*
Toutes ces questions se mélangent dans ma tête de
Juliette salement décalée, et pas que question horaire !

J'ai besoin de sommeil et aussi d'en parler pour y
voir plus clair. Ça tombe bien, Élisabeth et Chloé,
les deux empressées, m'ont conviée à un thé entre

copines, demain après-midi, pour qu'on prenne des nouvelles de nos vies respectives. Hypocrites. Elles crèvent d'envie de savoir comment ça s'est passé pour moi là-bas. Faut dire que leurs vies à elles sont carrément plus plan-plan, non ? Mme Grossesse et Mme Famille ! Je vais leur en mettre plein la vue de « Bomantt-Texas » tout en les sondant sur... une éventuelle façon de voir l'avenir. J'ai pas l'intention d'appeler Doudou tout de suite. C'est trop frais. Je préfère réfléchir par mes propres moyens. C'est ça le libre arbitre tant attendu, non ?

Après une bonne nuit de sommeil (re-Stilnox dans l'autre sens, attention, je commence à avoir mal au cœur comme en début de grossesse. Mollo le recalant !), j'ai enchaîné sur une séance de gym ballon. Histoire de ne pas perdre pied avec mes pratiques américaines. Les actrices de LA (Los Angeles) l'ont toutes adopté. Ça rééduque le dos, comme son nom ne l'indique pas. Alors la créatrice de Crazy Blondasse – alias Blondie, nouveau nom donné à ma créature depuis mon retour des US –, émission phare de « Femmes 7 », la télé qui s'éclate, ne pouvait pas passer à côté ! *My coach* sportif *is* a ballon ! Ça m'a fait du bien de me vautrer sur cette énorme boule. Paradoxe, j'ai vaincu mon mal de cœur. Ouf !

En route pour le thé texan ! On avait rendez-vous toutes les trois dans un nouveau salon de thé très kitsch, genre néo-boudoir à la Chantal Thomass, avec une petite touche orientale au nom étonnant de « Boule de miel ». Toute une ambiance !

« Boule de miel » ou « *honey bun* » ? Ah non,

271

Juliette, tu es de retour en France, plus de référence à la culture américaine sauf avec ta copine Amélie. Qui a eu un léger coup de blues pendant que j'étais outre-Atlantique : Mme double décodeuz était au chômage. Comme Bill et moi n'avons plus trop besoin de ses services, vu qu'on s'aime à merveille et qu'on communique à 1 000 %, Amélie se sent i-nu-ti-le. Pas faux. Je l'ai rassurée : on t'apprécie beaucoup quand même et occupe-toi de toi aussi. Ça fait du bien. Aussitôt dit, aussitôt fait. Son dernier mail donne des nouvelles très très intéressantes. *Yes !*

En pièce jointe, je m'attendais aux éternelles blagues sur les mecs dont elle a le secret. Quelle ne fut pas ma surprise. « *Enjoy* les réponses données par des enfants à l'école élémentaire sur leur maman ! » Que des blagues plus mignonnes les unes que les autres. Celle que je préfère est : « Pourquoi Dieu vous a donné cette maman-là et pas une autre ? Parce que Dieu savait que cette maman-là m'aimait beaucoup plus que les mères des autres ne m'aimaient ! » Ou celle plus révélatrice de la condition de la femme *all around the world* : « Quelle différence y a-t-il entre les mamans et les papas ? Les mamans travaillent au travail et à la maison et les papas travaillent seulement au travail. » Ils ont tout compris ces petits Américains !

Mais c'est quoi ce délire de mère ? J'ai tout de suite eu la puce à l'oreille. Ça n'est pas de l'Amélie de Nashville de d'habitude ça. Ou alors c'est une Amélie en train de se recaser. J'ai vite vite remailé. Pas loupé.

La réponse était éloquente et à l'américaine ! Je sais tout ou presque de la vie de son nouveau mec !

De : amelie@aol.com
À : juliette.beaumont@hotmail.com
Objet : my new man

J'ai « une date », ce qui était devenu quasiment du domaine de l'irréalisable. Il n'est pas milliardaire, mais très sympa, drôle et de NY. Il est artiste peintre, 52 ans, JAMAIS marié, *not gay, no kids but love kids*, conférencier au Met et Moma, fils et petit-fils d'un pasteur missionnaire en Afrique, élevé au Zaïre (Congo belge) parle français (belge), vote pour John Kerry, barbu et petit mais à l'humour généreux, passionné d'Amélie, laisse des mots sous l'oreiller, sort le chien sous la pluie à 2 heures du mat pieds nus avec juste un vague manteau acheté à Goodwill, aime les cravates et les chaussettes rayées, adore sa mère, respecte son père, deux sœurs très proches, peintres favoris, Daumier, Corot, Daubigny, Caravage, peut citer sans réfléchir plus d'une centaine de peintres, murs et sols remplis de peintures et de livres, évier plein de vaisselle sale, bougies usagées sur une bouteille vide de bon pinot noir, très propre et méticuleux dans son grand studio magnifique, toujours à faire attention avec les produits chimiques utilisés pour la peinture à l'huile...

Je t'écris dans les prochains jours pour t'en dire plus... en attendant tu peux visiter son site web : www.gregdocker.net.

À bientôt, Amélie.

Incredible ! But true ! J'étais sciée par cet exposé si détaillé. Le nouveau fiancé d'Amélie n'a plus de secrets pour moi !

Mais je suis tellement contente pour elle : amour et succès en perspective du côté de Nashville... Tant mieux. Fini ce business épuisant « *of getting a husband* », genre *full time job*. Ça devenait une idée fixe. Elle a failli virer à l'obsédée du remariage, plus américaine encore que les Américaines elles-mêmes, Amélie.

Je suis arrivée en avance à la « Boule de miel » chargée de quelques cadeaux ramenés du Texas pour mes deux poulettes. Surtout pour ma poulette Chloé et ses deux œufs ! Peut-être qu'à la dernière écho ils s'en sont enfin aperçus ? Doudou m'a dit de garder ça pour moi. Comme elle n'est pas le bon Dieu..., elle peut se tromper. Alors, pour l'instant, c'est la médecine qui prime !

Chloé est arrivée la première. Ça m'a fait plaisir de la voir en pleine forme. De plus en plus épanouie. Je lui ai offert les deux objets rapportés des US : là-bas, la révolution technologique s'occupe des tout-petits. Un traducteur de pleurs : « *why cry* », qui, paraît-il, détecte pourquoi bébé pleure. Douleur, faim, sommeil... Et un collier antinoyade (coffret comprenant deux colliers...). Sait-on jamais ? Moi, j'ai failli mourir quinze fois avec Arthur qui se noyait trop souvent. Heureusement qu'Élise était là, chaque fois, pour le sauver. Une vraie petite mère pour lui, ma poupée. J'en ai eu des frayeurs avec lui. Je ne sais pas comment j'ai survécu à toutes ces émotions.

Chloé était enchantée. En attendant Élisabeth, elle a commencé à me raconter ses préoccupations du moment. Les nouvelles obsessions de la semaine quoi ! Qui sont : l'accouchement à la maison, pratiqué par seulement 1 % des Françaises contre 30 % des Néerlandaises (je me suis tout de suite déclarée incompétente, trop risqué !), et la valisette de la future maman (plus dans mes cordes).

Comme elle a déjà des contractions bien avant l'heure (elle en est à presque sept mois), elle a préparé sa valisette. Rien que d'entendre ça, j'ai mal au ventre. Au secours, moi je ne veux plus accoucher, ça fait trop mal. Et personne ne le dit haut et fort. Même avec la péridurale, nous, les femmes, on souffre ! C'est pareil avec « table à langer », rien que ce mot, ça me donne des contractions extra-utérines !

— Si la préparation de cette valise t'angoisse, zappe la phase accouchement, passe direct à la phase postnatale et organise ta rentrée de la clinique, je lui ai suggéré. Pas la peine de s'étendre !

Moi, pour Élise, je voulais m'enfuir pour ne pas souffrir. On ne m'a pas laissée faire. On m'a rattrapée dare-dare dans les couloirs de la maternité ! Et hop, au travail ! Je l'ai fait rire Chloé. Mais la question suivante a fusé. Et comment allaiter la nuit ? Chloé, on verra le moment venu, peut-être que tu n'auras pas de lait, hein ! En plus, elle prend des cours d'hapto-nomie, et ça stresse ce truc. Il paraît qu'on apprend à communiquer avec le bébé. Elle y va avec son mari pour que lui, de son côté, en tant que futur père, tisse dès aujourd'hui des liens père-mère-enfant.

Là, Chloé, on verra à l'usure, euh à l'usage. Elle est obnubilée par son ventre et ne pense plus qu'à... elle. Tout se mélange dans sa tête. Pauvre Chloé, l'accouchement, l'allaitement, la valise avant, les couches après. C'est le désordre dans son cerveau. Faut dire que ça doit pomper sec ses neurones les deux trucs qui se fabriquent tout seuls dans son ventre comme ça, au gré du temps ! Je ne savais plus comment répondre à toutes ses interrogations existentielles. Ouf ! Sauvée par le gong ! Élisabeth est arrivée. Quarante minutes de retard, ma belle.

Je n'ai pas relevé, mais elle d'habitude si ponctuelle et à cheval sur les horaires... c'est étonnant. D'autant qu'elle s'est à peine excusée, malgré son air un peu gênée. Elle s'est assise et a surfé sur la conversation. Moi, Juliette, je dis que c'est louche cet œil brillant et cette mine réjouie. Pas l'allure de la fille qui vient de passer trois quarts d'heure dans les embouteillages. Tu ne vas pas t'en tirer comme ça, ma cocotte.

— Alors, alors... elle a piaillé en tapant des mains, Juliette, le Texas. Raconte, raconte.

— Non, non, non. Toi d'abord. On garde l'Amérique pour la fin, les filles.

J'ai insisté soutenue par Chloé. Elle a obtempéré. Bien obligée de s'incliner. Madame la retardataire !

— Je viens de croiser Henri.

Ah oui ? Il envisage de quitter Paris. Pour être plus près de son Giorgio. De l'Italie. Mais il attend le prononcé du divorce, dans un mois environ, pour s'installer dans le Sud (pas à Grasse, tout de même Henri !). Hélène a fini par accepter l'argent du divorce, après s'être octroyé les enfants ! Enfin, les deux derniers, car Fleur vit sa vie avec son gentil mari et parle déjà d'avoir un bébé. Hélène, grand-mère ? On rêve. Chloé mère et Hélène grand-mère en même temps ! Elles vont pouvoir renouer autour des chauffe-biberons ! C'est ça la vie des femmes de nos jours. Soit on est grand-mère à quarante-cinq ans, soit on fait un troisième enfant après quarante-cinq ans. Comme Madonna. No souçaï, la médecine suit et les maris aussi !!!

Mais cette excuse Henri ne m'a pas convaincue. Les yeux d'Élisabeth étaient trop allumés. Je connais trop cette petite lueur. Puis, ce que Doudou m'avait dit avant mon voyage à Beaumont m'est revenu comme un flash. Elle nous cache bien quelque chose, la coquine. Alors, mine de rien, j'ai amené la conversation sur l'un de nos sujets favoris : les maris-les amants. Chacune y est allée de sa blague. Chloé a commencé. « Deux copines allongées sur leur serviette à la plage discutent. L'une d'elles, un peu triste, confie à l'autre : "Quand je couche avec mon amant, je ferme les yeux et je pense à mon mari." L'autre lui répond du tac au tac : "Change d'amant !" » Puis, à mon tour, j'ai continué en regardant Élisabeth bien en face. Elle riait mais plutôt jaune. « C'est deux copines assises autour d'une table en train de prendre un thé... l'une d'elles dit : "Tous les célibataires que je connais sont nuls, égoïstes et déplorables comme amants." Et l'autre répond : "Tu as raison, les meilleurs amants sont les bons maris..." » N'est-ce pas Élisabeth ? j'ai ajouté. Là, elle a compris que je savais qu'elle avait...

un amant. Je voyais que ça lui brûlait la langue de se confier.

— Vas-y, parle Élisabeth, nous sommes là et nous sommes deux tombes.

Elle a fini par se dévoiler.

— J'ai revu Philippe II. Nous avons repris. C'est plus fort que nous. Cette fois, je n'en parlerai pas à mon mari. Je me sens capable de vivre les deux histoires en même temps. Je ne veux pas renoncer ni à l'un, ni à l'autre.

Cette fois, elle s'est organisée. Elle n'aura pas besoin de nous pour la couvrir. Elle gère ses escapades amoureuses avec une agence allemande ! Les Allemands étant volages (c'est bien connu !), 50 % d'entre eux regardent ailleurs. Et comme ils aiment la discrétion, ces pros ont créé une agence « alibi » spécialisée dans les excuses pour aventures extra-conjugales. Deux tiers des demandes viennent des femmes. Élisabeth est donc la bonne cible. On commande un ou deux alibis pour la soirée. L'un est destiné au mari. L'autre à l'épouse de l'amant. SMS, prétextes de rendez-vous professionnels, bristol d'invitation à un cocktail. Tout est possible.

Ça nous a permis de délirer quelques instants toutes les trois. Élisabeth, remise de ses confidences, n'a pas voulu paraître en reste, question blague, et avant d'aborder le sujet de la soirée, elle y est allée de la sienne. « C'est un homme et une femme qui viennent de faire l'amour. Ils sont encore au lit. Lui, béat, interroge du regard. Elle, agacée, lui répond : "Mais, enfin, chéri, où est le problème ? Puisque je te répète que c'est avec toi que je préfère n'avoir aucun plaisir !" » Pas courant d'avouer une chose pareille, mais pas totalement inexacte comme constatation. Moi qui croyais que ça avait été le calme plat dans la vie de mes copines, raté. Dès que j'ai le dos tourné, mes poulettes ravies s'éclatent !

— Eh, et toi, alors ? C'était comment le Texas, Juliette, raconte.

Ah, elles en mouraient d'envie de tout savoir et je les avais bien fait languir. J'ai raconté la semaine de rêve. Le Texas, le ranch, les terres, le 4 × 4, l'avion, La Nouvelle-Orléans, les feux de cheminée, le canard à l'orange, le *carrot-cake* et l'attention particulière de Bill à mon égard. *Yep !* Nos goûts communs pour le désert (il a promis de m'y emmener...), la Turquie (nos premiers voyages de noces respectifs avaient pour destination ce pays), son amour de Paris (il a promis de venir un bon moment), l'espèce de folie qui se déclenche en nous quand on est ensemble... On est capable de tout. Tout. Voilà, je crois que je tiens vraiment à lui, ce Bill Wood. Folle de Bill, je suis. Je crois bien qu'on va passer à Bill 2 !

— Tu veux kill Bill, a ricané la poule aux deux Philippe.

— Énamourée, notre Juliette ? Et côté sexe, a osé Chloé, il paraît que les Américains c'est pas top. Or toi, Juliette...

— *Super size him and he knows how... Yes girls !*

Alors, les filles, s'il vous plaît, je leur ai demandé, fini les petites annonces (avec rencontre de prince charmant, toc ! Il n'a pas passé l'été lui d'ailleurs), fini les tests en tout genre des magazines féminins, les « Laissez tomber l'homme de vos rêves ! Découvrez l'homme de votre vie » (*why not ?*), « Faut-il faire rire un homme pour le séduire ? » (*no problem*), « Comment rendre un homme amoureux ? » (*c'est fait*), ou les « Êtes-vous prête pour le mariage ? » (*no comment*).

S'il vous plaît les filles, ces trucs-là, c'est fi-ni ! Bill est mon homme et je n'en démordrai pas.

Elles m'ont un peu calmée les pestes. Elles sont ravies pour moi. Bien sûr, elles comprennent que là-bas tout était *wonderful*, qu'à peine de retour je sois encore sous le charme et tout heureuse sur mon petit nuage, que j'aie envie de m'installer là-bas au Texas dans un grand ranch, au milieu des grands espaces et tout et tout... Mais elles me rappellent que j'ai aussi des responsabilités à Paris.

— L'Amérique, c'est l'Amérique, c'est pas la France. Lui, c'est un Américain, pas un Français. Déjà les couples franco-français, c'est chaotique, alors les couples franco-pas français, c'est encore plus risqué. Reviens cinq minutes sur terre ma belle. Après, tu pourras à nouveau t'enflammer.

— Épargnez-moi les enfants, leur père qu'ils ont besoin de voir, le boulot, mon avenir ici, Gloria et Tao, mes amis, vous mes trop bonnes copines... *Please*. Je sais. Pour l'instant, c'est à Bill que je pense et je ne veux pas en savoir plus. Je refuse de me prendre la tête. Je souhaite vivre cette histoire au jour le jour.

On a été interrompues par la sonnerie SMS de mon portable. Un SMS de Marco ? Dingue. Il sait écrire maintenant ? « Té libr pour ton aniverser, j't'invit à Venise pour le w-e. 4 jours. Jé réservé le Danieli. Un oui de ta part é je confirme. Call me, asap. M. »

La réponse n'a pas tardé. Y sait lire aussi, Marco l'accro ? « Suis pas libre é ai plein de boulot. Call me. J. » Il se prend pour qui lui. L'irrésistible ? D'accord pour déjeuner de temps en temps à Paris dans un endroit branchouille, mais pas plus. On ne va pas remettre ça, non ? Il connaît pourtant l'existence de Bill et il devrait bien se douter des sentiments que j'ai pour lui. Alors ? Ça n'a pas l'air de l'arrêter dans sa reconquête folle. J'aime pas le réchauffé, c'est jamais bon les nouilles froides... Ça il le sait pourtant, Marco.

Je suis rentrée à la maison toute contente. Et dans ma boîte aux lettres... Non, j'le crois pas. Plus rapide que l'éclair cet homme. Un ticket pour Bill 2 : on tient à ma disposition au guichet d'American Airlines un aller-retour, Paris-San Francisco direct, *first class*, billet *open*. Trop *cool*, trop bien. C'est pas comme ça que je vais me poser, dirait Élise. Il tient ses promesses téléphoniques mon amoureux américain, n'est-ce pas Élisabeth ? N'est-ce pas Chloé ?

Mes deux poulettes, j'vous adore, mais c'est Bill que je préfère !

20

CRAZY BLONDASSE EN ACTION

Les réveils sont toujours difficiles. Surtout les miens. Et spécialement ce matin car la journée qui s'annonce n'a rien de folichon. Pas de quoi sauter du lit folle d'enthousiasme. Et pourtant il faut en passer par là. Je le savais dès le début que ça ne servirait à rien. Quand je pense à toutes ces heures perdues à répondre à ces questions sans intérêt, à chercher des tonnes de factures dans les archives de seulement trois mois ! Un gâchis. Mais bon. Je crois qu'aujourd'hui, jour de la restitution des conclusions et recommandations de l'audit sur l'émission « Crazy Blondasse », va sceller la fin d'une polémique entre la production extérieure à la chaîne et l'équipe de direction de « Femmes 7 ».

C'est vrai que l'initiative malheureuse d'Alban de rajouter cette foutue séquence avait surpris et fâché lors de la première émission. Mais cette erreur a été rectifiée dans la foulée. Et l'audience a bien suivi : ils savent ce qu'ils veulent les téléspectateurs. Pas la peine d'essayer de les berner. Alban et son équipe s'étaient inclinés. Et l'incident ne s'est plus reproduit. Fallait-il déclencher un audit pour ça ? C'est Alain qui dirige, et en tant que boss, je comprends son initiative. Si j'étais directeur général, j'aurais certainement agi de même. Objectif : que les choses soient claires et incontestables.

Pour faire plaisir à Alain et être professionnelle jusqu'au bout, j'ai joué le jeu pendant cinq semaines. Sans envenimer les choses avec l'extérieur. Je sentais pourtant qu'Alban et Vanessa étaient là, tapis dans l'ombre, prêts à bondir, attendant leur heure. Depuis tout ce temps, ils pensent que l'audit va leur donner raison et qu'ils vont enfin avoir l'occasion de me faire la peau. Raté à mon avis... !

La réunion de restitution commence à 9 heures. Tu parles d'une heure pour écouter les sornettes de l'auditeur en chef ! Car ça y est, je m'y suis faite aux horaires de l'audiovisuel. J'arrive pas au bureau avant 11 heures maintenant. Jamais ! Pire qu'au Mobilier national. Ah, la tête des jalouses déjà, quand j'arrivais après 9 h 30 elles se trouvaient mal... Alors là, 11 heures. C'est l'heure où elles partent déjeuner, les poules.

Mais ce matin, je dois être présente. Je ne vais rien apprendre, et au cas où il y aurait quelque chose de nouveau, ce n'est pas du côté de mon service que ça se passera. C'est vrai. Il n'y a pas eu dépassement de budget, pas de frais de représentation de folie, pas de dérapage du côté des voyages. Les résultats d'audience, en moyenne, depuis le lancement de l'émission, sont largement supérieurs aux prévisions les plus optimistes. Je n'ai pas détourné d'argent pour financer un quelconque parti politique, je ne m'en suis pas mis dans les poches pour mes vacances à Saint-Tropez. Nous ne sommes qu'une petite chaîne du câble qui perce. Alors ? Je ne vois pas. Enfin dans deux heures, c'est fini, et nous pourrons passer aux choses sérieuses, n'est-ce pas Juliette Beaumont ?

Et dès que c'est terminé, je file enfin me faire faire ce fameux massage au bambou dont je rêve depuis... Il faut bien que je m'occupe à midi, maintenant que M. Ceccaldi et moi, c'est fini... ou presque. Plus qu'une séance par mois ! Oui, je suis stabilisée. Reste plus qu'à raffermir ! Dis Doumé, maintenant que je suis mince, c'est sans rancune ? Il paraît que pour ce soin très tendance le masseur assouplit les muscles en passant neuf bambous de tailles différentes par roulement, effleurages et pressions sur le dos, les cervicales, les bras et le ventre. Et qu'on en ressort... ultra relaxée ! Les tensions sont effacées, on se sent détendue des pieds à la tête. Le tout sous la douce lumière jaune et la boule à facettes de la « bulle euphorisante ».

Encore, encore !

De toute façon, cet après-midi, quel que soit le baratin de l'auditeur, j'ai une petite interview avec la presse spécialisée pour fêter les cent jours de « Femmes 7 » nouvelle grille. C'est ça aussi la télé ! Ah, autour de moi on veut du clinquant ? Eh bien, ils vont en avoir pour leur bonheur. Je sais pertinemment ce que je vais raconter et je vois déjà la teneur du papier :

« Le joli parcours de Femmes 7 »

« La chaîne fête ses cent jours sans fanfaronner, fière de son succès. Un public de plus en plus large la regarde. Une réussite qui ne doit rien au hasard...

« Un triomphe que l'on peut expliquer en sept points :

« — un public qui s'est élargi (*normal, mon idée de diffusion en boucle, ça marche. En bon dealer accompli, la chaîne ménage aussi des plages de repos, histoire de mettre les accros en véritable situation de manque ; c'est ainsi que l'on fabrique toute une génération d'addicts à Crazy Blondasse*).

« — un programme utile (*certes. Indispensable même*).

« — une chaîne qui plaît (*of course*).

« — Crazy Blondasse » (alias CB), une innovation, pas une simple réplique d'une émission étrangère (*MA créature*).

« — un respect particulier des téléspectateurs (*là, je peux glisser discrètement qu'un audit concocté par la direction dès le départ pour suivre pas à pas les progrès de l'émission phare a montré qu'en effet CB attirait de plus en plus de personnes consternées par la médiocrité et le côté racoleur d'un grand nombre de programmes sur les autres chaînes. Et paf, un pavé dans la mare. Je prépare la suite... c'est bon pour moi !*).

« — des dirigeants qui y croient (*oui, « Femmes 7 » a la chance d'être conduite par une patronne en phase avec la ligne éditoriale qu'elle s'est personnellement fixée à elle-même !*).

« — un souci d'avant-garde (*eh oui, grâce à sa nouvelle directrice des programmes, « Femmes 7 » a une longueur d'avance sur ses concurrents. Ça aussi c'est bon pour moi*). »

Même si je ne suis pas dupe avec leur côté paillettes, quand je veux, j'me la pète, moi aussi, hein Alban ?

Et l'interview se conclura par : « L'émission préférée des téléspectateurs est bien "Crazy Blondasse". »

Et vive Juliette, euh, vive Blondie ! Que de la gloire ! *Yep !* Il serait fier de moi, mon Texan, s'il lisait cet article à paraître.... J'espère que cela sera avant mon départ *next week* pour San Francisco.

Mr et Mrs Dream, Donald et Daisy, les amis de Bill depuis tout jeune, nous attendent. De là, on va visiter la région que je ne connais pas (sauf Los Angeles qui n'est pas tout à fait dans la région, d'ailleurs). La Californie par sauts de puce, en rayonnant à partir de chez eux, en avion miniature, qui sait ? Ça va être sympa !

Et c'est Bill *himself* qui s'est occupé du programme. Il va sûrement m'en faire des surprises, comme quand je suis venue chez lui au Texas, genre « *dîner out* » ! C'est un as, Bill, pour ça... et pour tout le reste aussi !

Mais avant de s'envoler pour de nouveaux cieux, il faut passer par la case audit. Finalement ce fut un vrai plaisir cette restitution. Un véritable succès. Non seulement cet audit était nécessaire, mais ces résultats sont bien à la hauteur de mes attentes : fondamentaux et à graver dans le marbre. Oui. Je retire tout ce que j'ai pu penser sur son inutilité, la perte de temps qu'il a engendrée...

Il a révélé trois choses de valeur inégale. Un, côté production. Pas très agréable mais il fallait qu'on le sache : l'histoire du micro-trottoir ajouté en catimini cet été par l'animateur-producteur était une minable affaire de copinage et de renvoi d'ascenseur. On a bien fait de supprimer tout ça. Deux, du nouveau côté audience : désormais, c'est officiel, la ménagère de moins de cinquante ans est bisexuelle ! Comment ils savent ça eux ? Leur étude poussée, toutes chaînes confondues, nous révèle cette information confidentielle ! Merci, Messieurs les auditeurs, on s'en doutait pas vraiment, pour sûr ! Déjà que de ce côté-ci de l'écran, c'est le cas, on ne savait pas que dans les salons devant le petit écran, il en était de même !

Et trois, le pompon. Il fallait y penser. Mais ce sont des professionnels qui parlent. Alors, chut, on écoute bien. Ça touche le décor. Il faut que rapidement, d'ici deux ou trois émissions maximum, on ait changé de table ! Oui, à chaque émission, sa table. Ça fait gagner des points d'audience. Et nous, la nôtre de table, elle est mal identifiée. « Une table, a insisté l'auditeur, c'est la signature de l'émission. Il vous faut une table plus arrondie, plus féminine, qui reflète parfaitement la personnalité de "Crazy Blondasse". » Cette adaptation indispensable permettra aussi au magazine d'être en phase avec ce qui est dit. (Alban ? Comme il est bisexuel, lui aussi, M. l'auditeur en chef, on fait comment ? Une table avec des coins pointus pour son côté homme et arrondis pour son côté femme ?) C'est l'habillage la table. Et l'auditeur adjoint, sommé de nous faire le benchmarking des tables, de préciser :

« Dans les talk-shows américains, les invités sont dans un fauteuil ou sur un canapé, alors que le journaliste, qui lui travaille, se trouve derrière un bureau. En Allemagne, tout le monde est debout, et en Italie... le canapé est de tous les programmes. » Ah ces Italiens, ils savent vivre... !

La future table de Blondie, je vous dis pas. Elle va en faire des jaloux ! Une table carrée qui accentue le côté ping-pong de l'émission, dotée d'un triangle en Plexiglas aux coins arrondis pour que l'animateur ne manque rien de ce qui se passe sur son plateau. Et de petite taille la table, pour accentuer la proximité physique et favoriser une intensité plus forte dans l'interview et une meilleure convivialité. Mazette, la table de « Crazy Blondasse » à « Femmes 7 » ! Et Blondie, elle va pas devoir s'allonger sur la table tout de même ma créature ? Il y a des divans pour cela.

Et le divan, c'est pour quand ? Et pour qui ? Hein, Alain ! Et le canapé assorti à la table d'enfer, dites Vanessa et Alban, vous le sentez comment, le canapé ? On va se croire à Bollywood, bientôt à la chaîne. Manquera plus que les tentures orange à tendre partout...

Je vais aussi pouvoir faire venir ma Doudou dans l'émission. Elle les fera tourner, elle, les tables. Mais faudra pas oublier de toucher la table. C'est comme les cartes, quand on tire, ça parle mieux ! Pratique pour les changements de décor dans six mois. Car, c'est sûr, d'ici ce temps-là, le spectateur se sera lassé de la table miracle fabriquée sur mesure et sous inspiration des auditeurs ! Ils pourront refaire une mission *cash* !

J'inviterai Bill aussi sur le plateau pendant qu'on y est. En matière de table (et pas que de cuisine), lui et moi, on s'y connaît. Et nous le prouverons, à nouveau, s'il le faut !

C'était là, le vrai point noir de « Blondie », la table. Moi, j'ai eu les félicitations des auditeurs. Ils m'ont sacrée « cour des comptesses ». Direct, que des éloges. Faut savoir, « cour des comptesses » ou « Régente » je fais, euh, faisais, à « Femmes 7 » ?

Quelle journée agitée et pleine de rebondissements ! Alain a applaudi, Alban s'est écrasé et Vanessa s'est ralliée. Leur sort à ces deux-là s'est décidé tout seul. Lui l'a joué profil bas : il préférerait tuer père et mère plutôt que de ne pas paraître sur le devant de la scène. Il continue, totalement d'accord avec tout ce que je pourrais proposer. Alban, un chien-chien à sa Juliette ? Quant à Vanessa, l'ex-miss Cruella, elle s'est bien débrouillée. Depuis une semaine, sentant le vent venir, elle a retourné sa veste. Intuitive et maligne la fille. Elle ira loin !

Moi, j'ai préféré la jouer modeste. Et pas de vengeance ou de règlement de compte à l'horizon. C'est pas tendance quoique...

« Punir, un vrai plaisir », paraît-il.

C'est ce que j'ai lu ce matin dans un hebdo. Certains éprouvent une vraie satisfaction à sanctionner. Assouvir sa vengeance activerait, selon les scientifiques de la faculté de Zurich qui ont analysé le truc, une zone cérébrale, le stratium dorsal, qui déclencherait un sentiment de satisfaction intense. Le stratium dorsal joue un rôle clé dans la réprimande altruiste, avec d'autres zones du cerveau non encore identifiées aujourd'hui. La satisfaction de punir est ainsi incontestablement liée au désir de rétablir un certain degré de justice chez la victime. Les auteurs de l'étude précisent, sans ciller, que leurs travaux ont été menés sur des hommes, et ils s'empressent d'ajouter que leurs résultats seraient « très probablement » et « selon toute vraisemblance » identiques avec les femmes.

Faut voir, faut voir.

Moi, Juliette B., à une époque de ma vie, je confirme avoir été « victime » et adoré que le « bourreau », mon ex-mari pour ne pas le citer, ait été puni ! Tiens en parlant de Paul, l'autre jour, on s'est retrouvés nez à nez au collège d'Arthur pour une réunion de parents d'élèves. Je ne m'attendais pas à le voir. Ça faisait bien cent ans qu'il n'était pas venu à ce genre de rendez-vous, à croire qu'il n'a pas d'enfants lui.

Là, d'un seul coup, on s'est retrouvés propulsés au fond de la classe, assis côte à côte, Paul Tcherko à la même table que Juliette Beaumont, comme si de rien n'était. « Comme des parents normaux », auraient dit nos ados.

Maintenant tout va bien pour les deux enfants. Élise travaille super bien, j'ai eu des félicitations de tous ses profs, surtout le prof d'anglais impressionné par son accent américain. Sur des rails, ma fille. Tout roule. Arthur a de bien meilleurs résultats depuis qu'il a canalisé son indiscipline : bon élève, réelle concentration. C'est ce qui est écrit sur le bulletin du premier demi-tiers du premier trimestre de l'année scolaire de neuf mois pétants ! Bravo, mon fils. Alors que le Paul pointe son nez, pile à ce moment, ça m'amuse. Pas peur de voler au secours de la victoire, le père modèle !

Tiens d'ailleurs, j'ai appris par quelques indiscrétions locales deux étonnantes nouvelles ! Côté cœur, avec la « Faïce », ça n'est plus tout à fait l'idylle. Côté extraprofessionnel, il a raté son entrée en politique : il a failli devenir maire d'une petite commune du Sud, mais ça l'a pas fait. Il était trop dauphin. Et comme le sort des dauphins est toujours le même depuis des siècles et des siècles, « dauphin il est, dauphin il restera. À vie » ! Sa mère a failli en mourir, m'ont affirmé les enfants. En plus, il semble qu'il se soit un peu ruiné dans cette affaire. Ce qui a dû peser dans la balance de sa femme, l'intéressée : plus de sous, plus de prestige, plus d'honneur du tout. Autant changer de mari, non ? Avec son accent chantant, ses jupes en haut des jambes et ses seins qui débordent, ça devrait le faire assez rapidement. Un nouveau pigeon à plumer. Encore !

Élisabeth m'a envoyé un petit SMS pour me dire à quel point elle roucoule entre ses deux Philippe. Épanouie, elle redécouvre la vie. Un mari, un amant, le bonheur ! Quand je pense que ça fait des années que je le lui dis... ! Chloé, elle, donne dans le mail : elle a envoyé les photos de sa dernière écho à toutes ses copines. Un passe-temps comme un autre ! Il faut que je m'extasie naturellement. Ce que je viens de faire à l'instant. Histoire de vérifier qu'on n'en voie qu'un de fœtus. Oui, il semble qu'il n'y en ait qu'un. C'est fou ce truc. Vivement Noël, qu'on sache !

Au lieu de me laisser distraire par mes copines (manque plus qu'un mail de Nashville sur la vie sexuelle d'Amélie !), c'est l'heure de mon rendez-vous avec le boss. Réunion blog avec Alain... et j'attends qu'il termine avec son visiteur. Je fais animatrice de blog depuis huit jours. Grâce aux blogs dédiés à « Crazy Blondasse », « Blondie », « CB » and Co, j'ai pu donner une vigueur éditoriale particulière à l'émission. Le bon moyen de drainer de l'audience supplémentaire. Tous ces millions d'internautes, des futurs spectateurs de « Femmes 7 ». Tout est bon à diffuser, relayer, commenter. À donf le blog de « F 7 » !

Les tribus sont en marche. Vive le web.

C'est grâce à mes ados que j'ai pu pénétrer la blogosphère. Ils m'ont initiée. Élise excelle, même si elle trouve cette pratique un brin « égocentrique » ! Ce qui lui plaît, c'est l'interactivité. Elle conforte ainsi son identité d'ado. Ça fait partie intégrante de sa vie. Pour brouiller les pistes, son blog s'appelle « Zéliz Tcherko », et elle se raconte toute la soirée à ses copines. Moi, je trouve cela plutôt sympa, cette ouverture d'esprit mondiale de la communauté virtuelle internationale ! Blogueurs et blogueuses de tous les pays, unissez-vous !

Si Élise blogue, Arthur lui « nick » ! Son pseudo c'est « Zartur lover ». Lui, il fait partie d'une autre communauté : celle des MSN Messager. Une tribu beaucoup plus directe, pas franchement à cheval sur l'ortograf... mais pas moins mondiale !

Enfin, Alain s'est libéré. Il était temps ! J'étais impatiente. Monsieur avait un big rendez-vous des plus importants avec un mystérieux actionnaire potentiel pour la chaîne qui grandit, qui grandit. Il recevait en catimini ce grand investisseur de l'audio-visuel qui préfère garder l'anonymat. C'est rare dans ce métier. C'est pourquoi je n'ai pas assisté à ce premier contact.

N'empêche que j'l'ai croisé quand même le grand homme, en rejoignant le bureau de mon boss. Juste devant l'ascenseur. Je l'ai repéré. Pas franchement beau. Plutôt ce qu'on appelle « une gueule ». Attirant, taille moyenne, brun tirant sur le grisonnant, l'œil noir pétillant, la cinquantaine décontractée, sourire des plus engageants, élégant, style italien inimitable ! Pas froid aux yeux. Il m'a remarquée et saluée d'un léger signe de tête. Entre nous, on se reconnaît... les charmants ! Mais chut. J'ai fait comme si de rien n'était en entrant dans le bureau du patron.

Il était soulagé du résultat de l'audit, le DG, et enthousiaste à l'idée de changer de décor. Des points d'audience en plus défilaient dans ses yeux comme les figures des machines à sous dans les casinos. Il m'a amusée. J'étais un peu tendue, vu l'annonce que je venais lui faire à Alain.

C'est lui qui l'a dit : il faut changer de décor. Il ne croyait pas si bien dire... J'ai pris mon souffle, j'ai inspiré très fort et je me suis jetée à l'eau. J'ai enchaîné tout de suite à vive allure : « Je suis venue te demander conseil, Alain. » Là, avant que je poursuive, il a compris. Il a du flair. Il est pas bon pour rien. Une proposition alléchante... une promotion dans une grande chaîne de télé française... la première même... un contrat plutôt intéressant, mais bon... des hésitations... des scrupules. Ce sont eux qui m'ont sollicitée. « Directrice des programmes », ça s'appelle. C'est pas tout à fait signé, mais les négociations sont bien avancées, je fais un bond côté salaire, et les avantages en nature restent à définir.

Il connaît le business, Alain, il sait que quand on vient vous chercher il ne faut pas laisser passer sa chance. Il a eu la réaction qu'il fallait : « Vas-y, Juliette, fonce. Bravo. Tu le mérites. C'est le fruit de ton travail. C'est ça le succès. Même si je sais que c'est une grande perte pour "Femmes 7". » Il ne me demande que deux choses : pouvoir garder Crazy Blondasse, ma créature, ma Blondie, pour sa chaîne et que j'organise ma succession, avec son aval, bien sûr.

— Vanessa ? j'ai lancé, contente de moi.

— Champagne, il a répondu.

On a trinqué. Autant joindre l'agréable à l'agréable. « Le champagne est le seul vin qui rend les femmes belles, même après l'avoir bu », disait Mme de Pompadour dont le sein, paraît-il, est à l'origine de la forme de la coupe ! Des bulles, des bulles ! Des millions de bulles dans ma flûte ! J'en avais les larmes aux yeux. Que d'émotions aujourd'hui ! Quelle journée ! Heureusement, c'est pas tous les jours audit ! Et bientôt, dans les bras de Bill. J'peux bien m'octroyer une petite récompense, non ?

21

« LAST VEGAS »

« *Welcome Mr and Mrs Wood, the Venitian Hotel offers you its best wishes for a happy honey stay in our luxury "Juliette and Roméo King suit"*... « *Welcome Mr and Mrs Wood, the Venitian Hotel offers you its best wishes for a happy honey stay in our luxury "Juliette and Roméo King suit"*... « *Welcome Mr and Mrs Wood...* » ?... ?... ?

Sont mignons dans cet hôtel. Ils voient un homme et une femme ensemble, rentrer « légèrement » titubants, en pleine nuit, accrochés au bras l'un de l'autre pour mieux tenir debout, et ils les prennent pour des jeunes mariés ! Étonnant. Quoique, non, au pays de la pudeur, on fait facilement un bond de deux siècles en arrière. J'crois bien que c'est comme ça qu'on a traversé le hall... *around 3 o'clock this morning.* J'ai un mal de crâne. Ça me tape dans les tempes. C'est insupportable. Limite nausée, genre enceinte. Pas envie de bouger. Ils ont dû se tromper. Faut dire qu'avec dix mille chambres, il doit y en avoir des erreurs... !

J'arrête pas de me retourner, qu'est-ce que j'ai mal dormi. Je me sens patraque. Je vais me réveiller en douceur et ça ira mieux. C'est pas souvent que je me sens mal, mais quand ça arrive, ça arrive. Je vois à peine clair. Et côté mémoire, c'est *black screen*. Je vais respirer un bon coup et la chambre va retrouver sa forme d'hier soir, je ne suis pas scotché au plafond. Je suis tranquillement dans mon lit superkingsize et... ma Juliette à côté de moi.

Mais, c'est quoi, ce truc qui défile là depuis ce matin ? « *Welcome Mr and Mrs Wood...* » Non, je vais pas réveiller Bill pour ça. Il dort comme un bébé ! Heureusement, parce que vu le bazar dans la chambre, on devait pas être trop clairs cette nuit pour avoir envoyé tout valser comme ça ! Même ma belle robe rouge achetée hier (un cadeau de Mr Wood) le long du Grand Canal Shoppes lors de la balade romantique en gondole à l'intérieur du Venitian megaresort est en vrac. Et ces escarpins tout rouges pétants assortis... sont à moi aussi ? Ah, mais c'est insupportable cette migraine. C'est pas le moment de flancher avec le programme de visite qui nous attend, Bill et moi, le long du Stripe, tous ces casinos hôtels plus rutilants les uns que les autres. Rien que d'y penser... j'suis fatiguée. Mais Juliette, t'as voulu venir, t'y es, alors... C'est quoi, ces photos-là, sous les flûtes à champagne ?

Je me souviens. C'est pas vrai. C'est pas croyable. Mais si. Si. On l'a fait ! Surtout ne pas bouger. Elle me semble déjà agitée Juliette. Elle ne va pas tarder à se tourner vers moi ? Griiiii ! Avant de faire le moindre mouvement, ne serait-ce que me rapprocher d'elle pour un petit câlin, il faut que je me remémore notre soirée dans les moindres détails. Le bazar dans la chambre, les coupes et bouteilles de champagne vides ça explique ma « gueule de bois », comme disent les Français, et aussi qu'on a dû fêter ça. On a dû fêter ça ! On a dépassé les limites mais juste un petit peu... quoi !

Là, plus ça va, plus j'ai l'impression d'avoir décroché. J'ai trop bu de champagne hier, *all day and night long*. Bill non plus, apparemment, ne se réveille pas... Faut dire que je ne cherche pas à le stimuler... La première coupe est pour la soif, la deuxième pour la joie, la troisième pour la volupté et la quatrième pour la folie ! On a fait quoi hier soir ? « *No sex last night* », j'crois bien. J'ai aucun souvenir. Bizarre. Et c'est quoi ces photos. Je suis curieuse de voir... Si j'allonge le bras gauche hors du lit, là, doucement... Houp, je l'ai. *Yes* ! « *Just married* » ? C'est bien Bill et moi, en vedettes américaines, collés l'un contre l'autre, à l'arrière d'une limousine intérieur cuir blanc, épaules déboîtées, bras tendus en avant, poignets cassés, mâchoires décrochées, hilares – la classe ! –, en train d'exhiber notre annulaire cerclé d'une alliance du plus bel effet. *Is it a* JOKE ? Sont plein d'humour au Venitian megaresort !

La seule solution, là, mon Bill, c'est sortir de sous la couette. Bouger mais rester discret. Je les vois les photos, je les reconnais, ouhlala ! Mon mal de crâne reprend. Et l'anneau, là, autour de mon doigt de la main droite, je le sens. Bravo, Bill, tu l'as fait et avec une Française en plus. Pas mal ! Oui j'ai donné mon consentement. Je m'en souviens parfaitement. Le champagne n'y est pour rien. Ou si peu. C'était après notre merveilleux et romantique « *gourmet dîner with a view* » at Red Square au Mandalay Bay. Deux vrais Las Vegans enivrés de bonheur... et là on l'a fait !

Sous la couette Juliette. Discrète. Tu te planques. C'est pas toi qui te lèveras la première. Hors de question. J'adore les grasses matinées et Bill le sait. Il ne s'étonnera pas si je fais la morte. J'ai plus mal à la tête, mais cette alliance me gêne. C'est quoi cette alliance, d'ailleurs. *What happened last night* ?

Je fais le mort dans un lit, alors que je suis à nouveau marié et à côté de ma nouvelle épouse. D'accord, c'était pas mon intention en venant ici, ni celle de Juliette non plus. On n'avait même pas encore parlé de l'idée de vivre ensemble. Alors se retrouver mariés tous les deux ce matin au saut du lit, ça fait tout drôle. Et le mariage c'est pas notre truc ni à l'un, ni à l'autre. Ça c'est sûr.

Je suis mariée. Mariée à Bill ? Je suis Mme Wood, Mme Wood III ? Depuis cette nuit ? C'est marqué là sur l'écran, c'est écrit là sur la photo. Besoin d'une preuve supplémentaire ? Mon alliance, *yes ! Yep !* On s'est mariés tous les deux ensemble. J'en ai aucun souvenir. Mais c'est pas grave, c'est un miracle. *A mi-ra-keul. A rial mirakeul.* Comme on n'en voit qu'aux States. C'est vrai, à Las Vegas, on peut tout faire. Donald et Daisy Dream nous l'avaient bien dit. Ici, on n'a pas le choix : soit on claque ses dollars dans ces légions de tables de jeu et de machines à sous aux cliquetis envahissants, soit... on se marie. Cette ville aux allures de parc d'attractions pour adultes perdu dans le désert y incite. On est dans le désert du Nevada, Bill, comme promis. C'est trop beau !

Bon là, Bill, faut assumer, mon vieux. C'est plus un jeu. On est passés du rêve à la réalité. Si j'ai dit oui à Juliette, c'est pour lui faire plaisir. J'ai dit oui à Las Vegas. Et maintenant je me retrouve marié. On va laisser un peu de temps et régler la situation ensemble. C'est tout.

Le mariage, le mariage. Remariée Juliette. Et vite fait encore, quasiment à l'insu de mon plein gré. C'est le mektoub, non ? Il était une fois... une mariée... prénommée Juliette, et un marié... du joli nom de... Roméo, euh,... non Bill... on est bien dans la suite J-R, euh « Juliette et Roméo » ?... Prémonitoire... dans une ville... de folie... Imprévisible mais vrai ! Nuit arrosée, *bad dream, hard réveil* ! Non, j'rigole... J'avais pas un rendez-vous à 11 heures pour un massage facial au caviar au spa ce matin ?

C'est une expérience à vivre au moins une fois dans sa vie. Une superbe expérience. Et voilà, c'est fait.

D'accord la situation est compliquée. Mais quelle soirée !! Quelle soirée inoubliable. Ah je revois le sourire de Juliette dans sa robe rouge, si saillante, si moulante ! Comment ne pas craquer, hein ?

Vegas est une planète à part. De loin et de près aussi. Moi, j'vous le dis. C'est le jeu, les filles, la danse, l'entertainment à donf et les églises. On ne voit pas le jour, ni la nuit, tout est pareil. Artificiel. Un megadisneylandresort. On vit enfermé et on vit en sous-sol. Les gens sont ici pour rêver. Et en Amérique, on le sait, c'est le pays du plus ! Alors, Bill et moi, on en a fait plus. Tellement plus, qu'on s'est mariés sans s'en apercevoir ! Ooooh... ou presque !

Et « l'effet string » comme dit Juliette, il ne faut pas le sous-estimer. Ni « l'effet champagne... », aussi. Les Françaises sont habituées. Elles sont résistantes. Et c'était son idée aussi de faire l'amour dans une limousine... Son fantasme. Ah, les fantasmes des Françaises... ça ne se refuse pas. Et là, on s'est mariés... nous avons franchi le pas ! Eh oui, on a joué au mariage, tous les deux. Maintenant, va falloir réfléchir un peu !

On s'est mariés où ? Dans un sous-sol sur une table de jeu au Bellagio ? Pas sur une table de cuisine cette fois, ni sur la table du décor de « Crazy Blondasse » mais au casino. Jackpot ! J'ai aucun souvenir. C'est brumeux. Avant de demander à mon nouveau mari, faut que j'aie l'air au courant tout de même. Il pourrait se vexer Bill. Je peux pas faire semblant ou comme si de rien n'était. Doudou, au secours. Aide-moi à reconstituer, à remonter le temps. Je sais que c'est possible, *please, help... I'm* Juliette B. au fin fond du Nevada. Et je suis perdue...

Tout est clair pour moi. J'arrête pas de me repasser le film de cette merveilleuse soirée. Ça se déroule tout seul. On était au spectacle pour assister à *La Traviata* de Verdi à la Fenice de l'hôtel. Modernisé l'opéra, doublé d'une inspiration pas très bien inspirée. *But we are at Vegas not* à Venise ! La Violetta, pas très classe, et d'un seul coup, en un clin d'œil, on a quitté la salle, Juliette et moi. On s'est retrouvés DANS la limousine. Juliette y tenait. Impossible de refuser. Il devait être 2 heures du matin à peu près. Le champagne et le champagne et le champagne, le drive-in, la Chapelle, le pasteur qui baragouine trois trucs, nos « *yes* » qui résonnent... l'employée qui nous tend le stylo, la signature, les flashes... Ah, c'est rodé, ça tourne ici. C'est le business, quoi, et hop. Deux de plus ! Mariés. Aux suivants ! Ça ferme jamais ces trucs-là. C'est comme ça que ça s'est passé. Et moi William Jefferson Wood, cette nuit, je me suis marié avec Juliette Beaumont.

C'est revenu. Comme un flash. Merci, Doudou, t'as dû sentir ma détresse et m'envoyer tes bonnes ondes. À froid maintenant, je vois la scène. Las Vegas, c'était mon idée. Lui voulait Los Angeles mais je connaissais déjà. La limousine, c'était mon idée aussi. Lui, il voulait le spectacle. Bon d'accord. Jusque-là, c'est moi. Le champagne ça va avec la limousine qui va avec l'idée de s'envoyer en l'air ensemble, ça c'est encore mon idée, qui va avec le chemin de la chapelle (je sais même pas son nom), du drive-in qui va avec la prestation complète. Une vraie folie, loin des conventions, un départ original pour une vie de couple. « *A romance in a limo* », comme ils disent dans les brochures : « L'Ouest à la carte. » Complètement à l'ouest, oui ! Qui n'a pas rêvé un jour de se marier pour du vrai ou pour du faux... à Las Vegas ? Tout le monde. On en rêve toutes. Même si ça fait kitsch. Et moi, Juliette B., je l'ai fait. Paf ! Manquait que Céline Dion à not' mariage ! Peut-être que c'était elle, après tout, la dame qui l'a célébré et que ni Bill ni moi n'avons reconnue. *Yep* !

Si je raconte ça, personne n'osera me croire. Même pas Amélie. *My god !* On va croire que j'ai perdu le contrôle de la situation. Non, au contraire, pas du tout, je suis responsable : j'ai épousé cette femme. Donald et Daisy... Ma famille... La famille Wood de Beaumont au Texas respectable depuis des générations a hérité d'un fils capable de se marier en catimini dans le Nevada ! *Why not ?* Mais bon, on ne peut rester comme ça. Il faut qu'on trouve une solution, ensemble, ma femme et moi.

Et qu'est-ce que je vais raconter à Paris, hein ? Qu'est-ce que je vais bien pouvoir leur dire à tous ?

Aux enfants ? « Votre mère, mes chéris, s'est remariée avec Bill, un Américain qui lui envoie des mails et que vous ne connaissez pas du tout, au cours d'un petit voyage, lors d'un petit dérapage... à Las Vegas, le tout sans s'en apercevoir. » Eh oui ! Et à Élisabeth et Chloé ? Depuis le temps qu'elles en rêvent de mon remariage, elles sont capables de me féliciter, ces poulettes. Trop contentes que je me sois recasée *by myself*. Et Amélie ? Elle aussi : heureuse. Elle sera aux anges d'apprendre que j'ai épousé son meilleur ami sur place. Peu importe les circonstances, Amélie est au-dessus de tout cela. Ma mère ? Gloria, question mariage clandestin, elle s'y connaît. C'est héréditaire, alors ce truc-là ? J'aurais dû me méfier et prévenir Bill avant...

Ma femme ! Elle est toujours la même Juliette. Toujours aussi sexy, séduisante, charmante, souriante, merveilleuse, pleine d'attentions, parfois imprévisible. J'en suis toujours amoureux... ce matin ? Pourquoi je me prends la tête comme ça ? C'est pas si mal comme situation : je suis marié à une Française. Des milliers d'Américains en rêvent. Et moi, Bill, j'l'ai fait. Alors ?

Question boulot, ça va pas être triste non plus. Vont être contents mes nouveaux patrons d'apprendre l'ouverture de la filiale à Bomantt au Texas ! Un pont, que dis-je, une ouverture sur l'Amérique direct. Voilà ce que la nouvelle directrice des programmes, pas encore tout à fait arrivée, vous propose d'emblée messieurs-dames. Formidable. Zont bien fait de me recruter. Alain va être jaloux ! *Yep !* « Une femme doit suivre son mari », dixit la mère de mon ancien mari. Tiens, lui, le Paul, va en faire une tête. Sa première ex-femme remariée à un avocat américain plus milliardaire que lui (eh ! « Faïce », t'as pas cent dollars ?) et installée au Texas, avec... les enfants. Ça c'est une autre paire de manches... Plus j'y pense, plus ça me fait flipper cette idée.

C'est bête mais je vais devoir « redivorcer »... Et de trois ! Trois divorces en quelque cinquante ans de vie. Ça commence à chiffrer. Faut que je mette en branle avocat, juge, agent dans la journée. Pas question de m'en occuper directement : c'est une situation juridique classique. Un dossier très simple à traiter. Ni mes associés... ni moi... Pas possible. Tout est allé si vite. Une folie. Un coup de folie. Oui, et alors ? Je vais faire appel à un copain à Scottsdale, pas loin d'ici, s'il n'est pas en balade à l'autre bout du monde. Célibataire, lui. Pas fou ! Qu'il n'essaie pas de se foutre de moi, sinon le brillant avocat texan de renommée internationale, « Wood et associates », va lui expliquer comment ça s'est passé...

Je devrais être heureuse. Je voulais un mari beau, riche... et étranger. Comme ma mère. Avec un prénom qui commence par un B. C'était mon destin. Il devait se passer quelque chose qui charamboule tout lors d'un deuxième voyage. C'est fait. Mais je suis mal, de plus en plus mal. Bill... s'il te plaît... réveille-toi ! Il a pas l'air de vouloir se réveiller. Faut que j'arrête de ruminer et que je me rendorme moi aussi.

Juliette paraît calme. Je suis sûr qu'elle va trouver elle aussi qu'on a vécu une belle expérience. Oui, c'était bien. D'accord, on n'aurait pas dû nous précipiter comme ça. Je vais m'occuper de régler la situation juridique et j'espère qu'entre nous l'essentiel sera préservé. Notre relation légère, suivie, pleine d'avenir... C'est vrai, on commençait sérieusement à se découvrir, s'apprécier, pas encore à se connaître... mais presque... Là, notre relation « amoureuse » ? Il faut qu'on se parle, c'est le moment. Juliette, réveille-toi.

Un deuxième divorce ? Non déjà. Sans être vraiment mariée consentante. Toutes ces démarches à faire pour annuler ce mariage trop rapide. Encore une montagne de paperasses ? Quoique, non, mariés pour une demi-nuit (record battu Britney, Jennifer, Nicky et les autres !...), ça doit être facile de se délier. Et pas de pension à verser ! Élégant comme il est, Bill, même pas la peine de le mentionner... Et si on restait mariés après tout, lui continue sa vie au Texas et moi à Paris. *No problem ?* Bill un ami ? Faut qu'on parle.

J'aurais mieux fait de jouer plutôt que de me mettre dans une situation pareille quand même ! Fini Juliette, fini le rêve de la petite Française ! Que va devenir notre relation ? Rien de tel pour le savoir que... Ah, Juliette, hi !

Tu parles d'un réveil en « tei a teit » ! Un tête-à-tête *very spécial* on s'offre là, *Bill and I*. Fini Bill, fini le rêve américain ? Et si je me remettais à boire ? Je crois que c'est la meilleure solution. Je me lève et, hop, je m'avale la bouteille de dom pérignon qui reste. Oh, Bill, hi !

Je ne sais pas si dans ma vie j'ai vécu un moment pareil... inqualifiable. Je n'ai plus de mots. Je ne trouve plus mes mots. Inimaginable ! Il n'y a qu'à moi qu'un truc comme ça pouvait arriver. Merci, Juliette, merci. Tu es merveilleuse. Merveilleuse de compréhension, de... ! Je ne sais pas comment dire. Amitié, le mot a été prononcé. « Amitié amoureuse », encore un truc français. Mais je compte sur nous. On verra bien. C'est la vie (« *Say la vee* »), non ?!

Ouf, ouf, ouf ! On a bien fait de se parler. On est d'accord. On a perdu la tête. Oui, Bill, oui ensemble. On a perdu la tête ensemble au même moment. On a... On a... On a... Oui, ça change. Ça change un peu, beaucoup, à la folie, pas du tout ? Complètement notre relation. « Amitié amoureuse » me convient bien à moi, Juliette. Et si... si un jour, plus tard... après... quand on se connaîtra mieux... en France... par exemple... on pourrait... je ne sais pas moi... en parler calmement. Y repenser... à cette histoire, que dis-je, aventure... du remariage. D'ici là, merci, Bill, pour cette expérience cosmique. Il n'y a qu'avec toi que cela pouvait arriver...

— Oui, entrez !

— Room service : vous avez commandé un champagne brunch buffet pour deux, à 3 heures ce matin. Voilà, Mr and Mrs Wood, vous êtes servis.

Ah, bravo ! Décidément !

Que la fête continue... *The show must go on !*

22

AMOUREUX DE PARIS

(deux mois plus tard)

« *Vivre et travailler aux États-Unis* » ? « *Profitez de l'occasion qui vous est offerte par le gouvernement américain en vertu de la loi entérinée par le Congrès* » ?

« *Loterie annuelle de la carte verte du gouvernement américain.* » Ah bon ! Ouf ! Je préfère. « *Les gagnants obtiendront un billet d'avion gratuit pour les États-Unis.* » Merci, kill Bill 3 est en cours ? « *Une chance renouvelée pour les personnes mariées... de gagner la Green Card...* »

Et ça continue sur les conditions du tirage au sort, le bulletin de liaison, de participation et tout et tout. Merci M. du gouvernement, j'ai déjà donné ! Ça fait presque deux mois que nous sommes « déliés », Bill et moi, après notre petite escapade vegane ! C'est comme ça qu'on dit, non ? Alors pour les States, ça l'fait plus pour l'instant. Merci quand même Internet pour la proposition... !

C'est vrai, ça s'est bien passé avec mon mari de Las Vegas. On a positivé l'un et l'autre. Je crois que notre décision de rester « bons amis » était la bonne. « Amis amoureux » à six mille kilomètres de distance, avec l'océan au milieu, un peu trop compliqué ! On continue à s'appeler de temps à autre et à s'envoyer des mails. Le contact est maintenu et il n'y a pas de rancœur dans notre nouvelle relation. Ça aurait pu être le cas... mais entre personnes de bonne compagnie, en toute intelligence, les choses se passent au mieux. Je préfère ne pas m'appesantir sur les petits coups de blues passagers de chaque côté de l'Atlantique. Bon, mais rien de grave !

Côté Atlantique, justement, j'arrive pas à lire le mail d'Amélie. Après la Green Card, voici « envie d'un aspirateur pour Noël ? » Mais ils se croient où sur le web ? Si on parle de ménage, Seymour n'est pas revenu. Un peu triste. Les seules nouvelles que j'aie de lui, c'est qu'il est bien là-bas, chez lui aux Philippines, et qu'il a choisi d'y rester. Sulku, je suis ! Cliquez ici ! Ah, ça y est. Amélie est de plus en plus famille. Fini les pièces jointes un peu olé-olé. Dommage ! Nous avons droit maintenant à « MERRY CHRISTMAS », aux photos des enfants au pied du sapin avec la nouvelle « date » (pas mal d'ailleurs, elle a bon goût, ma copine !). Elle roucoule, Amélie.

De : amelie@aol.com
À : juliette.beaumont@hotmail.com
Objet : amour et fête !

Je suis inondée de messages d'amour à l'aquarelle et les pièces de la maison se remplissent de tableaux à l'huile magnifiques et poétiques.

Bonne chance pour ta fête, Juliette !
Bisous. Amélie.

Plus sérieuse, tu meurs. Transformée my ex- « *ay mee nence griz* » (éminence grise). Un jour, j'irai faire un tour à Nashville... Pourquoi pas, hein ?

Parce que moi, côté cœur, c'est redevenu le calme plat.

Alors que côté boulot, ça donne un max. Entre mon départ en beauté de « Femmes 7 » à assurer, l'abandon de ma créature « Crazy Blondasse » à surmonter et mon arrivée chez les généralistes *number one* à ne pas louper, j'ai pas le temps de prendre le temps de m'épancher sur mes non-amours ! Et là, c'est Noël. C'est la fête partout. Pour me remercier de ces mois de collaboration intense et me féliciter pour ma promotion et mon arrivée chez les plus grands, Alain m'organise une super fiesta. C'est ce soir. Il passe me chercher à 21 heures pétantes. Moi, j'ai rien à faire d'autre que de me tenir prête, parée de mes plus beaux atours.

Alain, le bien fêteur, a eu l'idée. Il a laissé à mon assistante, Gaëlle, carte blanche pour tout organiser. Désemparée, elle s'est interrogée. Et un nom s'est imposé : É-li-sa-beth. Pas folle, Gaëlle ! C'est donc Élisabeth, Mme Organisation Mondiale des Soirées (OMS sans alibi !) qui gère et assure la logistique. Je ne sais pas comment elle fait pour trouver le temps entre ses deux Philippe ! Peut-être qu'ils seront là ce soir... M'étonnerait. Pourtant, ça serait drôle ! Chloé a insisté pour aider Élisabeth. Ma Chloé, tout juste

accouchée. Dix jours à peine après la naissance de...
ses... jumeaux ! Des faux jumeaux, certes : Enzo et
Zoé. Mais tellement mignons ! À faire craquer. Et qui
c'est qu'avait raison, hein ? C'est Doudou ! Plus forte
que la médecine... ma voyante !

Ça fait trois semaines qu'elles concoctent cela mes
deux copines, Chloé limite accrochée à son portable
pendant l'accouchement ! Déjà en grande forme, la
mère de quarante ans ! Dingue !

Moi, je ne suis au courant de rien... Ça sera la
surprise totale. Je n'en fais pas souvent des fêtes, mais
quand on m'en organise, ce n'est pas de refus. J'adore.
Avoir tous ceux que j'ai aimés, j'aime ou... j'aimerai
réunis autour de moi... ! Que du bonheur en
perspective. Parce que je le vaux bien, non ?!!

Elles ont bien fait les choses mes poulettes,
coachées par mon ex-boss. Bravo ! Waouh... ! D'ailleurs, j'ai pas posé de question, j'ai joué le jeu : j'ai
suivi Alain. Et là, surprise ! Il m'a emmenée le long
de la Seine jusqu'à une péniche. Une superbe péniche.
La plus belle de Paris, paraît-il. Celle d'un certain
Fred, le meilleur pote d'Alain. Qui exceptionnellement
est de retour de Singapour, Hong-Kong, Kuala
Lumpur ou New York. Ce maître de « feng shui »
(aménageur d'espace d'inspiration asiatique) fait
fureur à Manhattan comme à Paris. On se l'arrache.
Son bateau est un vrai bijou. Trop bien, Alain !
Super idée !

Fred, doigts de pied bagués dans ses tongs (*nous
sommes fin décembre*), chemise et pantalon ample, un
talisman autour du cou (*contre les effets du décalage*

horaire. Pourquoi pas ?), nous a accueillis. Sur un fond de musique... des îles. Étonnant mélange. J'étais ravie.

En bas, au niveau principal, au ras de l'eau, un feu de bois, rond, tout rond. Atmosphère étrange et adaptée à ce décor zen ! J'ai tout de suite senti que l'ambiance était chaleureuse et qu'elle allait devenir chaude.

J'ai à peine eu le temps d'admirer la zénopéniche que déjà mes invités m'ont happée.

Élisabeth et Chloé, en maîtresses de maison affairées, m'ont proposé... une p'tite coupe ! Merci les filles. Maintenant, j'y vais mollo sur le champagne car la dernière fois où j'ai un peu trop abusé... la suite ne s'est pas tout à fait passée comme prévu. Un petit dérapage et hop tu te retrouves mariée en un clin d'œil. Mais chut ! Personne ici n'est au courant. Même les deux organisatrices de ce soir. C'est vrai. Les pros de l'union, pour leur éviter de me soûler de questions après mon retour de San Francisco, je leur ai juste raconté, sans les détails, ma « déliaison » avec Bill. Elles ont été surprises mais j'ai prétexté mon changement de boulot, mon nouvel avenir professionnel. « *No more* mariage en perspective, mes poulettes, j'ai dit, donc pas de mobilisation nuptiale en marche, s'il vous plaît. Un peu de repos. » Carrément déçues les filles, mais je crois qu'elles ont compris cette fois. Et c'est pas Bill qui vendra la mèche. À mon avis, il est pas près de venir en France, un peu attiédi... par les Françaises, mon amoureux du Texas !

Que de monde ! Des têtes connues et des nouvelles

têtes qui ne vont pas rester inconnues longtemps. Foi de Juliette.

Embrassades, retrouvailles et éclats de joie. Incroyable !

Éric s'est précipité sur moi pour me saluer. Ah, Éric ! L'exilé du Mobilier national est de retour ! Il m'a fait rire quand il m'a dit, légèrement rougissant, qu'il admirait ma reconversion et la facilité avec laquelle je grimpais dans le métier. Éternel célibataire, prétendant à vie, plein d'espoir, je suis contente qu'il soit là. Il a dû faire un effort car l'univers de la télé c'est pas son truc. Mais il adore me faire plaisir, Éric. Et moi, je l'aime beaucoup. Je sais que, quoi qu'il m'arrive, il répondra toujours présent.

Et qui j'aperçois là, derrière le pilier, à demi caché, un casque sur la tête, à la technique ? Mon Arthur. Ça alors. Plus petit, il faisait comédien dans mes fêtes, maintenant, il fait musicien mon blogueur ! Il a du talent, mon fils. Arthur, le BG (comme il s'appelle lui-même) en DJ. Ça devrait plaire à son père.

Tiens, quand on parle du loup... on en voit la pomme. Paul ! Invité surprise ? Non, de dernière minute. C'est pas la même chose. Il m'a appelée à l'heure du déjeuner. Il n'avait pas le moral. Il avait besoin de se confier, et bien qu'il trouve cela idiot, c'est moi qu'il a choisie ! Ce que je pressentais depuis le mariage de Fleur est arrivé : il divorce une nouvelle fois. *Again ! Yes ! Yes ! Yes !* Son deuxième mariage, piteux, n'aura pas duré longtemps. J'l'savais. La série ! « Faïce » va quitter définitivement la scène, son canapé toscan et tout le tralala. Trop drôle ! Alors, il cherche à se rapprocher des enfants pour se consoler. Sincère la graine de père (il était temps, vont bientôt être majeurs, Élise et Arthur) ? Touchant l'ex-mari ? Trop bonne, trop conne, Juliette ! Je lui ai proposé de venir ce soir. Il a vu avec Gaëlle pour les détails. Et là, il est là.

Quand il est venu vers moi et qu'il m'a embrassée, je lui ai dit, histoire de le dérider : « Allez, Paolo, fais pas la gueule et bois un coup... Une de perdue, douze mille de retrouvées. C'est peut-être ce soir que tu vas trouver... le bonheur, qui sait ! »

Dans la série des ex, pas loupé. Marco. Ah merci les filles, merci. Non, j'rigole ! Marco, en pleine forme bavardait avec Vanessa. Et il parlait, parlait, un bara-tineur, celui-là. Quand il m'a vue, après la bise de circonstance, limite sur les lèvres, il m'a attaquée sur cette histoire de week-end à Venise. Et pourquoi pas partir juste après Noël ?

— Dis, Marco, c'est pas parce que autrefois on y allait à cette époque-là qu'il faut que cette année on fasse pèlerinage, OK ?

Il a frisé le nez et fait comme s'il n'avait pas vraiment saisi ma réponse. Décidément, l'Italie me colle à la peau : après le Venitian à Las Vegas, c'est le vrai Danieli, à Venise, qu'on me propose ! Marco comptait poursuivre. Alban m'a sauvée. Ouf, pour une fois, il est arrivé au bon moment. Et Gaëlle ne m'a pas laissé le temps d'entamer la conversation avec lui. Elle m'a emmenée direct au buffet. Ça commençait fort entre tous ces ex !

C'était trop beau, le buffet.

— Voilà, c'est l'œuvre de votre maman et de son mari, Juliette. Un buffet thaï des plus magiques. Et préparé avec amour...

— Faudra pas oublier, Gaëlle, de porter un toast, au cours de la soirée, à Gloria et Tao, pour leurs demi-noces de coton que nous fêtons aussi ce soir !

Je suis tombée, émue, dans les bras de ma mère (ça n'était pas arrivé depuis longtemps. Trop longtemps ?) et nous avons trinqué ensemble. Je les adore, Mr and Mrs Tao, les deux Papi et Mamie qui jouent aux seniors migrateurs. Merci d'être là... entre deux voyages en Thaïlande ! Trop bonne, votre cuisine.

Et qui se cache là-bas, derrière Chloé en grande discussion avec Alban ? Ma Doudou. Non ! Je n'en crois pas mes yeux. On s'est littéralement jetées dans les bras l'une de l'autre. Elle avait le regard pétillant. Alors ? Alors !

— Doudou, si je m'y attendais ! Tu es venue spécialement de Lyon ! Trop bien.

— Qu'est-ce que tu crois ! J'allais pas rater ta fête tout de même. Moi aussi, j'ai envie de te voir.

On s'est mises en retrait quelques instants toutes les deux. C'était pas très poli de l'accaparer mais il n'y a qu'avec elle que je pouvais en parler, encore, et encore, et pas au téléphone cette fois, de ce truc qui a tout charamboulé lors de mon voyage en Californie. Eh oui, Doudou, tu me l'avais bien dit... C'est le mektoub !

— Viens que je te présente à tout le monde en Californie. Tu connais déjà Chloé, et voici Élisabeth, à nous trois, depuis vingt-cinq ans, on est le trio. Je vous

315

laisse papoter ensemble. Pas trop de médisances. Moi, je continue mon tour de piste car je n'ai pas encore salué tout le monde. N'est-ce pas M. Ceccaldi ?

Il a sursauté. Pris en flagrant délit ! Il dévorait... du regard... la pièce montée garnie de légumes, à gauche du buffet. Quand je pense que je le croyais en vacances en Chine, mon acupuncteur corse ! Chloé nous a rejoints laissant Élisabeth découvrir cette fameuse Doudou dont on lui a tant parlé ! Sa préoccupation du moment à la nouvelle maman c'est « Comment faire pour retrouver sa ligne au plus tôt, après une double mégagrossesse ? »

— Ça va, Chloé, ça va. T'as pas à te plaindre. Trois mois de cure à Quiberon et c'est bon, j'ai ironisé.

Lui, contrairement à d'habitude, il avait l'air détendu, M. Ceccaldi. Il plaisantait même. Tout content de me voir et d'être de la fête. C'est vrai, lors des dernières séances, j'avais remarqué son petit faible pour « Crazy Blondasse » !

Mon portable a vibré. Un SMS. Henri ? Ah, Henri. « On sex kuz Giorgio é moi. Som a Napoli ! 2 tou keur avec vous. On t'aim. Bizz partou. G & H. » « Merci, H é G no pb. Fêt 1 tour à Pompéi pour moi, j'en rêv. Bizous. J. », je lui ai répondu. Et Hélène ? Elle a été invitée, j'imagine ? Renseignement pris auprès d'Élisabeth, elle a décliné l'invitation, pensant qu'Henri pourrait avoir le mauvais goût de se pointer. Le quatuor est définitivement brisé. Un peu triste mais « c'est la vie », non ?

Tiens, je vois pas Élise à l'horizon. Nulle part. Ni Charles non plus d'ailleurs. Comme ils sont collés l'un à l'autre, j'aurais dû remarquer la bête à deux dos ! Pas normal. Quoique, non, c'est normal. En retard comme d'habitude. Incorrigible. Je vais demander à Arthur, s'il sait où...

Stupeur ! Stupéfaction ! Hallucination ! Derrière moi, là, juste le temps que je me retourne, devant moi maintenant, au bras de ma fille que je cherchais partout : Bill. Mon Bill. Mon Bill Wood. Mon mari de Las Vegas *himself* en personne à ma fête sur la péniche de Fred. J'en ai eu immédiatement les larmes aux yeux... Ah lui, il s'est tout de suite senti à l'aise, décontracté au milieu de tous ces Français qu'il ne connaissait pas. Il avait l'air tellement heureux de me retrouver et de me surprendre de la sorte ! Je n'arrivais pas à y croire. J'ai dû le toucher plusieurs fois, le faire reculer et lui reprendre la main pour en être sûre.

Élise, ma délicieuse comploteuse, m'a tout expliqué. L'arrivée de Bill à Paris pour affaires dans l'après-midi, son coup de fil à la maison pendant mon absence, et hop, sa proposition, ni une, ni deux, de le faire venir à ma fête, sans rien dire, pour me faire la super-surprise, et de rejoindre ensemble la péniche. *Incredible* ! Et Charles ? Ouf, il est là aussi. Venu avec ma fille et mon ami américain, *of course* ! Tu parles ! Mr Wood venu du Texas pour fêter mon succès professionnel, un soir d'hiver à Paris ! Je lui ai tendu une coupe de champagne, avec le sourire enjôleur et complice qui s'imposait... On y va mollo, hein, Bill ! Tchin !

Et j'ai appelé Arthur pour faire les présentations.

— Bill, je te présente Élise et Arthur, « mon œuvre », j'ai dit toute réjouie.

Souriant, Bill m'a félicitée d'avoir des enfants aussi splendides. Histoire de le remettre dans le bain français, ils l'ont embrassé quatre fois, sur les deux joues, et se sont vite sauvés en gloussant.

— Quelle « *swa ray* » (soirée) *insn't it* ? Qui ne va pas tourner au « voh deuh veel » [vaudeville], cette fois !

Mais chut ! Chut, Bill, car la fête bat son plein. Ça commence à se trémousser sur le pont ! Rien ne défera jamais nos liens, on ne pourra pas aller plus loin tous les deux. Et ça nous le savons l'un et l'autre.

Et moi avec lui, je n'étais pas encore au bout des surprises. Nous nous sommes isolés quelques instants. Troublés, émus et vraiment heureux de se revoir et dans ces circonstances festives. Il m'a dit très calmement comme à son habitude :

— Juliette, il faut que je te fasse une confidence. Je suis venu très souvent à Paris. Chaque fois que j'ai fait le voyage, j'ai éprouvé le même émerveillement que la première fois. Pour moi, un passage à Paris, c'est comme une visite à un oncle pour lequel j'aurais une affection particulière, un oncle raffiné, le genre d'homme qui tient la porte aux dames. Un homme de sagesse, plein de curiosité et d'espoir. J'aime Paris, Juliette. Et grâce à toi, encore plus grâce à toi, je suis tombé amoureux de Paris. Même si je reste l'enfant de l'Amérique que je suis.

Moi, je l'écoutais silencieusement, à la fois intéressée et impatiente. Il a repris doucement :

— Alors, c'est simple. J'ai décidé de faire une petite pause professionnelle, pour un an ou deux au plus. Je viens de trouver un petit « pee-ay tah tare » (pied-à-terre), sur le Champ-de-Mars. Un petit appartement de deux cents mètres carrés, avec vue sur la tour Eiffel que je suis en train d'aménager. Mes associés au Texas sont OK.

— Oh, *great ! Great !* j'ai juste répondu. J'avais du mal à cacher mon trouble.

Voilà ce qu'il voulait me dire ce soir. Paris sa maîtresse ? Vite une coupe, Bill, une coupe. Ça recommence ! Je l'ai sifflée d'une traite. Et je me suis sentie mieux. C'est pas le moment de flancher.

« La bouche de Noël », fabrication maison, est arrivée sur le buffet. J'ai laissé Bill discuter avec Charles et Élise, les deux mordus d'Amérique. Ils ont l'air de l'avoir adopté celui-là. S'ils savaient ! J'ai attrapé Élisabeth au passage pour m'assurer qu'elle n'attendait pas le prince charmant ? Pendant qu'on y était ! Charmant mais un peu jeune d'esprit. Un jour, il a joué au clown et ça l'a pas fait : exit de ma vie le prince charmant. Alors, Élisabeth ? Non, mince, elle l'a oublié celui-là. Quelle erreur ! Oui, oui... mais j'te pardonne va ! On a ri ensemble.

Était-ce l'effet euphorisant du champagne (je n'en bois presque plus depuis Las Vegas) ? Mes pensées divaguaient. Ou bien, j'hallucinais. Je ne sais plus. Chloé et Éric avaient l'air de remettre ça comme lors de leur première rencontre à la fête de mon après-divorce (tiens, d'ailleurs, aujourd'hui, il n'y a pas mon avocat, ni not'juge. Encore deux oublis, Élisabeth. Tu

319

baisses, tu baisses !). Œillades et sourires complices. Heureusement que Jean Flam, le mari de Chloé, un peu patraque, est resté garder les... bébés ! Élisabeth ne quittait plus Alban. Je voyais ma Doudou très, très à l'aise avec M. Ceccaldi, et Gaëlle de plus en plus proche de Fred ! Vanessa et Paul ne se lâchaient plus. Je ne me sentais pas très bien ! Manquait plus qu'Élise m'annonce ses fiançailles avec Charles et... là, j'aurais été... mal.

Heureusement, Alain a claqué dans les mains et il a demandé le silence et l'attention de tout le monde. Il a pris alors la parole, visiblement ému.

— Je vais être bref, Juliette. Au nom de tout le personnel de la chaîne, en mon nom, et pour marquer notre amitié, je te remets un « Femmes 7 d'or » ! Et nous tous, ici présents, te souhaitons une pleine réussite dans ta nouvelle aventure.

Tout le monde a applaudi, et de mon côté, je l'ai remercié, émue également et un peu gênée.

Arthur s'est avancé à son tour (il n'a plus besoin de monter sur un tabouret pour prendre la parole dans les soirées maintenant. Il est grand !), faisant signe à Élise de le rejoindre, chacun un paquet à la main, pour une véritable déclaration.

— Maman, Élise et moi, on voulait te dire, on t'aime comme tu es, avec tes minuscules défauts et tes énormes qualités. Quoi que tu fasses, nous on veut que tu sois heureuse avec les gens avec qui tu es... heureuse et... peu importe qui.

Et ma grande fille de surenchérir :

— Mamounette, on est tous fiers de toi, de ton

succès à la télé. Tous nos copains à l'école nous en parlent, et nous on dit : « Oui, c'est notre mère qui fait tout ça » ; et on espère que ça va continuer.

Éclats de rires, larmes aux yeux, et, sous les applaudissements, je les ai embrassés et serrés tout contre moi, mes bébés, mes deux ados, mes deux amours, mon œuvre.

Élisabeth m'a tendu un dernier petit présent.

— Pour Noël, de la part de tous tes amis ici réunis, ces trois cadeaux.

J'adore les surprises. J'ai déballé pour découvrir d'abord deux superbes pulls, un vert prairie pétante et un bleu canard très vif. Deux pulls en cachemire... s'il vous plaît, matière on ne peut plus agréable à laquelle, je suis... tout à fait allergique (surtout quand il y a un col roulé, ce qui est le cas), mais chut ! Et ensuite, un... un... minuscule string de Noël, rayé, siglé Sonia Rykiel, le string cul... te de SR *Woman ! Lucky me !*

— Merci, merci. Je vous suis reconnaissante et je vous rappelle que moi c'est « jamais sans mon string ». Merci les amis !

J'arrêtais pas de remercier tout le monde, on s'est embrassés, et Arthur a lancé la bataille de confettis. Il y en avait partout. Décidément, une soirée pleine d'inattendu !

Après, avec la musique que nous a mis le DJ, aidé de Fred, l'ambiance s'est déchaînée. Et puis c'était drôle tous ces hommes à mes côtés. Je les regardais, l'un après l'autre, discrètement, et je me disais : « Tiens, ils sont là. Tous là et tous libres. » Paul, l'ex-mari, ex-Merlin le désenchanteur, bientôt redivorcé.

Simple formalité... donc libre. Marco, l'ex-amant, toujours dispo, toujours accro, sans engagement connu à ce jour. Éric, de retour d'une virée professionnelle provinciale, fidèle et encore vieux garçon. Bill, l'ami américain, mari de quelques heures qui s'installe à Paris, seul, pour un temps... J'en ai de la chance. Quel choix ! Quel embarras du choix !

Alain m'a sortie de mes divagations. Il s'est approché de moi, accompagné d'un de ses amis, arrivé de dernière minute... qui passait par là.

Je l'ai immédiatement reconnu. L'actionnaire de l'ascenseur. Croisé à « Femmes 7 » sortant discrètement du bureau du président, à la suite d'un rendez-vous secret ! Le sourire, l'élégance, le regard. Instantanément, j'ai vu des flammes dans son regard, des flammes toutes orange et jaunes, des flammes qui flambaient dans ses yeux marron foncé.

— Juliette, je te présente mon ami de Rome, Roméo Palazzi !

EN GUISE D'ÉPILOGUE...

« Chez les peuples démocratiques, de nouvelles familles sortent sans cesse du néant, d'autres y retombent sans cesse, et toutes celles qui demeurent changent de face. La trame du temps se rompt à tout moment, et le vestige des générations s'efface, on oublie aisément ceux qui vous ont précédé et ceux qui vous suivront. Les proches seuls intéressent. Ainsi non seulement la démocratie fait oublier à chaque homme ses aïeux, mais lui cache ses descendants et le sépare de ses contemporains, elle le ramène sans cesse vers lui seul et menace de le renfermer enfin tout entier dans la solitude de son propre cœur. »

Charles Alexis de TOCQUEVILLE,
De la démocratie en Amérique (1835-1840).
Œuvre d'un homme de trente ans
après un séjour de moins d'un an
effectué aux États-Unis
avec un certain... Beaumont !

REMERCIEMENTS...

... par ordre d'apparition

À Muriel Beyer, mon éditrice préférée, qui m'a renouvelé sa confiance et m'a soutenue dans cette dure épreuve qu'est... le remariage. Oui, merci, Muriel !

À Paul Wood, euh Paul Blue, haut responsable du lobby pro-Bill Blue, euh Wood, quasi-coauteur des aventures du Texan inspiré, l'un de ses compatriotes virtuels... Merci, Paul !

À Christine, mon Ève, pour m'avoir fouettée à un moment de doute, m'enjoignant d'« empoigner » Juliette et d'aller jusqu'au bout, jusqu'au remariage... ou presque.

À Amélie de G., la vraie, pour ses mails de folie qui m'ont beaucoup inspirée... M'en veux pas, Amélie !

À Tîbô, qui de loin et de près a participé à l'aménagement du temps d'écriture et de relecture de Juliette, plus quelques idées fulgurantes. Ce qui fut plus que précieux. Il se reconnaîtra. Merci à toi !

À Doudou pour avoir toujours été présente, elle et ses dons extraordinaires... Merci d'exister, Doudou, t'es la plus forte !

À Éric B., mon conseil en audiovisuel qui, de loin en loin, a veillé sur « Crazy Blondasse ».

Merci aussi à Nathalie et sa famille de Bayas, pays du balayage de la pluie, idéal pour écrire un roman l'été ! À Fouzia et sa famille de Marrakech qui m'ont tenue éveillée à coups de thé à la menthe, et à Tanger et ses cafés, pour leur ambiance particulièrement propice à l'écriture. À Alger et son hôtel « El Jézira », pour l'ambiance rythmée de son piano-bar, et à Tamanrasset, pour son silence d'hiver. À Françoise V., fan de Juliette depuis la première heure. Et à Fred pour les fêtes sur sa péniche, la plus belle de Paris !

Enfin, merci à Sarah et Samuel, mes enfants, qui m'ont fichu une paix royale. Jamais un mot sur le sujet. Sauf pour s'enquérir parfois des éventuelles rentrées de droits d'auteur... pour mieux choisir la destination de notre prochain voyage ! Non, j'exagère, vous êtes deux dialoguistes hors pair et je vous remercie du fond du cœur, mes deux amours !

TABLE

*Composition et mise en pages réalisées
par ÉTIANNE COMPOSITION
à Montrouge.*

Achevé d'imprimer par GGP Media GmbH, Pößneck
en Octobre 2005
pour le compte de France Loisirs,
Paris

N° d'éditeur: 43798
Dépôt légal: Novembre 2005
Imprimé en Allemagne